日本の名画・名品を訪ねて

旅する日曜美術館

北海道・東北・関東・甲信越・北陸

NHK「日曜美術館」制作班［編］

NHK出版

目次

北海道

東北

関東（東京以外）

関東（東京）

甲信越

北陸

ＮＨＫ「日曜美術館」は、一九七六年（昭和五一）の放送開始以来、あらゆる方向から美をとらえ、美術作家自身の言葉を記録し、作家や作品に向き合った多彩な出演者の声も丹念に拾い上げてきました。『旅する日曜美術館』（全三巻）は、この「日曜美術館」の蓄積をもとに、ＮＨＫアーカイブスのなかから「日本の近世以降の名画・名品」を語った珠玉のメッセージを抽出し、その内容を味わいながら、関連作品を所蔵する日本全国の美術館を訪ねました。本巻は、「北海道・東北・関東・甲信越・北陸」の四一館への旅です。

画像を掲載した作品は、特記したもの以外は当該美術館の所蔵品です。作品の展示時期は限られている場合があります。ご注意ください。

各美術館紹介ページの冒頭には「住所」「電話番号」「代表的なアクセス」を記載しました（二〇二〇年九月時点の情報です）。「開館時間」「休館日」や「作品の展示時期」等については、各美術館へお問い合わせください。付記した《ＱＲコード》から、それぞれの美術館のウェブサイトにアクセスしていただけます。

旅する日曜美術館

日本の名画・名品を訪ねて

北海道・東北・関東・甲信越・北陸

朽ちることは、天に還すこと。

砂澤ビッキと
札幌芸術の森
野外美術館

北海道札幌市南区芸術の森2丁目75
(〒005-0864)
011-592-5111

代表的なアクセス
地下鉄南北線「真駒内」駅から
中央バス「空沼線・滝野線」で
「芸術の森入口」または「芸術の森センター」下車

この美術館のウェブサイトはこちらから

〈女・夏〉[部分]
(佐藤忠良、1986年)

〈四つの風〉(砂澤ビッキ、1986年、赤エゾマツ)。
原生林から伐り出された4本の大木が直立する

NHK日曜美術館から

風雪という名の鑿《のみ》

砂澤《すなざわ》ビッキは、一九三一年（昭和六）、北海道旭川市に生まれた。本名・恒雄。北海道立農業講習所（現・北海道立農業大学校）を修了し、農業開拓に従事していたが、五二年に上京し、独学で彫刻の制作に励み、五八年、モダンアート協会展で新人賞受賞。六〇年に同協会の会員となるも、協会の方針に飽き足らず、二年後に退会する。以後は無所属の前衛彫刻家として、北海道で活躍した。「全国アイヌ語る会」（現・札幌アイヌ協会）の代表を務めるなど、アイヌ民族の復権運動にも尽力した。一九八九年（平成元）没。

二〇〇一年（平成一三）の「新日曜美術館」が、砂澤ビッキの代表作〈四つの風〉を取り上げた。

ビッキが、札幌芸術の森野外美術館のためにこの作品を制作したのは、一九八六年（昭和六一）の冬。原生林から伐《き》り出されたエゾマツは、直径七〇センチ、長さ七・五メートルという巨大なものだった。命名〈四つの風〉。大地に直立する四本の大木である。ビッキは、この作品に言葉を寄せた。

「自然のままの樹木を素材とする。したがってそれは生きものである。生きているものが衰退し、崩壊してゆくのは至極自然である。それをさらに再構成してゆく。自然は、ここに立った作品に、風雪という名の鑿《のみ》を加えてゆくはずである」

番組出演者は、美術評論家の酒井忠康《さかいただやす》と彫刻家の戸谷成雄《とやしげお》。司会は石澤典夫《いしざわのりお》アナウンサー。野外に置く彫刻作品として、あえて木を使うビッキに作品を依頼したことについて、酒井忠康が次のように語った。

酒井忠康　そうですね。私も多少、芸術の森の開設のお手伝いをしていましたから、木でつくるというのはタブーだ、だから野外彫刻にはどうなのかなという心配がなかったわけではありません。ビッキさんを訪ねたら、木でいく、と。もちろん木しか使わないわけですからね。彼にとっては彫刻＝自然というか、自然の生命体のリズムと一体化するといったらいいかな、いわゆる木を使って制作する、それ以外は彼にとっては考えられない制作方法だったわけですからしょうがない。にこーっと笑ってね、いずれ近いうちに鳥が巣をつくるかなあって。

石澤典夫　そういうふうになっちゃいましたね。

酒井　そのとおりになっちゃった。芸術の森から、鳥が巣をつくってますよっていう連絡があった時、ものすごく嬉しかったですね。

戸谷成雄がビッキらしさを語る。

石澤　〈四つの風〉という作品は、民族的な色合いを残しながらも、しかし、間違いなく近代彫刻の流れのなかに位置づけられている、ということでいいわけですよね。

戸谷成雄　そうですね。これは明らかに西欧彫刻の流れを汲んでいると思うんですね。影響っていうのは当然、みんな影響を受けるわけですけれども、影響されてもしかし、ビッキはどこか西欧彫刻とズレてくるんですね。たとえば垂直性といっても、それほど垂直性にこだわらないし。円とか何とかっていっても、それも西欧人ですともっときちっとした円にしますが、ビッキの場合は少しずつ歪んで、ずれて、もっと自然の、風化される方向にずるっとズレを起こす。このズレが、ビッキといえばビッキだと思うんですね。これは不思議なもので。これを価値としてどう見るかというのはまた別の問題ですけども、ビッキを特徴づけるものとして、ズレがあるような気がします。

石澤　朽ちるにまかせるという、この考え方というのは、先ほどの鳥が巣をつくってくれたらいいんだという話がありましたけれども……。

酒井　そうですね。これも彼と話をしていてちらっと出た言葉ですけれども、現に生きている原生林から生きている大木を伐ってきてそれを彫刻化するわけですけれども、これを天に還すんだ、というようなことをおっしゃっていました。深い意味は私にはわかりませんでしたが、なるほどと思いました。今現実に、彼がつくった〈四つの風〉という代表作の一つ、それ自体が、自然と対話をし、今朽ちる寸前のところまで来ている。これはもう少し楽しい想像のなかでこの問題を考えると、砂澤ビッキという、この不世出の独学の彫刻家が、仕掛けた大いなる罠といったらいいかな。

（新日曜美術館　二〇〇一年六月三日放送）

美術館を旅する

山をめぐる彫刻

札幌芸術の森は、札幌駅から地下鉄南北線で二〇分弱の真《ま》駒内《こまない》駅まで行き、そこから空沼《そらぬま》線・滝野《たきの》線のバスに乗り継いで約一五分。「芸術の森入口」で降りる。バス停から真駒内川に架かる橋を渡ると、総面積約四〇ヘクタールの広大な都市公園がひろがっている。開園は一九八六年（昭和六一）。三期におよんだ建設計画が完了したのは一九九九年（平成一一）である。園内を進む坂道沿いには、木工房、陶工房、クラフト工房、工芸館などの独立した建物が続き、その奥にひときわ大きな「札幌芸術の森美術館」が建っている。地元の作家の作品収集に加え、人類の始原である「森」に関わりのある

2010年の〈四つの風〉［撮影：佐藤雅英］

作品の収集にも力を入れている美術館だ。コレクションは約一七〇〇点。企画展も開かれる。

「札幌芸術の森野外美術館」は、長い階段の上にある。チケットを買ってゲートを通ると、さらに階段である。野外美術館はもともと小高い山の中腹につくられていて、山の斜面に点在する彫刻を見るためにのぼっていくことになるのだ。七・五ヘクタールの敷地に、六四作家七四点の彫刻が野外展示されている。

階段を上がったところに、「佐藤忠良《さとうちゅうりょう》記念子どもアトリエ」という建物があり、その左横に佐藤忠良の〈女・夏〉（一九八六年）という裸婦の立像がある。

佐藤忠良の像の後ろの丘の上に、砂澤ビッキの作品〈四つの風〉が見えた。といっても、今は枯れた丸太が一本立っているだけである。四本の太い丸太で構成されていたこの前衛彫刻は、一九八六年に完成した後、二〇一〇年、二〇一一年、二〇一三年にそれぞれ一本ずつ倒壊してしまった。残る一本が倒れるのも、時間の問題であろう。彫刻というものは、一般には、後々まで残ってほしいという思いから、ブロンズや石などの堅固な素材で制作されるものだ。そうすると、木を素材として朽ちるにまかせた砂澤ビッキの〈四つの風〉は、彫刻というより、長期にわたって表情を変えていくインスタレーションであるという見方もできるかもしれない。

ビッキは一九八八年にこんな言葉を残した。

2013年の〈四つの風〉

2011年の〈四つの風〉

風よ　お前は　四頭四脚の獣
お前は狂暴だけに
人間達は　お前の中間のひとときを愛する
それを四季という
願わくば　俺に　最も　激しい風を全身に
そして　眼にふきつけてくれ
風よ　お前は　四頭四脚なのだから
四脚の素敵な　ズボンを贈りたいと　思っている
そうして　俺を一度　抱いてくれぬか

（『砂澤ビッキ 風を彫った彫刻家——作品と素描』札幌芸術の森美術館編、マール社、二〇一九年）

〈四つの風〉を過ぎて山の中腹を進み、彫刻を見て歩く。本田明二《ほんだめいじ》のアニメ風の人物をかたどった〈道標——けものを背負う男〉（一九八六年）はブロンズの彫刻。飯田善國《いいだよしくに》の〈大地からの閃光〉（一九八六年）は風を受けてゆるやかに動いている直線的な風車。多田美波《ただみなみ》の〈位相〉（一九八六年）はステンレスの多面体で、日光を反射して光を放っている。ずらりと並ぶ黄色い人間たちが腰をかける姿で両手を挙げている〈椅子になって休もう〉（一九九〇年）は、〃日本のエッシャー〃とも呼ばれた福田繁雄《ふくだしげお》の人気作品。座った自分も誰かのための椅子になる。その輪がずっと続けばみんなが座れるはずという思いが込められている。そんな助け合いの精神が今後も

【左】〈母と子〉（グスタフ・ヴィーゲラン、1926-33年）［撮影：澤田石］
【右】〈椅子になって休もう〉（福田繁雄、1990年）

続くことを願った作品だという。
〈母と子〉（一九二六－三三年）などノルウェーの彫刻家グスタフ・ヴィーゲランの作品五点は、人間の誕生から死までの人生の場面が表現されたものだ。ヴィーゲランの作品は、オスロ以外ではここでしか見ることができない。イスラエル出身の彫刻家ダニ・カラヴァンの〈隠された庭への道〉（一九九二－九年）は、この野外美術館で最後に完成した作品。ホワイトコンクリートでつくられた八つのエレメント（門、丘、日時計の広場、七つの泉、円錐、水路、門、隠された庭）が、一ヘクタールのエリアに点在する形で構成されている。

野外彫刻の多くは、作家がこの地を実際に訪れ、地形や周囲の状況、気候などを考慮し、この場所のために新たに制作したものだ。

四季折々の「札幌芸術の森」で、天候や時間帯によって、彫刻はさまざまな表情をあらわす。大空の下で、森の風の中で、彫刻との出会いを楽しみたい。

「野外美術館」は、冬季（一一月四日－四月二八日）は休館するが、「佐藤忠良記念子どもアトリエ」は通年開館している。また休館中の一－三月には、かんじきを履いて冬の野外彫刻を鑑賞する「芸森かんじきウォーク」というイベントが開催される。

〈無辜《むこ》の民《たみ》〉に寄り添う。

本郷新記念
札幌彫刻美術館

北海道札幌市中央区宮の森４条12丁目
(〒064-0954)
011-642-5709

代表的なアクセス
地下鉄東西線「西28丁目」駅から
JR北海道バス山の手線「循環西20」で
「彫刻美術館入口」下車、徒歩約10分

この美術館の
ウェブサイト
はこちらから

本郷新記念札幌彫刻美術館の敷地内に再建された〈わだつみのこえ〉
(本郷新、ブロンズ)

声なき人びとの記念碑

本郷新《ほんごうしん》は一九〇五年（明治三八）、札幌市に生まれた。東京高等工芸学校（現・千葉大学工学部）卒。卒業前後から高村光《たかむらこう》太郎《たろう》に師事。二八年（昭和三）、国画創作協会彫刻部に〈少女の首〉が初入選。三四年、国画会会員となるが、三九年、佐《さと》藤忠良《うちゅうりょう》、柳原義達《やなぎはらよしたつ》、舟越保武《ふなこしやすたけ》らと新制作派協会彫刻部の創立に参加。戦前の作品には、〈アイヌの青年〉〈瀕死のキリスト〉などの頭部像、〈古老〉などの立像がある。戦後は日本アンデパンダン展に出品、社会主義リアリズムなどにふれて、平和運動にもかかわった。戦後の作品に、戦没学生記念像〈わだつみのこえ〉、東京・上野駅前に設置された〈汀《みぎわ》のヴィーナス〉、北海道開拓一〇〇年を記念して旭川に設置された〈風雪の群像〉（本田明二との共同制作）といった数多くのモニュメントと、布を巻いた人体〈無辜《むこ》の民《たみ》〉の連作がある。一九八〇年（昭和五五）没。

二〇〇五年（平成一七）の「新日曜美術館」は、本郷新の代表作のうち、〈わだつみのこえ〉と〈無辜《むこ》の民《たみ》〉の成立と作品をめぐるその後の出来事について紹介した。

一九四九年（昭和二四）に出版された『きけわだつみのこえ』（東大協同組合出版部）。戦没学生の日記や手紙などで構成されたこの本は、大きな反響を呼び起こし、ベストセラーになる。日本戦没学生記念会では、その収益の一部を記念碑建設に充てることになった。そしてその作者には、戦争に一番手を染めていない芸術家として本郷新が選ばれた。

当時大学二年生で記念碑建設に携わった箸方誠之が語った。

「昭和二二年（一九四七）に新憲法が発布されましたですね。まあ、そこで今問題になっている九条の、戦争放棄。軍隊を持たない。それから外国には出ない。まあそういうことを世界に公言したわけです。そういう意味では当時のわれわれにとってみれば、世の中がパッと明るくなった。青空みたいにね、自分たちの未来が開けた。ところが昭和二三年だったと思いますけれども、北朝鮮が独立宣言をしまして、マッカーサーなども日本は再軍備をすべきだというようなことを、公然と発言した。そういう点で当時のわれわれにとりましては、せっかく道が拓けたのに再びかつてのような暗い時代がまたわれわれのところに迫ってくる。それは何としても防がなければいけない。そのためには今、『わだつみのこえ』という本を出し、映画にし、記念碑をつくり、そしてこういうことじゃダメなんだということを声高く叫びたかった」

本郷は申し出を快く受けた。しかし、本郷自身が作品に込めた想いは学生たちとは別のところにあった。

「僕、学徒半ばで出陣した人に対する同情ということではないんです。それはもう、畑で働いている農民の青年であっても工場の労働者であっても学徒であっても、広く青年ですね、若い命が明日の保障のない運命にね、自分からの意志でなく持って行かれるということに対する、人間性への抑圧に対する抗議」

そう本郷は語っている。

東大構内への設置を目的につくられた〈わだつみのこえ〉。しかし、大学当局はこれを認めなかった。東大構内に設置する像は、大学に功労のあった人に限られ、しかも東大関係者が企画したものでなければならない、というのがその理由である。以来三年間、作品は本郷のアトリエに置かれた。

この像が陽の目を見たのは、時の立命館大学総長・末川《すえかわ》博《ひろし》の決断によるものであった。一九五三年一二月、作品は〈わだつみ像〉と改名し、立命館のキャンパスで除幕式を迎えたのである。しかし、思いもかけぬ事件が待ち受けていた。一九六九年五月二〇日。大学紛争が激化するなかで立命館の〈わだつみ像〉が引き倒されたのである。大学改革とも絡んで、すべての権威、既存の価値観などを否定する先鋭化した学生たちの手によるものであった。

当時の学生たちの言葉。

「ロープかけた時はもう、倒せ倒せって、みんな言ってたし。案外、根本からポキンとすぐいったからね。だからびっくりしたけど、まあ脆いもんですよ」

「あの〈わだつみ像〉っていうものはね、結局はその、一つの象徴でしかなかった。偶像でしかなかったんじゃないかと思いますね」

番組に出演した立命館大学理事長の川本八郎。当時大学職員として働いていた川本は、事件の一部始終を目撃していた。

「私の兄もね、戦争で命を失くしていますので。この〈わだつみ像〉がね、目の前で、それこそハンマーでね……ロープで引き倒されましてね。ハンマーで頭、胸、腕が破壊されていく光景といいますか、見ていまして、私の亡くなった兄が、再びハンマーで、どつかれている。破壊されている。そういう思いがしました。その時に私は、この学生諸君は本当に平和というものの大切さをわかっていないんではないかという具合に……。だけど正直いいまして、武装した、ヘルメット被った諸君がやっているわけです。そこに飛び込んで行って、止めるということは、なかなかできなかった」

事件の波紋は大きく広がる。

全国の学生や文化人も加わって賛否両論、激しい議論が闘わされた。そうしたなかで大学側は〈わだつみ像〉再建に立ち上がる。ただし、そのための費用はすべて国民の寄付で賄うことにした。〈わだつみ像〉が再び立命館に甦るまでには、六年の歳月を要した。

〈無辜の民ー乾いた砂Ⅰ〉（本郷新、1970年、ブロンズ）

番組は〈無辜の民〉のエピソードに移る。戦線がカンボジアにまで拡大し泥沼化の様相を深めていた一九六〇年のベトナム。家を焼かれ、家族を殺され逃げ惑う人々。本郷はその光景に激しい憤りを感じていた。

本郷新の次男と結婚した女優の柳川慶子《やながわけいこ》が語る。当時の本郷の、興奮した様子が今も彼女の印象に残っている。

「とにかく朝、新聞を全部読みますから。何紙も取っていて。それでそのことを、これは良くない！　これは絶対に許せない！　ということを割と口に出して。私たちと一緒に食事の時や、お茶を飲んでいる時にそういう話題が出ました。いつも目が……作品の向こうには全部、いろんな世界のことがあったっていう感じはしますね」

一九七〇年、本郷は一五点の小品で構成された作品を発表する。〈無辜の民〉のシリーズだ。無辜とは、罪がないこと。布でぐるぐるに巻かれ、体の自由を奪われたような人体。〈無辜の民〉シリーズは、罪もなく自由を奪われた人びとの群像なのである。

当時本郷は、この不幸をなんとか彫刻で表現しなければと、口癖のようにいっていたという。柳川慶子が語る。

「小さいアトリエ（の棚）に（彫刻の）原型がばーっとありまして、ある日突然、そのなかから、あれとあれとあれ、というふうにおろしてきて、何をするかと思ったら、それらにいろんな素材の布を巻きつけたんです。厚いものとかガーゼとかを巻いたり外したり巻いたり外したりして。それに石膏（を塗ったり）して。このアイデアがすごいなぁって思って。それで完成した時には、全然別の作品になっていましたから」

ベトナム戦争を機に生み出された〈無辜の民〉。像はどれも三十センチほどの小さなものだ。本郷はこのテーマを十数年前から温めてきたのであった。

一九五六年に、スエズ運河の領有権をめぐって、イスラエル・フランス・イギリス連合軍とエジプトとの間で繰り広げられた第二次中東戦争。その戦端が開かれる五か月前、本郷はエジプトに立ち寄った。その時のことをこう述べている。

「私はモスキーというスラム街に行った。貧しい子供たちの群れ。乳飲み子に乳を含ませているどん底生活の母親。家なき人々。美しい道路や立派なカイロの公園とはまったく縁がないように見えた。日本に帰ってから、私はスエズ運河国営の宣言を知った。私はモスキーの貧しい人びとの群れを思い出し、貧しさの底に足を踏ん張ってエジプト人民が立ち上がったことに、新しい、生き生きとした歴史を感じた」

〈無辜の民〉を制作しようとした時、まず頭に浮かんだのはアラブの人びとだった。そこで表現したかったのは、戦争というものに何もかも根こそぎ奪われてしまう人間の肉体の塊りだった、と本郷は述べている。

（新日曜美術館　二〇〇五年六月五日放送）

美術館を旅する

札幌の丘のアトリエ

JR札幌駅からタクシーで本郷新記念札幌彫刻美術館に向かう。美術館のある宮の森という地区へ入ると、緩やかなのぼり坂になって、瀟洒な建物が目に付くようになった。宮の森は、閑静な高級住宅地として知られている。

本館と記念館からなる本郷新記念札幌彫刻美術館は、本郷の彫刻とその制作の息吹にふれることができる場所になっている。

本館は、白い箱が集合したように見える建物で、本郷新の芸術を紹介するコレクション展や、彫刻や立体造形に関する企画展が開催される。記念館は、外壁がレンガ色の本体に、支柱のある白い建物を二階に増設したような住宅風の建物で、もともと一九七七年（昭和五二）に、本郷自身がギャラリーを兼ねたアトリエとしてこの地に建てたものだった。本館のほうが遅く、本郷の生前からあった計画をもとに、本郷の死の翌年、一九八一年に完成した。

記念館では、本郷新の彫刻と絵画作品を観覧することができる。そして本郷の作品の石膏原型のほとんど全部が展示されている。どの部屋にも原型やブロンズがひしめいている。両手を上げた三人の乙女の像〈泉の像〉（立像が札幌の大通り公

〈無辜の民—油田地帯Ｉ〉（本郷新、1970年、ブロンズ）

園に設置されている）の半身部分だけの石膏原型と、本郷が用いた彫刻の道具やパイプ・印鑑など、愛用の品々が一緒に置かれている部屋がある。オーディオセットが据えられた部屋もあった。

石膏原型のほかに、黒《くろ》御影《みかげ》石のものやケヤキの木彫など、素材に直接彫刻した一品ものも見られる。ブロンズに鋳造した〈わだつみのこえ〉の縮寸版も展示されていた。

だが何といっても目を引くのは、〈無辜の民〉のシリーズである。それぞれに〈乾いた砂Ｉ〉〈油田地帯Ｉ〉〈仏生〉〈デルタ〉〈アラブ〉といったサブタイトルがついている。布でぐるぐる巻きにされた人体は、胸に迫る。

本郷自身が〈無辜の民〉について次のように語っている。

「あれは小さいけれども、向かっている気持は大作と同じような気持で取組んでいるんですね。モニュマンタルな姿勢。やはり戦争と平和に関係があるからなんですよ。アラブ民族、中東民族それにインドシナ半島などの悲惨な状況を、戦争の陰で民衆がどうおかれているかという問題を考える時に出てくるわけです。それは、風俗になっては困る。風俗の描写ではなくて、また何々人種とかいうことをもっと離れた意味で、小さいけれどもモニュマンタルな、抑圧された人間の典型を作ってみたいと思った。（中略）裸と布との造形的な関係、そういうことも片方を縦とすれば横線のようにテーマになっているわけです」　（『本郷新』、現代彫刻センター、一九七五年）

〈石狩一無辜の民〉（本郷新、1971年、ブロンズ）。北海道石狩市の石狩浜に開拓者慰霊碑として設置されたモニュメント。〈無辜の民〉シリーズのなかの〈虜われた人Ⅰ〉を拡大して再制作したものである

日本で本郷新ほどモニュメント彫刻を数多く制作した彫刻家はいないのではないか。〈無辜の民〉シリーズも、北海道石狩市の石狩浜で開拓者慰霊碑になっている。記念館に置かれた石膏原型から生まれたブロンズが全国各地で野外設置されている。その数は驚くべきものだ。

一つの作品が一か所だけでなく、複数か所に置かれている例もある。

たとえば微笑みを湛《たた》える少女の像〈奏でる乙女〉（一九五四年）。この作品は、一体は東京・六本木の交差点に置かれ（当初の像はコンクリート製。二代目のブロンズ像が設置されたのは一九七五年）、もう一体は、札幌彫刻美術館からほど近い「彫刻の道」に坐っている。

青年時代から石川啄木の詩を読み、啄木の感覚に共感し、啄木に惹かれていた本郷新は、二体の石川啄木のブロンズ像をつくった。一つは函館市の〈石川啄木像〉（一九五八年）。絣《かすり》の着物に袴をつけ、素足に下駄履きで、手に詩集を持ち、石に腰をおろして物思いに耽《ふけ》る姿。もう一つは、釧路市の港文館の敷地内に設置されている〈石川啄木像〉（一九七二年）。マントを着て、腕を組み、遠くを見る立像である。

【上】〈石川啄木像〉(本郷新、1958年、ブロンズ、函館市日乃出町の啄木小公園)
【下】〈奏でる乙女〉(本郷新、1975年、ブロンズ、東京・六本木交差点)

画家の帰りを待つ絵。

神田日勝
記念美術館

北海道河東郡鹿追町東町３丁目２
（〒081-0292）
0156-66-1555

代表的なアクセス
JR「帯広」駅から
北海道拓殖バスで約60分、
あるいはJR「新得」駅から
北海道拓殖バスで約30分、
「神田日勝記念美術館前」下車すぐ

この美術館の
ウェブサイト
はこちらから

ブラウで畑起こしをする神田日勝と兄の一明（1952年頃）

NHK日曜美術館から

農民画家の真実

神田日勝《かんだにっしょう》は、一九三七年（昭和一二）、東京に生まれた。四五年に一家で北海道・十勝平野の鹿追《しかおい》町に疎開し、そのまま定住する。中学生の頃から兄・一明の影響で油絵を描き始めた。中学卒業後は、東京藝大に進んだ兄の代わりに農業を継ぐ。五六年、平原社美術協会展に〈痩馬〉を出品し、朝日奨励賞を受賞する。その後、平原社展、全道美術協会展、独立美術協会展などで活躍した。六二年に結婚し、一男一女に恵まれたが、一九七〇年（昭和四五）、三二歳で急逝した。

一九九四年（平成六）の「日曜美術館」で、夫人の神田ミサ子と作家の古井由吉《ふるいよしきち》が、日勝の思い出と絵画を語った。

鹿追町の町なかに一人で住むミサ子夫人は、日勝が農業をやめたいと言うのは一度も聞いたことがないと言う。

「日勝は農民として生きることに喜びと誇りを持っていました。農民であるということ。確かにそれは日勝の表現の拠《よ》りどころでした。しかし、農作業と絵の創作の両立は極めて難しいことでした。日勝にとって一枚の絵を仕上げることは極度の神経の集中が求められるものでした。一方、生活の糧を得る手段として農作業は日々止めることのできない仕事で、経済的には豊かといえる状態ではありませんでした。創作活動に集中したくてもそれができないことは日勝にとって辛い現実でした。私が彼を見ていて特別に思ったのは、春、種を蒔きますよね、それで種を蒔いて二、三日して芽が出る頃だったんですけれど、夜、搾乳とか終わってもなかなか家に入って来ないでどうしたのかなと思って外に探しに行った時なんですけれども、とても真っ暗で。そうしたら畑の畔にしゃがみ込んで土を撫《な》ぜていたんですよ。もうじきだな、明日あたりかなって、土を撫ぜていて。たぶん発芽の時期でね、そのことに感動していたその姿っていうのがすごいなと。それに私が感動してしまったというのがあるんですけれども」

友人の徳丸滋に宛てた日勝の手紙が紹介される。日勝が、十勝で創作活動を続けることに画家としての限界を感じていた頃のものだ。「鹿追も退屈だし倶知安《くっちゃん》も退屈でしょうが帯広も負けずに退屈なところです。これはきっと札幌も退屈だろうし東京もパリもアメリカもおそらくきっと地球のどこへ行ってもこの退屈さからはのがれることが出来ないのではないかと想像します。そうしてそれよりもっと退屈なのは敗北がわかりきっているのに絵をかいてゆく僕の人生です」

敗北がわかりきっている。日勝は自分の前途に深い絶望感を抱いていた。自らの力量に対する不安。また創作活動の時間も経済的な余裕もないことを痛切に思い知らされていたの

〈晴れた日の風景〉（神田日勝、1968年、油彩・ベニヤ板）

である。その焦りと退屈な気分を振り払おうとするかのように、日勝は色彩を画面にぶつける。〈晴れた日の風景〉（一九六八年）に描かれているのは馬と人だが、その表現の方法はそれまでとはまったく異なるものだった。日勝はこの絵を家族が出かけているわずか数時間のあいだに一気に描いたという。厚く塗られた絵の具はまるで日勝の激しい情念の迸《ほとばし》りのようである。

古井由吉が次のように語る。

「一九六五年から七〇年。昭和四〇年から四五年。この国の人の心がかなり急激に変転を遂げた機会、時期じゃないかと思うんです。たしかに神田日勝は、まあ中央から見れば辺境の地で暮していたけれども、もうこの時代になるといかに辺境の地といえども、広い意味でのイメージね、映像、観念、それから情報によって時代全体に完全に直結している。巻き込まれているといってもいい。まあ、同年の人間であるせいか、どうしても時代の衝動とか欲求を強く感じる絵ですね、私にとっては」

（日曜美術館　一九九四年一二月一一日放送）

二〇一三年（平成二五）の「日曜美術館」では、神田日勝と馬との深いつながりが語られた。登場したのは、日勝夫人の神田ミサ子、画家・渡邉《わたなべ》禎祥《ていしょう》、日勝の友人・髙橋悦子。

東京から日勝の一家が移り住んだのは、日高山脈を臨む北海道の鹿追町。一家が暮らした地は、今は牧草地となっている。日勝が一九歳の頃に描いた〈風景〉（一九五六年頃）という作

〈死馬〉（神田日勝、1965年、油彩・ベニヤ板、北海道立近代美術館蔵）

品がある。二階建ての建物が住居。その両脇に馬小屋と鳥小屋があった。畑には馬の餌にする草が積み上げられている。すぐそばにまだ手つかずの原生林。畑や牧草地にするために長い年月がかかった。

「馬は立ったまま眠る。横になるのは死ぬ時だ。その姿を日勝は懸命に描きとめようとした」

そう話す妻のミサ子が続ける。

「馬に頼る以外はどうしようもなかったんですよね。だからそういう意味では大事にしたと思いますけど、俗にいう、馬にのめり込んだ愛好家っていうんですか、そういうのとは違うと思いますね。だから人間も馬も同じだよっていう、そういうような気持ちがあったんじゃないでしょうか。今でいうと相棒でしょうかね。絶対欠かすことのできない相棒ですね」

〈死馬〉（一九六五年）は、精根尽き果てたように倒れ伏す馬。毛並は濡れてまだ温もりが残っているようだ。脚には馬屋から運び出すための鎖が冷たく光っている。大切な相棒を見送る日勝の眼差しである。

日勝は亡くなる一年前、帯広市内の画廊で初めての回顧展を開いた。二〇歳頃から描き始めた作品が壁を埋め尽くした。挨拶状に自ら言葉を添えている。

「稚拙な二〇代の足跡を顧みてそこに三〇代への制作の指針を模索したいと考え古い作品から最近の作品までも並べてみました。被告席に立つ犯罪者の思いで……」

回顧展を終えた後、日勝はまったく新しい一枚に挑戦する。画家の渡邉禎祥がその一枚について語る。

「今描いてる作品っちゅうのは、時間かかるんだよって、両手の人差し指と親指で囲いを作って、このくらいの面積描くのに二時間から三時間くらいかかるのさって。え？ どんなもの描いてるのさって聞けば、それについては答えてくれないの。僕にしたらすごく興味深くて、見せてもらいに鹿追まで行こうかなって思ったくらい」

友人の高橋悦子は日勝の家でその絵を目にしていた。

「春ね、四月頃じゃなかったかと思いますよ。四月の初めですね。ふっと見たら壁に斜めに立てかけてあって。おっと思って立ち竦《すく》んだ。で、日勝さん、自分を描いたのっていったんです、私が。そうしたら、うんっていう返事」

作品は〈室内風景〉（一九七〇年）。畳一畳ほどの小さな部屋に蹲《うずくま》る一人の男。虚《うつ》ろな顔で何を見つめているのか。壁を埋め尽くすように貼られた新聞紙。人形は生まれたばかりの娘のもの。無造作に置かれた日用品も、ほとんど日勝が使っていたものである。新聞には時代を反映する記事が事細かに描き込まれている。

「利潤の追求と合理主義の徹底という現代社会の流れのなかで人間が真に主体性のある生き方をすることは、きわめてむずかしい時代になってきた。（中略）あの白いキャンバスは己れの心の内側をのぞきこむ場所であり、己れの卑小さを気づき絶望にうちひしがれる場所でもあるのだ。だから私にとってキャンバスは、絶望的に広く、無気味《（ママ）》なまでに深い不思議な空間に思えてならない。私はこの不思議な空間を通して、社会の実態を見つめ、人間の本質を考え、己れの俗悪さを分析してゆきたい。己れの卑小さをトコトン知るところから、われわれの創造行為は出発するのだ。あの真っ白なキャンバスの上にたしかな生命の痕跡を残したい」

（神田日勝「生命の痕跡」北海タイムス、一九六九年）

〈室内風景〉を仕上げてまもなく、日勝は還らぬ人となった。一九七〇年（昭和四五）八月二五日。その日、帯広の馴染みの喫茶店ではモーツァルトの鎮魂歌が流れ、三二歳の若い画家の死を惜しんだ。春から体調不良が続いていた。それでも炎天下、畑仕事に追われ、展覧会の準備にも出かけていたという。八月になって入院したものの、腎盂炎による敗血症で命を失った。

没後に撮られたアトリエの写真のなかで、一頭の馬が描きかけのまま主の帰りを待っていた（〈馬（絶筆・未完）〉）。実は日勝は〈室内風景〉よりも先にこの絵を描き始めていたのである。しかし胴体から先は焦げ茶色の下地が塗られているだけ。そしてその先には……かすかに残る鉛筆の線が続きを描こうとした意志を伝えている。日勝はこの絵の前に立っても描こうとせず、ただじっと眺めていたという。

（日曜美術館　二〇一三年六月二三日放送）

〈室内風景〉（神田日勝、1970年、油彩・ベニヤ板、北海道立近代美術館蔵）

美術館を旅する

さまざまな可能性を残して

ＪＲ帯広駅から鹿追町にある神田日勝記念美術館までのバスの道のりは、一時間余り。車窓には地平線まで続く畑、一望どこまでもひろがる牧草地、サイロのある家と白樺並木、いくら見ていても見飽きない風景が続く。

帯広を出て間もなく、音更町《おとふけちょう》に入る。音更はアイヌ語のオトプケが転訛したものだが、アイヌ語を離れ、地名として、何か遙かなものを感じさせる語感を持つ。音更の開墾は、晩成社という結社を率いた初期の開拓者・依田《よだ》勉三《べんぞう》が、一八九二年（明治二五）にここに牧場を拓いた頃に幕を明け、やがて十勝きっての農業地帯になった。

帯広に本店のある菓子店・六花亭に、「ひとつ鍋」という変わった名前のお菓子がある。由来は、依田勉三の句「開墾のはじめは豚とひとつ鍋」。開墾を始めた頃は人間も豚と一緒の鍋から飯を食う、そんなありさまだったことを詠んだものだという。開拓者たちは、想像もつかないような労苦の末に農場を拓いたのである。その達成感と誇りは、十勝の人びとに受け継がれているはずだ。

神田日勝は十勝平野の一角で暮らし、農民画家といわれるが、十勝の広大な農場の成り立ちを思えば、日勝のなかにも

〈馬（絶筆・未完）〉（神田日勝、1970年、油彩・鉛筆・ベニヤ板）

また、その開拓精神が流れていたに違いない。

音更を過ぎて、バスは鹿追町へ。然別川《しかりべつがわ》に架かる橋を渡り、川に沿って走る。然別川は大きな川ではないが、十勝川とともに十勝平野を潤す、まさに命の川である。

バスを降りると、すぐに神田日勝記念美術館が見える。まばらな木立をはさんで、二階建ての箱型の棟がいくつか連結し、それぞれに三角屋根がのっている。どこかメルヘンチックな建物だ。

展示室で神田日勝を堪能する。神田日勝の作品は、ベニヤ板にペインティング・ナイフを用いて描くのが特徴だ。日勝は、この素材の質感と手応えが気に入っていた。

彼の作品は大きく五期でとらえられる。

初期（一九五六年—六四年）は、社会主義リアリズムの影響から、痩馬や廃屋、労働者を暗い色調で描き、独特の閉塞感をまとう（六一年の〈ゴミ箱〉、六三年の〈飯場の風景〉）。

第二期（一九六四年—六六年）は、牛馬や農作物といった農村生活の題材を描く。質感描写は深化し、ナイフによる鋭い筆触で対象に肉薄していく（六五年の〈死馬〉）。

第三期（一九六六年—六七年）は、豊富な絵具や画材が並ぶアトリエを連作で描き、画面は一転して鮮やかな原色で覆いつくされる（六六年の〈画室A〉）。

その鮮やかな色彩はそのままに、第四期（一九六八年—六九年）はアンフォルメル（非具象）という芸術運動の影響から、

〈画室A〉（神田日勝、1966年、油彩・ベニヤ板）

ダイナミックなストロークによる躍動感ある画面に変貌し、激しく燃え上がる生命感が表出する（六八年の〈晴れた日の風景〉）。

最後の第五期（一九六八年-七〇年）には、現代社会を象徴する新聞・ポスターをだまし絵風に描き、そこに強い眼差しを向ける人物を配して、現代に生きる私たちに鋭いメッセージを投げかけるかのような作品を描いた（七〇年の〈室内風景〉）。

神田日勝には馬を描いた作品が多く、馬の画家などともいわれるが、一方で〈画室〉のシリーズも彼らしい作品群だ。農家にとっての馬と同様に、画家にとって必要不可欠な画材を描いたこれらの絵も日勝の命だった。日勝は、一貫して生活や生き方と深く結びついた芸術を求めた。現代美術家として、新しい世界を切り拓く可能性を持っていた。

美術館のウェブサイトに掲載された館長のコラムの中に、こんな記事がある。

「馬と共に自らの身体を張って懸命に生きた日勝。『結局どういう作品が生まれるかは、どういう生き方をするかにかかっている。（中略）機械文明のあおりを受けて人々が既製品的生活を強いられるなかで、クリエイティブな我々の仕事は既製品的人生へのささやかな反逆かも知れない』と認めた日勝の思いは時代を超越します」

（二〇一七年一月一一日　神田日勝記念美術館館長　小林潤）

自然の躍動に吸い込まれるように。

木田金次郎美術館

北海道岩内郡岩内町万代51-3
(〒045-0003)
0135-63-2221

代表的なアクセス
JR「小樽」駅から
中央バスで1時間半、
「岩内ターミナル」下車すぐ

この美術館の
ウェブサイト
はこちらから

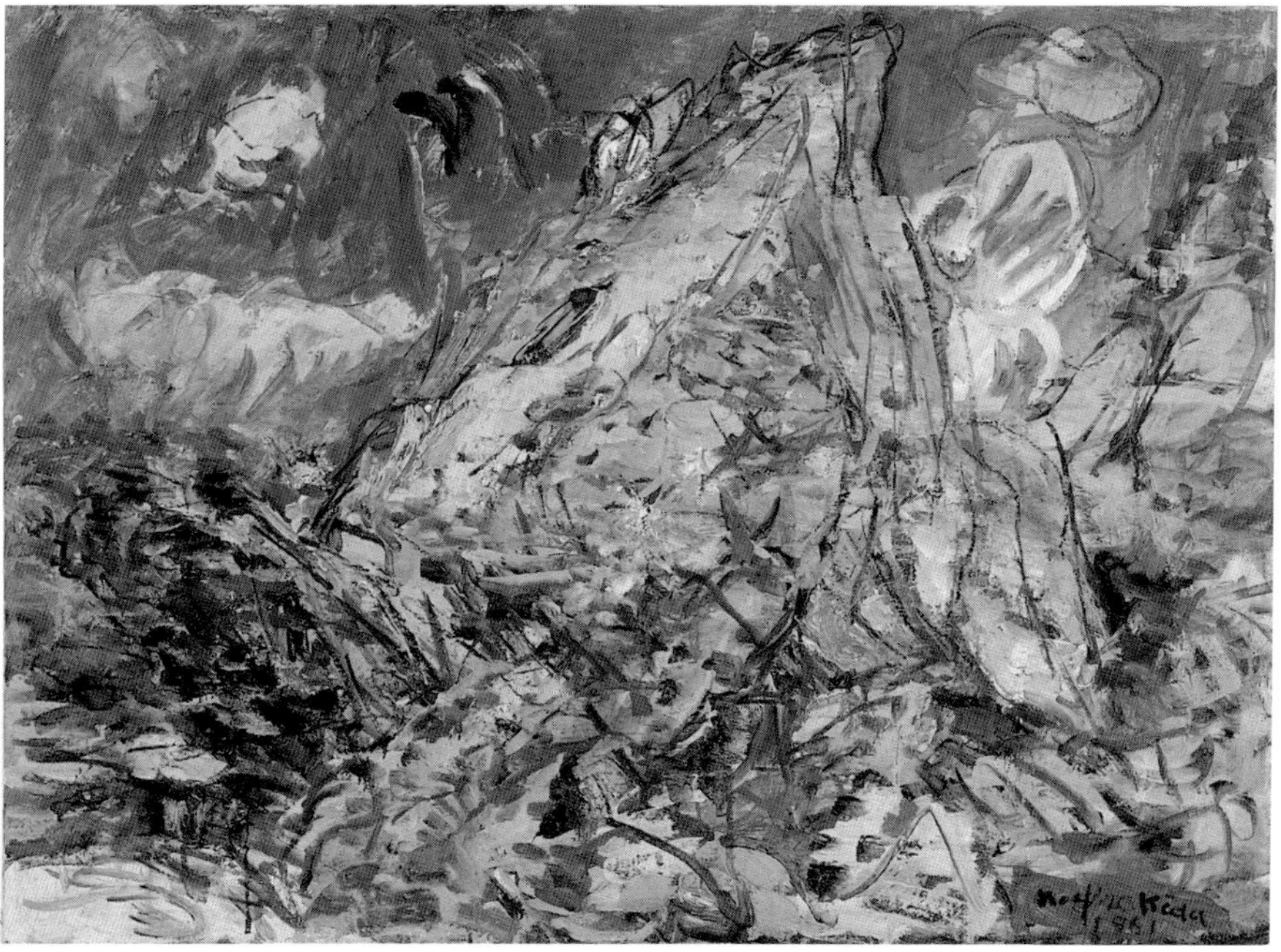

〈春のモイワ〉(木田金次郎、1961年、油彩・キャンバス)

NHK日曜美術館から

海辺の町から

木田金次郎《きだきんじろう》は一八九三年（明治二六）、北海道岩内《いわない》郡御鉾内《おもない》町（現・岩内町）に生まれた。小学校を卒業後、上京して開成中学、京北中学（現・東洋大京北中学校）に通い、その中学時代から絵を描き始めた。中学を中退して移った札幌で有島武《ありしまたけ》郎《お》の絵を目にして感動し、スケッチを携えて有島宅を訪問。以来、有島との交流が生まれ、有島の小説『生れ出づる悩み』のモデルになったといわれる。その後、木田は岩内に帰郷して漁業に従事し、有島は一九二三年（大正一二）、自死した。木田は画業に専念する決意を固め、戦後、五三年（昭和二八）に札幌で初個展を開く。しかし翌年、岩内大火によって作品の大半を焼失してしまった。一九六二年（昭和三七）没。

一九八八年（昭和六三）の「日曜美術館」が木田金次郎の故郷を訪ねた。

北海道積丹《しゃこたん》半島のつけ根にある漁港、岩内。かつては江差《えさし》と並ぶ鰊《にしん》の水揚げ港として栄えた古い港町である。木田金次郎は、鰊漁で賑《にぎ》わうこの町の海産物商の家に生まれた。一時、東京の中学に学んだが、家業が不振になったこともあり、やがて岩内に帰って漁業を営みながら絵筆を握ったのである。

近郊の風景をスケッチするために一〇キロ、二〇キロと歩くこともあった。木田金次郎が描き続けた風景は、決して風光明媚な場所や特別な景勝の地ではなかった。彼は岩内近辺の野や山、海岸線をよく歩き回り、一見、ごくありふれた風景に深く魅せられていたのである。何の変哲もない三角形の岩――モイワも、彼のこだわり続けた場所の一つだった。

夫人の木田文子が、モイワについて次のように語った。

「結婚して一週間ぐらいしてあのモイワにね、連れて行かれて対面させられたんですよ。発動機のついた舟でね、泊《とまり》の港に上がりましてね、そしてそこから歩いて行ったんですよ、あのモイワまで。そして帰りは徒歩で岩内まで帰ってきましたけど。『この岩を一〇年ぐらい前から、描きたいと思っているんだ』っちゅうんで見せられたの。トンネルのほうから歩いていくと、三角錐の見えますね、あのところを見せられたわけですね。へえっと思ったんですね。いい風景でもないのに、この岩そんなにいいもんかと思ったわけですね。そう私に語ってから一〇年ぐらい経ってから、いよいよ描いたわけです」

木田が四季折々に描いたモイワ連作の一つ、〈春のモイワ〉（一九六一年）。屹立する岩。激しく動いていく雲。岩肌を洗う波。刻一刻と姿を変える自然の一瞬の表情をとらえようとする、木田と自然との格闘である。

文子が語る。

〈ヘロカラウスの岩〉(木田金次郎、1960年、油彩・キャンバス)

「どこか旅行に行ったり、個展の後なんかに新聞社の方が案内してくださったりして、名所をご案内いただきますね。そうしますとね、帰って来てからね、どこを見せられても何にも感心させられないっていうわけですね。岩内は変化があって……海があり丘がありね、砂浜があり、（自分の背後を指さして）そっちは岩ですしね。変化があって岩内はきれいだって。絵を描こうと思えば画題になる場所が豊富だし、岩内はきれいって。どっこ見せられてもなんも感心しねえって。そういう話を聞かせるんですよ」

打ち寄せる波を従えるかのように堂々と横たわる〈ヘロカラウスの岩〉（一九六〇年）も、岩内の風景だ。力強い生命感が漲《みなぎ》っている。木田金次郎は岩内のごく当たり前の、平凡ともいえる風景のなかに大自然の躍動する命を見、そのドラマを描き続けた画家であった。

今、木田の描いたヘロカラウスの岩はない。泊原子力発電所建設のため、爆破されてしまったからである。

（日曜美術館　一九八八年七月一七日放送）

美術館を旅する

自然の呼吸にふれる

木田金次郎美術館のある岩内町までは、小樽駅前からバス

【上】〈岩内山〉（木田金次郎、1958年、油彩・キャンバス、個人蔵、木田金次郎美術館寄託）
【下】〈牡丹〉（木田金次郎、1956年、油彩・キャンバス）

〈晩秋〉（木田金次郎、1924年、油彩・キャンバス、個人蔵、木田金次郎美術館寄託）

で約一時間半（距離にしておよそ六〇キロ）、あるいは札幌駅前ターミナルからバスで約二時間半（およそ一〇〇キロ）。

岩内ターミナルでバスを降り、ちょっと見回すと、道路をはさみ、中央が大きな円筒形の白い美術館の建物がすぐ目に付く。円筒形の内部は屋根のない吹き抜けになっていて、一階は中庭である。この円筒形の建築物は国鉄の岩内駅（一九八五年廃駅）にあった転車台（ターンテーブル）がモチーフになっており、その左右に付いている箱型の建物は、列車をイメージしたものだという。

木田金次郎美術館は、旧岩内駅の跡地に建っている。設計を担当したのは木田金次郎の長男・木《き》田《だ》尚斌《なおたけ》である。

開館は一九九四年（平成六）。一九八七年（昭和六二）に結成された町民有志による「木田金次郎美術館を考える会」の運動などが結実し、町立のこの美術館が誕生した。油彩画約一七〇点のほか、多くの木田関係の資料を収蔵している。

木田金次郎の早い時期の作品に、一九二四年（大正一三）の〈ポプラ〉がある。ポプラの木陰から明るい空間を眺める美しいこの一枚は、モネを思わせる。同じく早期の〈晩秋〉（一九二四年）は、岩内神社参道前の元は池だったところを描いたもので、完成度が高い。木田がまずは印象派から出発したことは明らかである。だが、木田は印象派に止まってはいなかった。

西洋では、画家は、自身の構築した世界をもって対象とぶ

泊漁港でスケッチをする木田金次郎(1960年頃)

つかろうとする。印象派の画家たちとて例外ではない。それに対し木田の場合は、画家自身が対象のなかへ、自然のなかへ入り込み、風を感じ、波のうねりを受け止め、陽光を浴び、自然の持つ色に吸い込まれるようにして、絵を描いている。自分の決めた構図に風景をあてはめるのではなく、自然の動き、呼吸にふれようとしているのだ。〈残雪の岩内山〉(一九三三年)、〈牡丹〉(一九五六年)などに向き合うと、そう感じられる。

木田の海の絵は、岩内港はわかるが、そのほかの海景はタイトルを見てもどういうところを描いたのかが、なかなかわからない。しかし山はわかる。木田は羊蹄山《ようていざん》やニセコの山もスケッチに出かけたが、何といっても故郷の山である岩内山を数多く描いた。

バスの車窓から見た岩内山は、山の斜面のかなり上のほうまでスキー場であった。標高は一〇八〇メートル余り、どっしりとした山容で風格がある。岩内の人びとの生活と密接な結びつきを持った山である。

作品も作家も清々しく、それを大切にしている人々が守っている木田金次郎美術館。「漁師をしながら絵を描いていた人」と聞くと、無骨な風貌を想像してしまうかもしれないが、美術館に飾られている顔写真を見ると、木田金次郎は眼鏡をかけ、インテリ風で学者のような顔をしていた。

縄文と現代が、ここでつながる。

奈良美智と
青森県立美術館

青森県青森市安田字近野185
(〒038-0021)
017-783-3000

代表的なアクセス
JR「新青森」駅東口から
ルートバスで約10分、
「県立美術館前」下車

この美術館の
ウェブサイト
はこちらから

〈あおもり犬〉(奈良美智、2005年、コンクリート)　©Yoshitomo Nara

NHK日曜美術館から

雪の日のあおもり犬

奈良美智《ならよしとも》は一九五九年（昭和三四）、青森県で生まれた。武蔵野美術大学を中退し、愛知県立芸術大学を卒業。八八年、ドイツに留学。ドイツ国立デュッセルドルフ芸術アカデミーを卒業。九四年（平成六）、ケルンに移って旺盛な制作活動を行う。挑戦的な眼差しの子供の絵は、この時期に描き始めている。二〇〇〇年、一二年のドイツ生活を終えて帰国。翌年、横浜美術館、広島市現代美術館などで大規模な個展を巡回する。〇三年には、クリーブランド現代美術館など、全米五か所で個展を開催。一〇年、アメリカ文化に貢献した外国出身者に贈られるニューヨーク国際センター賞を受賞。世界的に評価が高く、作品はニューヨーク近代美術館やロサンゼルス現代美術館などにも収蔵されている。

二〇一二年（平成二四）の「日曜美術館」では、格闘家の須《す》藤元気《どうげんき》が、奈良美智が制作したモニュメント〈あおもり犬〉を見に行く。案内は青森県立美術館の学芸員・池田亨《いけだとおる》。縄文の遺跡から発掘された犬をイメージしたという〈あおもり犬〉には、吹き抜けのスペースに設置されているため、雪の季節には雪を被っている。

須藤元気　おお！　デカい。シャガールに負けじとデカい（この美術館に展示されているシャガールの巨大な舞台背景画と比較している）。そして雪が帽子みたいになっている。かわいいな、なんか。すごくいい感じに融合してますね。雲のなかから出てきた感じですね。雪が雲みたいですね。

池田亨　お年寄りの方がですね、この〈あおもり犬〉をご覧になって、ちょっと拝んでから行かれたことがありました。（作品が）大きいから拝んでしまったということがあるかもしれないけれども。

須藤　なんとなく仏様みたいですもんね。

池田　冬でこういうふうに雪を被ってると、なにかいろいろなものに耐えているような、笠地蔵のような、そんな雰囲気があるんじゃないかと思うんです。ちょっと目を閉じて下を向いているのが、瞑想でもしているような、祈っているような感じがありますし。この作品もできてから五、六年になるんですけれども、最初の頃、そこまでの意味を持っていたわけではないと思うんです。でも、皆さんの感情移入のなかで作品の意味がだんだん大きくなってきているような……。特に冬のこういう姿を見ると、東北の雪のなかで春を待っている皆さんにとっては感情移入しやすい対象なんだと思います。

須藤　じゃあ、東北の人たちが作り上げた作品といっても過言ではないですね。意味づけをしていくっていう。

池田　これからも育っていく作品なんだと思います。

須藤　いいですね。（両手を合わせて）ご利益があるかもしれない。

（日曜美術館　二〇一二年三月一八日放送）

美術館を旅する

縄文美術の系譜

青森市内にある三内丸山《さんないまるやま》遺跡は、一九九二年（平成四）の調査によって、縄文時代の大規模な集落であったことがわかり、大きな話題を呼んだ。

青森県立美術館は、その三内丸山遺跡に隣接する広い緑地の運動公園の一角にある。ここはJR青森駅よりも、新幹線が通るJR新青森駅からのほうが近い。新青森駅からは四キロほどの道のりで、バスの便もあり、タクシーでもそう時間はかからない。

美術館前でバスを降りると、もう目の前に白いL字形の大きな美術館が見えている。二階建ての、横に長い箱型の建物だ。壁面には、「木」と「a」をモチーフにした図形が二二二個配置されている。このシンボルマークはネオンになっていて、夜になると青い灯がともる。「青い木が集まって森になる」という意味で、青森県を表現している。

青森県立美術館は青木淳《あおきじゅん》の設計。二〇〇六年（平成一八）の開館である。地上二階、地下二階だが、内部に入ってみると、白だけではなく土色の壁も多用されており、地表から地下へつながる深い壕のような構造も見られて、発掘された遺跡の趣を取り入れていることがわかる。とにかく大きな美術館で、各階に形と大きさの異なるいくつもの部屋がある。

青森県立美術館の常設展は、主に青森ゆかりの作家の作品による個展、ないしはテーマを掲げてその作家の周辺を含めたグループ展のような形で行われるところに特色がある。

ただし、棟方志功（一九〇三―一九七五）と奈良美智だけは特別で、この二人の作家の作品はいつでも見られるように、棟方は地下一階に、奈良は地下二階に、通年展示の部屋が設けられている。

棟方志功のコレクションは、青森県庁のロビーの壁面を飾った大作〈花矢《はなや》の柵《さく》〉（一九六一年）のほか、二百数十点を数える。

奈良美智の作品を青森県立美術館は一七〇点以上所蔵しているが、この美術館の建物に合わせて、奈良は二つのモニュメントを制作している。地下二階の美術館の西側屋外に、高さ八・五メートルの犬の像〈あおもり犬〉。そして、南側屋外に設けられた八角堂の中にある〈Miss Forest／森の子〉（二〇一六年）である。

〈Miss Forest／森の子〉（奈良美智、2016年、ブロンズ） ©Yoshitomo Nara

〈夢と覚醒〉（工藤甲人、1971年、着彩・紙）

〈Miss Forest ／森の子〉は開館一〇周年を記念して制作されたものだ。高さは六メートル。奈良美智は、周りを歩いて大地や空の波長を感じてほしいとコメントしている。

奈良は、自身の制作についてこんな言葉を残している。

「ぼくがなんでこういう絵とか彫刻を作るのかについては、答えれば答えるほど言いたいことから外れていく感覚をいつも持っている。ただ、一つだけ言えることは、自分の感情を否定しないで自分自身を純粋に表現すれば、自分には嘘をつかないことになる」（『別冊トップランナー 奈良美智』NHKトップランナー制作班編、KTC中央出版、二〇〇一年）

棟方志功と奈良美智に加え、美術館の軸になっているのは、青森出身の作家と作品である。たとえば戦時中シベリア抑留を体験し、戦後はメキシコやアメリカに渡って抵抗精神あふれる作品を残した阿部合成《あべごうせい》の〈声なき人々の群れ〉（一九六六年）。北国の自然をモチーフに幻想的な独自の画風をつくりあげた日本画家・工藤甲人《くどうこうじん》の〈夢と覚醒〉（一九七一年）。創作版画運動の中心人物の一人で、後進の版画家たちに大きな影響を与えた関野準一郎の〈恩地孝四郎像〉（一九五二年）。

さらに、マルチアーティスト寺山修司の活動を一望する諸資料や、彫刻・特撮美術など多岐にわたって活躍した成田亨《なりたとおる》の怪獣デザインの原画など、個性豊かな郷土の作家の所蔵品でも知られている。

〈恩地孝四郎像〉（関野準一郎、1952年、多色木版・紙）

カンディンスキー、クレー、ピカソ、ブレイク、マティス、ルドンなど、海外作家の作品も収集している。なかでも目玉というべきは、シャガールのバレエ「アレコ」の舞台背景画だ。地下二階の中央に、地上二階まで吹き抜けになった大展示室（アレコホール）があり、四方の壁に、驚くほど大きなシャガールの原画が一枚ずつ掛かっている。第一幕〈月光のアレコとゼンフィラ〉、第二幕〈カーニヴァル〉、第三幕〈ある夏の午後の麦畑〉、第四幕〈サンクトペテルブルクの幻想〉（すべて一九四二年）である。この舞台背景画は、シャガールが第二次大戦中、アメリカに亡命していた時に制作されたものだから、この画家の脂の乗りきった時代の作品だ。そのうちの三点が青森県立美術館の所蔵で、第三幕〈ある夏の午後の麦畑〉はアメリカのフィラディルフィア美術館から長期借用しているものだ。それぞれが縦約九メートル、横幅約一五メートルの四点は、「色彩の魔術師」と呼ばれるシャガールの本領が発揮された傑作である。アレコホールではこの四点が揃って展示されているのである。

青森県立美術館を出て緑地を眺めると、かなりの人があたりを歩いている。三内丸山遺跡を見てから美術館に来る人も多く、美術館を観覧したあと、遺跡に向かう人もまた多い。縄文時代の青森と現代の青森が、緑地のなかの道でつながっているのである。

「柵」を打ち、願いをかなえる。

棟方志功記念館

青森県青森市松原2-1-2
(〒030-0813)
017-777-4567

代表的なアクセス
JR「青森」駅から
市営バスで約15分、
「棟方志功記念館通り」下車、徒歩約４分

この美術館の
ウェブサイト
はこちらから

〈飛神の柵(御志羅の柵)〉(棟方志功、1968年、木版)

NHKさまざまな番組から

故郷への思いを刻む

棟方志功《むなかたしこう》は一九〇三年（明治三六）、青森市に生まれた。小学校を卒業後、裁判所の給仕をしながら油絵を描く。ゴッホの作品に刺激を受け、二一歳の時に上京し、二八年（昭和三）、油絵で帝展に初入選する。油絵を描く一方、川上澄生《かわかみすみお》の作品に感銘を受け、版画に興味を持ち、平塚運一《ひらつかうんいち》に出会って本格的に木版画を始めた。三六年の国画会に〈瓔珞譜《ようらくふ》 大和し美し版画巻〉を出品したことから、柳宗悦《やなぎむねよし》、河井寛次郎《かわいかんじろう》、濱田庄司《はまだしょうじ》ら日本民藝運動の中心人物と知り合う。その後、京都の河井宅に滞在し、仏教経典の講義を受けたことが、棟方志功が宗教的な主題の作品をつくるきっかけとなった。四〇年、国画会に前年制作した〈二菩薩釈迦十大弟子〉を出品し、翌年佐分《さぶり》賞を受賞。戦後はサンパウロ・ビエンナーレ、ベネチア・ビエンナーレなどで受賞して注目され、一躍国際的な評価を得る。七〇年、文化勲章受章、文化功労者。一九七五年（昭和五〇）没。

二〇一二年（平成二四）の番組「極上美の饗宴」は、棟方志功が故郷への思いを込めた作品〈花矢《はなや》の柵《さく》〉（一九六一年）と〈飛神《とびがみ》の柵《さく》（御志羅《おしら》の柵）〉（一九六八年）を取り上げ、志功の魅力を探った。

志功が故郷への思いを初めて版画作品にしたのは、一九三七年（昭和一二）、三四歳の時、一〇メートルにおよぶ大作〈東《と》北経鬼門譜《うほくきょうきもんぷ》〉においてであった。屏風の中心で仏が真っ二つに割れているのは、この間に東北のすべての災難を通してしまえば、仏が救ってくれる、という意図が込められているという。当時、東北は再々冷害に見舞われ、凶作が続いていた。

それから二〇年余り経って、志功が再び故郷を題材にしたのが、青森県庁ロビーに掲げられた板壁画〈花矢の柵〉であった。逞《たくま》しい体つきの女神たちが馬に乗って野を駆ける。この作品制作のための取材で、志功は遠野《とおの》に赴いた。遠野は運搬の車の入れない木材の伐採地が点在しており、馬が仕事に使われている数少ない地域で、馬と人がともに暮らしている。人と馬が呼吸を合わせれば、一度に一トン近く木材を引くことも可能だという。険しい土地でも馬とともに力を合わせれば大地を切り拓くことができる。志功の作品は、自分たちの力で苦境を乗り越えてゆく姿を表していた。

〈飛神の柵（御志羅の柵）〉は、青森では知らぬ者のいない地域の神、オシラ様を扱った作品である。オシラ様は、ふだんから一軒一軒の家庭で祀られている家の守り神だ。

弘前市郊外にオシラ様の供養をする寺、久渡寺《くどじ》がある。地域の人びとは、一年に一度、オシラ様の護摩祈禱のために寺

〈花矢の柵〉(棟方志功、1961年、木版、青森県立美術館蔵)

に集まってくる。長さ約一メートルのきらびやかな金銀模様の衣装を着せられるオシラ様。赤い衣装が女の神で、青みがかった衣装が男の神。衣装のなかに高さ三〇センチほどの木のご神体が入っている。代々受け継がれ、今でも家族に欠かせない神として大切にされているオシラ様。人びとはここで供養してもらったオシラ様を、再び家に持ち帰る。志功は六四歳の時にこの寺を訪れた。

志功の〈飛神の柵〉には、体に不思議な渦巻き模様をまとった一対の神が描かれている。上が女の神、下が男の神だ。ほがらかな表情で、のびやかに舞う神。これは、東北の人びとのこころの姿なのかもしれない。

(極上美の饗宴 二〇一二年一月一六日放送)

美術館を旅する

志功館の癒し

青森から北海道へ渡る手立てが船しかなかった頃は、本州最北端の青森は海を目の前にした最後の駅で、そこから青函連絡船に乗り込む時の気分には、独特のものがあったという。今は新幹線が、いつの間にか海底トンネルに入ってしまうが、連絡船の時代から、青森の繁華街は、港に近い駅前に発展している。

〈禰舞多運行連々絵巻〉（棟方志功、1974年、倭画）　［部分］

棟方志功記念館は、バスで駅前の繁華街を通り、西へ三キロほど走った、学校や住宅の多い静かな一角にある。記念館近くのバス通り沿いの電柱には、「志功館通り」という表示。通りから棟方志功記念館の門を入ると、すぐに池を囲む小さな日本庭園になっていて、高床式の校倉《あぜくら》造を模した美術館の建物が見える。庭園には、美術館の玄関への径沿いに、大きな株のハギが数本、たっぷりと花を咲かせ、ハマナスの大きな株も何本か、真っ赤な実をつけている。

志功は自分の描いた肉筆画を、板画《はんが》（棟方は版画をこう記した）と区別して倭画《やまとが》と称していた。棟方志功記念館では、板画だけでなく倭画も鑑賞することができる。

たとえば〈大印度《だいいんど》尨濃図《ぼうのうず》〉という油絵がある。一九七二年（昭和四七）に棟方が詩人の草野心平とともにインドを旅行した際の作品で、描かれている太陽は、志功の好きなゴッホに見える。旅に同行した草野心平によれば、志功は一二日間のインド旅行の間に、二〇〇枚のスケッチを描いたという。草野は、そのスピードに驚いている。

ほかにも各地に取材して描いた紀行風の小品が展示されている。〈小倉の夜景〉〈長崎の天主堂〉〈松江の菅田庵《かんでんあん》〉などは、志功らしい味のある名所絵だ。

さらに、富山県福光町に疎開していた時代の〈丸紋百花譜〉（一九四四年）から、一九七〇年代の作品まで、さまざまな倭

〈二菩薩釈迦十大弟子〉（棟方志功、1939年作、1948年改刻、木版、六曲一双）［右隻］

画が展示されている。〈禰舞多運行連々絵巻《ねぶたうんこうれんれんえまき》〉（一九七四年）という、青森のねぶた祭の情景を描いた全長一七メートルにも及ぶ絵巻もある。ねぶた運行の始まりから終わりまでを、色彩鮮やかにぎっしりと描き込んだものである。ふつう絵巻は物語が右から左へと進んでいくが、この絵巻は逆で、左端が発端で右へと展開していた。画中の一人一人の人物が非常にリアルに描かれているところがおもしろい。

志功は、ねぶたについてこう語っている。

「凧の絵と同時に、わたくしに絵を描けと教えてくれたのは、七夕祭の催しのネプタでありました。県全体、とくに津軽地方の若ものや、おとなたちのいのちは、年一回のネプタにあったのです。これがあるために、若ものたちは一年じゅう仕事にいそしめるのでした。（中略）大きな竹を細く割り、それで人形の形を作って行くのです。それに日本紙をはり、墨で描き割りの線を引き、その上に蠟引をして模様をつけ、強烈きわまる染料で、黄、赤、青、紫の、さまざまな極端な原色を駆使して作るのです。このネプタの色、これこそ絶対まじりけのないわたくしの色彩でもあります」

（棟方志功『板極道』中公文庫、一九七六年）

板画は一九三五年（昭和一〇）の〈萬朶譜《ばんだふ》〉、一九三九年制作（一九四八年改刻）の〈二菩薩釈迦十大弟子《にぼさつしゃかじゅうだいでし》〉、一九五〇年の〈道祖土頌《さやどしょう》〉などが展示されている。〈二菩薩釈迦十大弟子〉

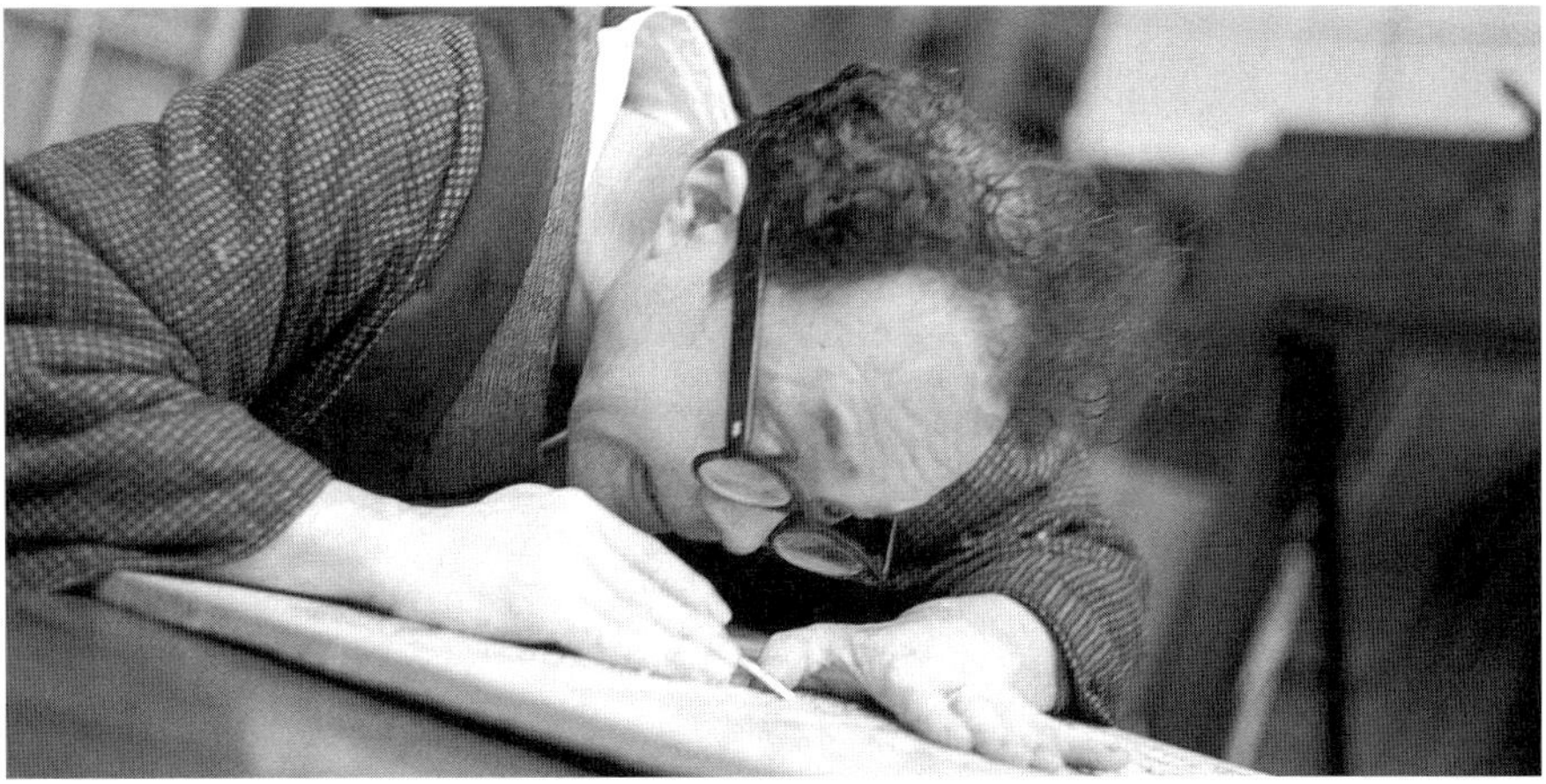

棟方志功の制作風景。志功は極度の近眼だった　[撮影：原田忠茂]

の「二菩薩」は、普賢《ふげん》菩薩と文殊《もんじゅ》菩薩で、釈迦の弟子である一〇人の修行僧とともに描かれたものだ。

志功の板画のタイトルにはしばしば「何々の『柵』」という表現がある。たとえば〈二菩薩釈迦十大弟子〉のタイトルを見ると、〈普賢菩薩の柵〉〈優婆離《うばり》の柵〉のように一二人すべてに「柵」がつけられている。「柵」とは、何なのだろうか。志功自身が次のように説明している（出典は前同）。

「『柵』というのは、垣根の柵、区切る柵なのですけれども、（中略）わたくしの『柵』はそういう意味ではありません。字は同じですが、四国の巡礼の方々が寺々を廻られるとき、首に下げる、寺々へ納める廻札、あの意味なのです。この札は、一ツ一ツ、自分の願いと、信念をその寺に納めていくという意味で下げるものですが、わたくしの願所に一ツ一ツ願かけの印札を納めていくということ、それがこの柵の本心なのです。（中略）一柵ずつ、一生の間、生涯の道標を一ツずつ、そこへ置いていく。作品に念願をかけておいていく、柵を打っていく。そういうことで『柵』というのを使っているのです」

たくさんの作品をまとめて見ても、志功のエネルギッシュな制作を振り返っても、静かで落ち着いた気分につつまれるのが、青森の「志功館」である。

リンゴ畑に、もう一つの収穫。

常田健
土蔵のアトリエ
美術館

青森県青森市浪岡北中野字下嶋田48
(〒038-1325)
0172-62-2442

代表的なアクセス
JR「浪岡」駅から
タクシーで約5分。
あるいは徒歩で約20分

この美術館の
ウェブサイト
はこちらから

常田健の制作風景

NHK日曜美術館+アルファから

農民の本当の形

常田健《つねだけん》は、一九一〇年（明治四三）に青森県五郷村《ごごうむら》（現・浪《なみ》岡《おか》町）に生まれた。旧制弘前中学校卒。上京して川端画学校に入学。三〇年（昭和五）、二〇歳の時、プロレタリア美術家同盟研究所で学ぶ。三三年、軍事教練に反対する農村青年らのストライキに参加しようと帰郷。そのまま郷里で制作する。三九年、〈ひるね〉〈飲む男〉を二科展に出品、〈ひるね〉が入選。以後毎年二科展で入選している。戦時中は入隊し、終戦とともに除隊。戦後、青森美術会創立に参加した。五五年、日本アンデパンダン展に出品、以後毎年出品。その後各地で個展を開く。九七年（平成九）、青森文化賞受賞。二〇〇〇年（平成一二）没。

二〇〇〇年の「土曜美の朝」で、山根基世《やまねもとよ》アナウンサーが生前の常田健を訪ねた。この番組には、常田の友人の画家・尾崎ふさも登場する。

津軽富士と呼ばれる岩木山のふもとの浪岡は、青森を代表するリンゴ産地だ。常田健は八九歳。若い頃からリンゴを育ててきた。取材時には、一人で耕作できる規模のおよそ一ヘクタールのリンゴ畑だった。常田はリンゴを育てながらこの浪岡で、売ることなど考えもせず絵を描き続けてきた。描いた絵の大半は手もとに残していた。

朝の食事が終わると、常田は庭にある土蔵に向かう。リンゴを凍らせないように保存するための蔵が、常田のアトリエだった。土蔵の二階にあるベッドは、いつでも絵が描けるように据えつけた。常田は一日の大半をこのアトリエで、自分の背丈を超えるほどの大きなキャンバスに向かって過ごした。常田は、少しでも長く描いていたいから、大きな絵を描くのだと言った。

山根基世　いつもそこでご自分の絵、眺めていらっしゃるんですか。

常田健　そうです。

山根　とにかく描いていたい。

常田　こうやって見ていて、やりたいときにやる。寝ている時でも、目が覚めると起きてやる。そういう習慣なんですよ。何日もかかって、くたびれるほどやるってことはないですよ。生活は緩慢に、自分なりに、絵ができていくっていう……。

山根　生活して、呼吸しているのと同じように。

常田　そうです。

山根　ここに座って絵を眺めていらっしゃるのも、描いていることにつながっているんですね。

常田　そう。つながっているんです。

山根　リンゴをつくったりするということが、絵にはどう関わってくるんでしょうか。

常田　やっぱり農民やって、初めて自分の主題がピシッと決まった。それだけ大きいことだと思ってるんです。

山根　農業をやるということと描くっていうことは、つながっているんですね。

常田　そうです。生活だから。農業は生活。

山根　農業は生活。描くことは？

常田　描くことも生活。しかし、農民の本当の形っていうのは、やっぱり中身だから、それを引き出して描くという気持ちはしょっちゅうあるんです。農民の立場に立たないで、金、持ちたい、金持ちになりたい、そういうことを主題にするなんてとてもできるもんじゃありませんな。農民の本質的なもの、農民の生活、そういう農民の形を入れたいという気持ちなんです。

山根　ある意味で土とともに生きている人の、生活の骨格みたいなものを。

常田　そうです。基本的な骨格。

常田が暇を見つけてはたびたび訪ねる場所があった。青森市内で絵を教えながら創作活動を続けている画家の尾崎ふさ（当時七七歳）の家。青森美術会の旗揚げで知り合った、五〇年来の親友だ。知り合って数年経った頃の尾崎を描いた〈F像〉（一九五五年）という作品からは、尾崎に対する常田の限りない親しみと共感がうかがえる。

尾崎ふさ　私たちは終戦後からの友だちだから。だから、いてもいなくてもそう感じないぐらいの友だちですね。いればいたでごはんの時、食べてもらうだけで。

常田　何となく撮影きているから、落ち着かねえべ。わりと二人でいてもしんとしてますよ。時々私がね、馬鹿げた話をするからせいぜい笑うくらいでね。

常田は尾崎のアトリエでも絵を描いた。ここでは小品で、アトリエにある人形や草花などが中心だ。尾崎のアトリエの一角には、常田の作品がたくさん置かれていた。

尾崎　やっぱりね、私たちではわからない百姓の……外から見ると、外形はね、田仕事したり畑仕事したり百姓だけれども、やっぱりそういうもんじゃなくてね、なんていうかな、内から摑《つか》んでいる気持ちみたいなもの。百姓らしく描かなくても、常田さんはやっぱり百姓そのものね、人間性みたいなものをどこかで摑んでいるんですよ。だから私、そういうところに大したもんだと思ったりもするし、憧れもするんじゃないですか。

〈ひるね〉（常田健、1977年、油彩・キャンバス）

常田は、戦後日本のその時々の農民の姿を描いてきた。〈ジェット機〉（一九六八年）では、轟音を立てて飛び去るジェット機の下で人びとが恐怖や不安に慄《おのの》いている光景を描いた。青森県三沢基地の騒音が問題になっていた頃の作品だ。〈出稼ぎ〉（一九七〇年）では、雪を踏みしめて歩く女たちが、町に出稼ぎに行く夫たちと駅に向かう様子。そして初期の頃から幾度もモチーフにしてきた農民の昼寝の姿をとらえた〈ひるね〉（一九七七年）では、田の近くまで都市化の波が押し寄せている。案山子《かかし》は首を縛られたようで、眠る農民はまるで死んでいるかのようだ。

（土曜美の朝　二〇〇〇年四月二九日放送）

二〇一二年放送の「日曜美術館」で、ミュージシャン・クリエーターの箭内道彦《やないみちひこ》が、常田健土蔵のアトリエ美術館を訪ね、常田の次女・岡田文（館長）と語りあった。

話題は、常田が自分の絵を売らなかったことから始まる。

箭内道彦　僕も絵が大好きだけど、たくさんの人に伝えたくて、たくさんの人に見て欲しくて、広告という仕事に……逃げたっていうとあれですけど、行ったわけで、そういう意味ではある種対極なんじゃないかと思って、僕だったらその寂しさに耐えきれないっていうか。人に見て欲しいし、褒《ほ》めて欲しいし、けなされるのは嫌だけど、

〈飲む男〉(常田健、1939年、油彩・キャンバス)

すごいでしょっていいたいし、そのことで誰かが元気になっているのを目の当たりにして明日またがんばりたいってね。そういう気持ちで広告をつくっているから、誰にも見てもらわなくてもいいって本当に思っていたのか、何のためにここにずうっといたのか。そういうことを知りたくなって、来てしまったんです。

(〈飲む男〉の前で)これはすごい。一升瓶の底を持っている手が画集を見たときから好きだったんですけど。すごいですね。なんか、飲むために飲んでいるっていうか。すごい形相で飲んでいるじゃないですか。これなんか、癒しだったり娯楽だったり、解放だったり、何か一言では片づけられない……。右の人物、顔、見えないですよ。口も見えないくらいですよね、一升瓶の口。日本人であり、日本人でないっていうか。もっと手前の、人間というところで、それがすごい勢いを持ってその場所にたたずんでいるっていう感じがしますね。

岡田文　幼い頃から父の印象といえば、無口でひたすら絵を描いている姿。そんな父が口にした、意外な言葉を覚えています。「絵を描くことは自分にとって別に楽しいことじゃない」ということは言ってましたね。楽しくて描いているんじゃない。何のために描くっていうのも、自分ではちゃんと言葉では表現できなかったんだろうと思います。ただ描かずにはいられない、と。そういう思

〈ひるね〉（常田健、1939年、油彩・キャンバス）

いが先にあったんじゃないかと。

箭内　リンゴと似てた説っていうのはないですか、絵が。今無理やり言ってみたんですが。育てて収穫して……手間暇かけて。で、人の栄養になって。何で農業をやっているのかというのは、聞いたことがなかったですか。

岡田　農業は自分の生活だって言ってました。先祖から引き継いだ田畑を守るのが自分の生活だというのが、どこかにあったみたいですよ。絵は仕事。自分の仕事。

箭内　素敵ですね。お金貰わない仕事ってことですものね。無償の仕事って、それは、聞く人が聞いたらそれは仕事じゃないっていうかもしれないけど、ある種、ミッションというか。おれがやらなきゃ誰がやるっていうことだったのかもしれないですね。農業は生活、絵は仕事。

（日曜美術館　二〇一二年四月二九日放送）

美術館を旅する

津軽平野のひるね

弘前駅を出て、JR奥羽本線で浪岡へ向かう電車の窓からは、津軽平野をたっぷり眺められる。見渡す限りの田んぼのなか、津軽富士の岩木山が、だんだん後ろへ遠ざかる。深《ふか》田久弥《だきゅうや》の（あるいは深田と北畠八穂《きたばたけやほ》の合作とされる）小説『津軽の野づら』の世界を思い出す。浪岡駅に着くと、プラットホームに沿って、リンゴの花、青リンゴ、真っ赤なリンゴがたわわになった木、リンゴ畑の雪景色などの大きな写真パネルがズラリと飾られている。

常田健土蔵のアトリエ美術館は、浪岡駅から歩いておよそ二〇分。美術館といっても、門の前に立って眺めたところでは、このあたりの農家の一軒にしか見えない。何も知らずにここを通ったら、ここが美術館であることにはまず気が付かない。

門を入ると左手に土蔵がある。常田健がアトリエとして使っていた土蔵だ。

外観は土蔵そのままだが、なかに入ると、入口と反対側に採光のための改造が加えられている。そう大きな土蔵には見えなかったが、内部はなかなか広く、描きかけのキャンバスや、常田が用いていたパレットや使いかけの絵の具などがそのまま置かれていた。

土蔵の前を通り過ぎると、右手に常田家の住まいになっている母屋があり、その向かい側は農家には必ずある作業用の広場で、広場の一角に農機具置き場兼車庫がある。その母屋と車庫の間を先へ進むとリンゴ畑になるのだが、リンゴ畑を前にして左手に建っているのが、美術館だ。一見したところ、小規模な公民館の建物のように見える。

土蔵も美術館も、看板がかかっていなければ、ここに常田健が残した数々の名作が置かれているとは誰も思わない、ごくふつうの津軽の農家である。九月半ば。ようやく赤く色づきはじめた実をたわわにつけたリンゴの木は、二〇本ほどだろうか。リンゴの木の下には、シソの葉やホウズキなどが生えている。小さな作業小屋があって、覗《のぞ》いてみると、脚立や箒《ほうき》などが見えた。

美術館の、白い壁でいくつかのコーナーに仕切られた展示室は、掛けられている作品から放たれるもののせいだと思うのだが、何とも温かい感じがする。

大画面いっぱいに稲刈り風景が繰り広げられるダイナミックな〈稲刈り〉、二人の男があぐらをかいて一升瓶を喇叭《らっぱ》飲みする〈飲む男〉、笠を日除けに三人の農婦が固まって寝ている〈ひるね〉、腕と手先までの力強さが見事な〈種まき〉。またそういう作品とやや趣の違う、大人と子どもが横笛を吹いている〈笛ふき〉、水田が一面に広がる津軽平野の夕暮れを描いた〈六月の夕〉などが展示されている。ひまわりの花のなか、向こう向きで幼子を両手で高く差し上げている母親を描いた〈母子〉、裸の子どもが父親に肩車をされている〈肩車〉をはじめ、さまざまな母子像、父子像を集めたコーナーもある。一方に、〈怪物〉〈寒い夏〉のような自然災害を描いたものや、〈ジェット機〉〈土地を守る〉のような、激しい抗議の意思を示した作品もあった。

〈水引人〉（常田健、1940年、油彩・キャンバス）

常田は、「農業は生活、絵は仕事」といっていたというが、当然のことながら、作品を見れば、絵も常田の生活の表出であることが良くわかる。常田が「農民の形」といっているのは、たいへん重要なことだと思われる。つまり、どういう形にたどり着けば、農民の本当の姿を引き出してくることができるか、農民の本質を抽象することができるか、という問いを持って常田は描き続けたのであった。そこに、画風の変化も生まれてくる。

常田の作品のなかで最も注目されるのは、一九三九年頃から一九四〇年代にかけて描かれた〈ひるね〉〈飲む男〉〈水引人〉〈村の地蔵様〉〈はじまり〉などに見られる画風であろう。画面に溢れるダイナミックなフォルムとともに、非常に丁寧に描き込まれ、絵の具を塗った上から無数の長い線でひっかいたような絵肌に、統一感のある渋い色調があいまって、独得の魅力をつくり出している。

「東北の農民画家」「津軽のゴーギャン」などと呼ばれた常田健だったが、彼はそうしたレッテルを超えて描き続けた。

津軽の人々は、ねばり強く、繊細で優しい。

常田健もそういう人柄であっただろうことが、作品から読み取れる。

世界のフジタ、秋田を描く。

藤田嗣治と
秋田県立美術館

秋田県秋田市中通1丁目4-2
(〒010-0001)
018-853-8686

代表的なアクセス
JR「秋田」駅から
徒歩10分

この美術館の
ウェブサイト
はこちらから

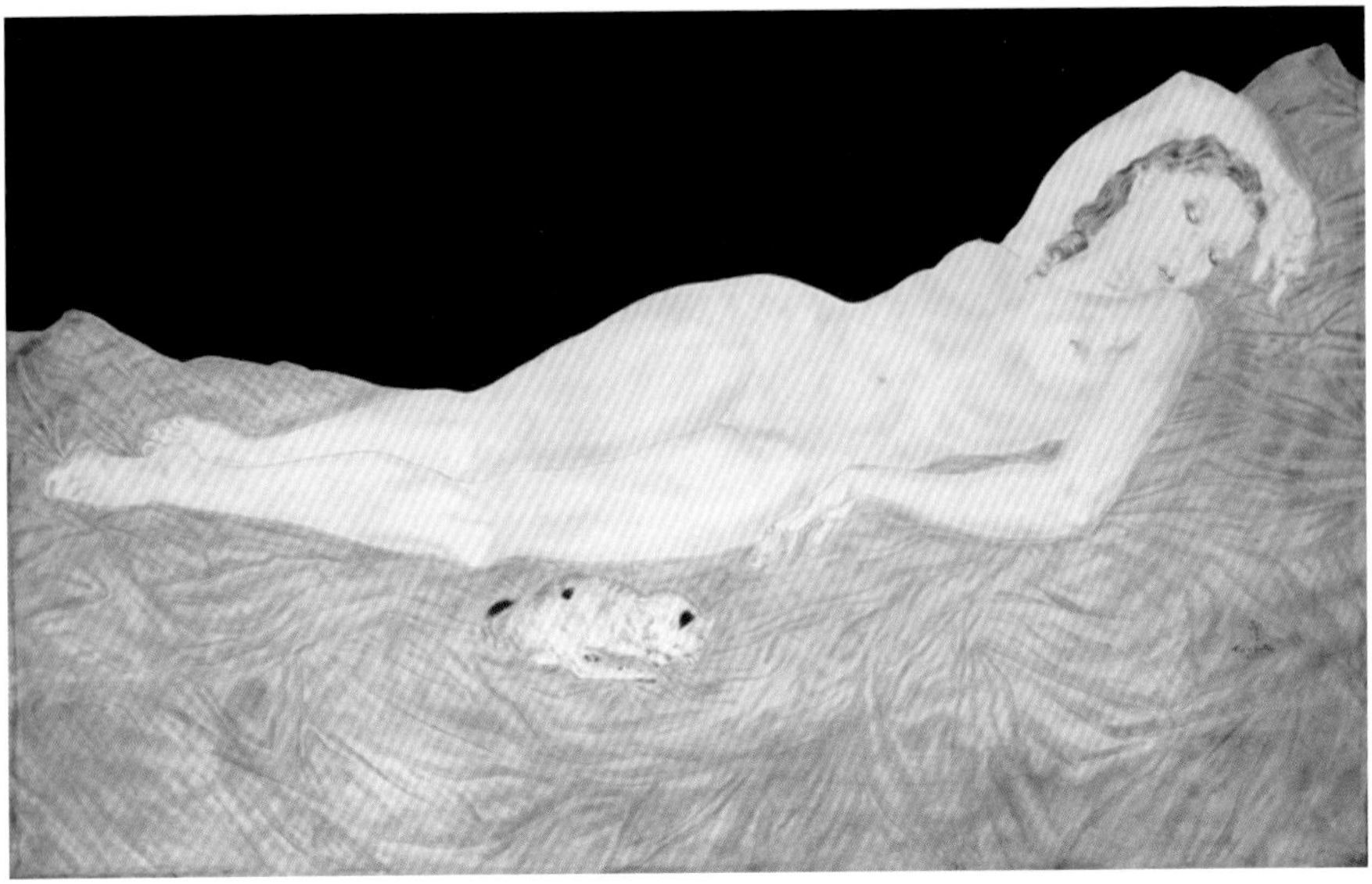

〈眠れる女〉(藤田嗣治、1931年、油彩・キャンバス)。
パリのサロン・ドートンヌで絶賛を浴びた〈ジュイ布のある裸婦(寝室の裸婦キキ)〉(1922年)と同様に
「乳白色」の肌が表現されている

NHK日曜美術館から

アイデンティティと乳白色

藤田《ふじた》嗣治《つぐはる》は一八八六年（明治一九）、東京で生まれた。東京美術学校（現・東京藝大）西洋画科卒。一九一三年（大正二）、フランスに渡り、一八年、サロン・ドートンヌに入選して即会員となり、二一年には同展の審査員となった。乳白色の地に面相筆《めんそうふで》で線描した裸婦など、独創的な画風を示し、フランスで高い評価を得るとともに、日本でも帝展の審査員に推される。二九年（昭和四）に一時帰国。その後またパリに戻り、南米・メキシコなどを巡遊し、再び帰国。三九年、アメリカ経由で再度パリに戻るが、四一年には第二次世界大戦勃発のため帰国。戦時中はたびたび従軍して戦争記録画を描く。戦後、一部から戦争協力者として批判を受ける。四九年に日本を離れ、アメリカ滞在を経て、パリへ戻る。その後、フランス永住を決意し、フランス国籍を取得、カトリックの洗礼を受けた。一九六八年（昭和四三）、チューリヒで没。

二〇一四年（平成二六）の「日曜美術館」は、パリで人気を呼んだ藤田の乳白色の画面と、藤田の大作〈秋田の行事〉（一九三七年）について、藤田本人の著作のなかの言葉や専門家の発言を交え、ナレーションでその世界をたどった。

〈ジュイ布のある裸婦（寝室の裸婦キキ）〉（一九二二年／パリ市立近代美術館蔵）は、パリに渡って九年、藤田の名を世に知らしめた代表作である。人びとが目を奪われたのは、乳白色と称された肌。触れると柔らかさを感じそうな滑らかさ。この絵はパリを代表する展覧会サロン・ドートンヌで絶賛を浴びることになった。「世界の藤田」の誕生である。その後、次々と裸婦の新作を発表する一方で、夜毎パーティーに繰り出し、藤田は社交界の花形となる。しかし、その栄光は、隠された探求によって成し遂げられたものであった。

「女の裸体を手がけるに当たって、今まで何人も手を付けなかったものを発見し、前人未到の天地を開きたいと思った。いろいろ考えましたが、未だに肌を描いた人がいない。われわれの祖、歌麿などは婦人の肌を描き出した。僕も日本人である以上、これらの先人の轍を踏んで人間の肌を描くことに気づいた」（藤田嗣治『腕一本・巴里の横顔』講談社文芸文庫、二〇〇五年）

あえて色を塗らず、紙の地を残して艶めかしい肌を表現する浮世絵の技法。そこにヒントを見つけたのだ。

藤田は生前、乳白色の描き方を決して語ろうとはしなかった。その秘密が、近年明らかになってきた。東京藝術大学の木島隆康教授らの研究チームは、キャンバスに施された藤田独自の工夫に迫った。

まず白の絵の具で下塗りをする。そして新たに油で溶いた炭酸カルシウムを加え、それを白い絵の具と混ぜ合わせたものを使ったのだ。

炭酸カルシウムの調合の割合も、藤田が試行錯誤を重ねて編み出したものである。二重に重ねた下塗り。さらに藤田は普通は絵を描く時には使わないものを塗っていた。それは身近にある意外なものだった。

「ベビーパウダーを利用して、艶消しの表面を得ていたのではないかと思います」と木島隆康はいう。ベビーパウダーの原料であるタルクという物質を塗って、余計なテカリを消していた。このキャンバスが浮世絵の紙のように乳白色の肌となって浮かび上がっていた。

藤田の裸婦にはもう一つ大きな秘密がある。よく見ると、体の輪郭に繊細な線が引かれている。しかもそれは油絵の具ではなく、日本の墨で描かれている。裸婦を描いていた頃の〈自画像〉（一九二九年）を見ると、面相筆《めんそうふで》という、日本画で使う極めて穂先の細い筆を手にしている。藤田は独学で日本画の筆さばきを磨いていた。

実験を重ねて生み出した乳白色のキャンバス。そして面相筆で引いた優美な輪郭線。藤田は日本人であることを武器に世界に認められる傑作を生み出した。

四五歳の時、藤田は新しい恋人マドレーヌと中南米への旅に出かける。ブラジル、アルゼンチンを経て訪れたメキシコ。ここで藤田は、かつてパリで交流のあった画家ディエゴ・リベラが手がけた国立宮殿の壁画〈メキシコの歴史〉（一九二九年）を見た。描かれているのは、メキシコの先住民族が歩んできた歴史だ。

スペインによる征服と戦い、独立を勝ち取った祖国の人びと。その誇りと未来への希望を文字の読めない人たちにも伝えようというリベラの精神に、藤田は心を打たれた。

「画家がいたずらに名門富豪の個人的愛玩のみに奉仕することなく、大衆のための奉仕も考えなければならないと思う。国民全体に美術愛好と観賞の機会を開放することに努力しなければならぬ」（前同）

二年に渡る中南米の旅を終えた藤田は、世界一の画家となった自負をもって日本に帰国。しかし、待っていたのは、思いがけない反応だった。当時の新聞に載ったアンチ藤田運動の記事。パリでの派手な暮らしぶりが取り沙汰され、異国趣味で珍しがられただけだと、激しく中傷される。国辱とまでいわれ、藤田は深く傷ついた。

そうしたなか手を差し伸べたのは、秋田の豪商・平野《ひらの》政吉《まさきち》であった。平野はパトロンとなって絵を買い上げ、秋田に藤田の美術館をつくる計画を持ちかける。

〈自画像〉(藤田嗣治、1929年、油彩・キャンバス、東京国立近代美術館蔵)。日本画で使う面相筆を手にしている

毎年正月に行われる、秋田の冬の風物詩、太平山《たいへいざん》三吉《みよし》神社総本宮の三吉梵天《ぼんてん》祭。梵天と呼ばれる奉納物を、一番を競って神社に奉納する、古くからのお祭りだ。祭りの様子をスケッチする藤田の写真が残っている。美術館に飾る大作を描こうと決めた藤田は、繰り返し秋田に足を運び、人びとの営みを見つめた。

世界に誇れる日本の姿を、多くの人びとのために描きたい。パリに渡った自分だからこそ描ける美しい日本。

藤田は毎日一二時間、巨大なキャンバスと格闘した。そして完成した生涯最大の油絵が〈秋田の行事〉(一九三七年)。雪のなか、ひっそりと聞こえてくる息遣い。「雪室《ゆきむろ》」といわれるかまくらで、少女たちがままごと遊びに興じている。その静寂を破るように、荒ぶる男たちの声が響き渡る。

「私の体は日本で成長し、私の絵はフランスで成長した。私には二か国ながら懐かしい故郷だ。私は世界に日本人として生きたいと願う。それはまた、世界人として日本に生きることにもなるだろう」(前同)

(日曜美術館　二〇一四年一月一九日放送)

美術館を旅する

平野コレクションの館

秋田新幹線の開通に合わせて再開発されたJR秋田駅前の「エリアなかいち」の一角に、秋田県立美術館がある。以前は、県立美術館は秋田城（千秋城）跡にあったが、二〇一三年（平成二五）に市街地にリニューアルオープンした。新美術館の建物は、安藤忠雄《あんどうただお》の設計である。

一九六七年（昭和四二）に開館した秋田県立美術館を運営するのは平野政吉美術財団。周知のとおり、平野政吉美術財団は、大作壁画〈秋田の行事〉をはじめ、藤田嗣治の作品を数々有しているだけでなく、ゴヤやゴッホなどの西洋名画、馬遠《ばえん》などの中国絵画から小田野直武《おだのなおたけ》ら日本の初期洋画まで、平野政吉が収集した六〇〇〇点を超える豊富なコレクションを所蔵している。

平野政吉は、米穀商などで財を成した秋田の資産家の三代目。早くから美術コレクションを志した。一九二九年（昭和四）に一時帰国した藤田の個展を見て惹きつけられ、三四年（昭和九）の秋に東京の二科展の会場で出会い、親交を結んだ。世界一の藤田に世界一の壁画を描いてもらう、という平野の発案で、平野家の米蔵を利用したアトリエで描かれたのが、秋田の民俗を描いた大壁画〈秋田の行事〉だった。

〈秋田の行事〉（藤田嗣治、1937年、油彩・キャンバス）。縦3.7メートル、横20.5メートルの大壁画。当時の秋田の人々の暮らし、竿灯・梵天祭などの年中行事や祭礼、さらに秋田の産業、歴史までが描かれている

秋田県立美術館では、さまざまな企画展・特別展やコレクション展で藤田嗣治の作品を紹介している。たとえば「レオナール・フジタとモデルたち」という特別展では、油彩、水彩、鉛筆、版画など合わせて約八〇点の人物画によって、藤田が人物を描く時の意識をたどろうとした。あるいは「デッサンの温度 藤田嗣治と秋田の画家たち」という企画展では、最もシンプルな造形であるデッサンから、藤田の感性とモデルの魂の響き合いを鑑賞しようとした。この時には、藤田のデッサンとともに秋田の画家、彫刻家たちのデッサンも紹介されている。

藤田はフランスに渡って数年間、一九一七年から一八年頃までは、アール・デコ様式そのもののような絵を描いている。それが、一九二〇年代に入ると、乳白色の絵肌もそうだが、人物のデフォルメという点でも独自の画風をつくりあげ、三〇年代には全盛期を迎えて、パリの寵児となったのであった。秋田県立美術館の平野政吉コレクションの藤田の作品は、まさにその絶頂期の力の溢《あふ》れたものが揃っている。

一九三一年の〈眠れる女〉、三二年の〈カーナバルの後〉、三四年の〈ちんどん屋三人組〉、三五年の〈五人女〉、三六年の〈自画像〉、三七年の〈秋田の行事〉〈一九〇〇年〉、三八年の〈客人（糸満）〉、四〇年の〈台所〉……。

平野コレクションの威力である。

ふるさとの、母なる川へ。

小松均と
山形美術館

山形県山形市大手町1-63
(〒990-0046)
023-622-3090

代表的なアクセス
JR「山形」駅から徒歩15分。
あるいは山交バス天童行(荒谷経由)で
「美術館前」下車、徒歩3分

この美術館の
ウェブサイト
はこちらから

〈最上川源流(長井付近その1)〉(小松均、1970年、紙本墨画著色) [部分]

NHK日曜美術館から

大原の仙人、最上川へ

一九八一年（昭和五六）放送の「日曜美術館」が小松均《こまつひとし》のアトリエを訪ねた。

小松均の自宅は、京都の寂光院のすぐ近くにある。自宅の周りの田んぼには、大原の山々を臨むように四つの小屋アトリエが建っている。八〇歳の日本画家、小松均は、人呼んで「大原の仙人」。小松が京都・大原にアトリエを構えて五五年になる。

小松のアトリエは粗末なビニール屋根の小屋である。縦横二メートル、壁にベニヤを張りめぐらせた簡素なもので、半日もあれば建てられる。小屋には毛布、ストーブ、ラジオ、お茶、絵の道具一式、それしかない。大きく開かれた窓から、寒風が小屋を吹き抜ける。こんなミニアトリエから小松の大作の多くが生まれる。小屋は、比叡山から若狭に連なる山々に向かいあうように建っている。山があり、田があり、里がある。この、居ながらにして描ける風景は長い間小松の絵の主要なテーマとなってきた。

一九〇二年（明治三五）、小松均は、最上川に近い山形県大石田町に生まれた。二〇年（大正九）、一八歳の年、画家を志して上京し、新聞配達をしながら私立の美術学校、川端画学校で学ぶ。二三歳で京都に転居して土田麦僊《つちだばくせん》に師事、二七年（昭和二）から大原に住み、四六年、日本美術院同人。その後も第一線で創作を続けている。

七五年の秋の院展出品作〈吾が窓より 大原春雪〉に、小松均は次の文を寄せた。

「二〇年前。友人の批評家から、君は東京へ出なければ世の中から見捨てられるだろう、といわれた。彼はこの言葉を聞きながら、大原の冬田を頭に浮かべていた。白い雪が、霜が、それをはてしなく黒い田の畔がつづいている。人ひとりいない弧独《ママ》。わずかに鳥の黒い点々。陶器の水入れもみな破れる。寒さ冷厳。松風の声も蛙も鳴かぬ。何一つ聞こえぬ。ただ、三丁程離れた水車のゴットン、ゴットンと台所からと思われる近さに聞こえる、たった一つの音。静寂――。彼の弱い魂をこの環境で鍛えねばならない。大原野雪の田園うちかすみみ空はるけく月出んとす」（「アサヒギャラリ」一九七六年第二六号）

（日曜美術館　一九八一年三月二二日放送）

一九九〇年（平成二）の「日曜美術館」では、小松均の連作「最上川」を紹介した。解説したのは、当時の山形美術館の学芸課長だった加藤千明。

「小松均さんが山形へやってきたのは、昭和四四年（一九六九）の春なんですけれども、その時にですね、地元の新聞社

の案内で最上川の河口の酒田からだんだん上流を目指して、その風景を探し歩いたわけなんです。長井市というところがございますが、そこが最上川の始まりだと教えられて、最初に手がけた作品が〈最上川源流〉の三作です」

「その後、地元の人たちから、いや最上川の源流というのは、米沢市の吾妻山の山奥の滝だと聞かされまして、夏の暑い盛りに吾妻山系に分け入って、赤滝、黒滝と呼ばれている滝を描いたわけです。その時も先生は現場で、大きな和紙をひろげながら一気に墨一色で眼前にひろがる風景を表現しました。先生が最上川を描こうと思っていたのは、ずいぶん前からのことなんですけれども、自分の絵を描く力が、その対象たる最上川をとらえる自信ができて初めて山形に戻ってらっしゃったわけなんです」

「最上川といいますのは、わが国の河川のなかでも特徴的なことがありまして、それは山形県内だけを流れている川なんです。こういう川を一県一河《いっけんいちが》といいますが、その一県一河としてはわが国最大の川なんですね。ですから、山形の人びとにとっては母なる川、純粋に山形だけを流れて最後の河口、日本海に入る場所も山形の酒田というところ。ですからきっと小松均さんも、故郷へ思いをはせる時には常にこの川のことがあり、六〇歳を過ぎてこの川をもう一度たどった時に、沸々《ふつふつ》と創作意欲が沸き上がってきたのではないかと。その時に、先生はすでにこの故郷の川を一〇〇メートルにも及ぶ大

〈最上川源流（長井付近その2）〉（小松均、1970年、紙本墨画淡彩）

作に仕上げようという壮大な構想を持っておられたと聞いています」

（日曜美術館　一九九〇年二月四日放送）

さまざまな最上川の姿を描いてきた小松は、次のテーマを真冬の最上川に定め、そのための写生地を探す。一九七一年（昭和四六）に、候補地となった佐羽根《さばね》峠を案内したのは大石田の板垣家子夫《かねお》らだった。一九九六年（平成八）の「日曜美術館」が、その案内に同行した森秀雄の証言を紹介した。

「この階段をね、先生を背負いましてね、おんぶをしてのぼったんです。本当に足元が滑る状態でしたから、もしかして先生を後ろに落っことしたら大変なことになるなと心配しながら、冷や汗ものでこの階段をのぼった記憶があります」

三日がかりで探しだした場所は、目の前に大きく最上川がひろがる堤防だった。川上から川下へ緩やかに蛇行する壮大な眺めである。気に入った場所が見つかった小松の興奮は宿に帰るまで続いた。翌日、小松は早速真冬の最上川に向かって画板を立てた。森が振り返る。

「小松先生はですね、自分が描こうとする向こうの風景から、ひとときも目を、視線を、外さないんですね。真横から先生を撮影しようとした時に気づきました」

最上川と対峙する画家、小松均。取り憑《つ》かれたように筆を走らせる。雪が降らなくても冷たい風が河原を吹き抜ける。ビニールの風よけでしのいだ。森が語る。

「それでも寒い。それで、このタラバス（桟俵）をですね。まず一つはお尻の下に、箱の上に敷きましてで腰が冷えないように。もう一つを雪の上に置きましてですね、この上に足を乗っけて足が冷えないように」

厳冬のなかの写生は二か月に及んだ。四枚組で左右九メートルを超える大作〈雪の最上川〉が院展に出品されたのは、八年後、一九七九年のことである。

（日曜美術館　一九九六年七月二八日放送）

連作は、一九六九年の〈最上川（三ヶ瀬、鍋巻、はやぶさ）〉以降、七〇年〈最上川源流〉、七一年〈栗の花さく最上川〉、七三年〈最上川難所、三ヶ瀬・碁点〉、七四年〈春の最上川〉と続き、七五年に芸術選奨文部大臣賞受賞。七九年の〈雪の最上川〉は院展で内閣総理大臣賞を受けた。

小松均は、一九八九年（平成元）に京都大原の自宅で死去。日本海に注ぐ河口まで描く構想だった「最上川」の連作は未完のままになった。

美術館を旅する

市民が育てた美術館

山形美術館はＪＲ山形駅を東側に出て、線路沿いの道を真っ直ぐ北に向かって歩けば、一五分ほどの場所にある。今は山形新幹線も走っている奥羽本線の線路が、山形城（霞城《かじょう》）跡の大手門前を突っ切っていることに驚かされる。大手門前の、内堀すれすれに鉄道が走っているのだ。

美術館は大手門の向かい側、霞城公園の一角の桜や欅《けやき》のまばらな木立ちのなかにある。正面から見ると、まるで完璧な形の独立峰でも見るように、三角屋根が地面近くまで続いている建物だ。出羽地方に昔からあった多層民家をモチーフにした建築である。出羽の多層民家といえば、山形県鶴岡市の致道《ちどう》博物館内に移築されている田麦俣《たむぎまた》民家（重要文化財）が、その典型といわれているが、山形美術館はそれを思わせる。建物は一九八五年（昭和六〇）に新しく建てられたものだが、美術館の歴史は古く、山形新聞・山形放送社長の服部敬雄《はっとりよしお》が中心となり財団法人が設立されて開館したのは、一九六四年のことだ。

開館して間もない一九六八年、当時の山形銀行会長の長谷《はせ》川吉郎《がわきちろう》から、与謝蕪村《よさぶそん》の〈奥の細道図屏風〉（一七七九年／重要文化財）、渡辺崋山の〈渓澗野雉図〉（一八三七年）などを含む美術品一六三点が寄贈された。その後も長谷川家からは日本の書画等の寄贈が続き、美術館では長谷川コレクションと呼ばれている。

美術館が現在の建物になった後、一九九一年（平成三）には、山形出身者が興した企業・吉野石膏から、印象派を中心とする海外の近代絵画が寄託された。吉野石膏コレクションは、以後も追加寄託が相次ぎ、現在は一五〇点を超えるコレクションとなっている。海外美術には、ほかに服部コレクションがある。これは二〇世紀フランス絵画に限定して五〇人の作家を選び、フランスの専門家などに依頼して美術館が独自に行った収集であり、コレクション名は、山形美術館の前理事長兼館長・服部敬雄の功績を記念したものだという。

以上の南画・文人画を主とする日本絵画と、近代フランス美術を中心とする海外の絵画が美術館のコレクションの柱だが、加えて、山形市出身の彫刻家・新海竹太郎《しんかいたけたろう》と新海竹蔵《しんかいたけぞう》（竹太郎の甥）の作品が多数収蔵されている。そして小松均の作品。二〇一九年秋、地元の建設会社・渋谷建設の創業一一〇周年を記念した展覧会「最上川。ここからはじまる山形」が山形美術館で開かれた際には、小松均の〈最上川源流〉が展示された。

小松均と最上川について、山形美術館の副館長・岡部信幸が次のように記している。

「小松均は自分自身を彼と呼び、自らの作品を『己の子』といった。そして小松均が『最上川吾描かんと来るなり一生の仕事なさんとすなり』と自らに課して取り組んだ最上川。小松均の作品は（中略）描く対象と一体化してひかれる墨線——水の流れ、対岸の崖、川床の岩盤、岩礁、遠景の山々、雲など、故郷の自然に接して受けた印象や心象といったものにもとづくものではない——と、事後的に出現する画面形式によってもたらされるものであった。吉村貞治が『彼の作品には省略がない。自然の複雑さよりも、さらに緻密であろうとする。緻密さは自然との融合である。〝最上川〟は全画面に流れがみなぎり、岩に乱れあるいは激し、あるいは渦まいている。ここには流れてやまない水の心があるだけである。小松均は最上川の難所の水になってしまっているのだ』（「三彩」三二四号所収『小松均の水墨』）と述べるようなひそみにならえば、対象と一体となって描く小松均自身、最上川の流れとともにあり、小松均も実は最上川（＝己）の子であったということになるだろう」（「生誕一〇〇年記念 小松均展」図録、二〇〇一年）

山形美術館は三階建てで、主な展示室は一階と二階にある。三つの広い展示室は特別展や県展などに使われることが多く、そのほか、長谷川コレクション記念室、吉野石膏コレクション室、新海竹太郎・竹蔵彫刻室がある。吉野石膏コレクションの絵画群は、バルビゾン派からエコール・ド・パリあたりまでだが、これほどの数の、一つの趣味を貫いた粒揃いの西洋近代絵画コレクションは日本国内では有数のものであろう。

一九六四年に開館した山形美術館は、二〇一四年に五〇周年を迎えた。民間主導で県と市が全面的に協力する形で運営されてきた山形美術館の運営理念は、「公立美術館より一段と幅広い県民の美術館」である。

心にズシリと来る。

土門拳記念館

山形県酒田市飯森山2-13 飯森山公園内
(〒998-0055)
0234-31-0028

代表的なアクセス
JR羽越本線「酒田」駅から
るんるんバス「酒田駅大学線」で約16分、
「土門拳記念館」下車。
あるいは庄内空港からタクシーで約20分

この美術館の
ウェブサイト
はこちらから

〈神護寺金堂薬師如来立像頭部〉(土門拳、1972年、シリーズ『古寺巡礼』)

NHKさまざまな番組から

写ると思って写せば写る

土門拳《どもんけん》は一九〇九年（明治四二）、山形県酒田に生まれた。一六年（大正五）、一家で東京に移住。その後横浜に転居し、神奈川県立横浜第二中学（現・翠嵐高校）に入学。卒業後は弁護士事務所で働くなど職を転々とする。三二年（昭和七）には農民運動に参加して検挙拘留。三三年、宮内幸太郎《みやうちこうたろう》写真場の内弟子となり写真の基礎を学ぶ。次いで名取洋之助《なとりようのすけ》の日本工房に入社し、報道写真の方法論を身につける。三九年、日本工房を退社、国際文化振興会の嘱託となって、室生寺《むろうじ》、文楽など、日本の文化・芸能の撮影を始める。戦後はフリーランスとして、雑誌などで活躍、カメラ雑誌の審査員などをしながら、「絶対非演出の絶対スナップ」をテーゼとするリアリズム写真を唱導。『室生寺』（一九五四年）、『ヒロシマ』（一九五八年）、『筑豊のこどもたち』（一九六〇年）など次々に写真集を出版し、ドキュメントのスタイルを確立。六〇年以降再々脳出血に見舞われるも精力的に撮影継続。六九年からは車椅子で撮影。七九年、脳血栓で倒れて意識不明に陥る。一九九〇年（平成二）没。

一九九四年放送の「日曜美術館」が、仏像写真誕生の瞬間を紹介した。

奈良の室生寺。京都の神護寺《じんごじ》。この二つの寺は土門拳が取材のためにもっとも多く足を運んだ寺である。土門拳はこれらの寺の本尊の姿を長い間撮り続けた。平安時代初期の弘仁《こうにん》期につくられた一木造《いちぼくづくり》の仏像彫刻の美しさに惹《ひ》かれたのだ。一木造の弘仁仏は、この時代に深い山に籠って厳しい修行を続けた僧侶たちの、仏に対する深い信仰心から生まれた。弘仁仏のなかで土門拳がもっとも惹かれ、撮影に情熱を注いだのが神護寺の本尊、薬師如来立像である。薄暗い本堂の奥深くに立つこの仏像を、土門拳はできるだけ自然の光でとらえようと試みた。

神護寺住職の谷内乾岳《たにうちけんがく》が語った。

「土門さんはお写真を撮られるのにほとんど自然光ですので、ライトをお使いになりませんし、フラッシュを使うにしても布で包んで、柔らかく二、三発照らされるというような撮り方だったわけです」

土門は、暗闇のなかの仏像を長い間シャッターを開けたままの長時間露光で撮影した。

谷内が振り返る。

「冬の雪の積もった時なんかは、深々と寒さが身に沁《し》みて参りますので、あるとき土門さんがシャッターを押したら、皆、そおーっと外に出ようということで、雪のなかで相撲を

〈室生寺弥勒堂釈迦如来坐像左半面相〉(土門拳、1966年頃)

取って暖を取って、約四、五〇分経ってから、もう良かろうというんで、また本堂に戻ってシャッターを閉められたことがございます。まあ、素人の私も、はたしてこれでいい写真ができるのかなという心配をしたことがありますけれども。武道の達人が裂帛《れっぱく》の気合いといいますか、ヤーッという気合いがお堂に凛々《りんりん》と響く感じでシャッターを押されまして、付いておられる若い方もまさに土門さんと心が一つになったという瞬間に、あのすばらしい撮影ができ上がって……」

(日曜美術館　一九九四年一月一六日放送)

二〇〇三年(平成一五)の「新日曜美術館」は『古寺巡礼』の撮影秘話を紹介した。

シリーズ『古寺巡礼』(第一集―第五集)のために、土門が不自由な体を押して訪れた寺は百か寺を超える。

土門は仏像を写すのに非常に長い時間をかけた。奈良・薬師寺東院堂では、聖観音菩薩立像の撮影中に日が暮れてしまった。暗すぎて撮れないという弟子に向かって土門は叫んだ。写せ！　写ると思って写せば写る！　納得いくまで撮らずにはいられない土門。薬師寺の僧は彼を、撮影の亡者と呼んだ。

この土門の晩年の傑作『古寺巡礼』の撮影エピソードを、土門の弟子であった写真家・藤森武《ふじもりたけし》が語った。

「よくね、土門の撮影は遅いって有名なんですけどね。撮

〈薬師寺東院堂観音菩薩立像（聖観音）頭部〉（土門拳、1962年、右ページの作品とともにシリーズ『古寺巡礼』）

影そのものは早いってことを、みんな知らないんですね。仏像に対面して、土門は凝視する、一所懸命見るということですね。それから撮影にかかるんです。弟子はその間ヒマなんですけれども。たとえば二時間の撮影だったら、一時間くらいは見ている。半分は、土門が被写体を見ている時間なんですよ。それから撮影にかかるともう、撮るところは決まっていますから、すごいスピードで撮影が進むんですね」

じっくり見つめた末、ようやくとりかかる撮影。土門は仏像を写すにあたって独自の撮影法を考え出した。いわゆる多重露光である。仏像の上下左右、あらゆる角度から次々にフラッシュを当て、一枚のフィルムに重ね撮りしてゆく。

「脳卒中になって以後、ステッキを持って歩いていましたから、これを武器にしましてね。ステッキの握りの部分にフラッシュをかませるように両手で持って焚《た》くわけです。オープンバルブっていいましてね。カメラのほうの操作は弟子がやるんです。先生はライティング専科で、ライティングだけを自分でやる。絶対弟子にやらせない。一回シャッターを開けてですね、オープンにして、その時（光を）バーンと入れるんですよ。そしてまた閉じるんです。その間に（フラッシュの）電球《タマ》を弟子が詰め替える。で、次のところでライティングしてまた弟子が（シャッターを）開けるんですよ、オープンに。その間にまた焚くんですよ。その繰り返しですからね。ステッキにつけたフラッシュが点の光で出るわけですね。点光線。今流行のストロボだと、笠から出ますし、笠から出ないにしても面が大きいですから、面光になってしまう。だからきれいに色は出るし形も出るかもしれないけれども、立体感が乏しいんですよ。弱い。土門さんの写真がなぜ強いかというとね、そういう点光で攻めるからですね。刻むように攻めていく。一番難しい撮り方なんですよね。それをあえてしたから、リアリティのある写真がいくつも生まれたんです」

（新日曜美術館　二〇〇三年七月二七日放送）

一九八四年（昭和五九）の「ドキュメント人間列島」は『風貌』シリーズを取り上げた。

土門拳の『風貌』は、錚々《そうそう》たる人物たちの肖像写真をおさめた名作写真集。土門の弟子で写真家の角田匡《つのだただし》が、画家・梅原龍三郎を撮影した時の思い出を語った。

「梅原さんにいろいろポーズを頼んで……でもなかなか彼のイメージに合わなかったんでしょうね。どっと眺めているだけでなかなかシャッターを切ろうとしない。だいたい僕はこれで良さそうだなあと助手ながら思っていたんですけど、シャッターを切らない。梅原さんのほうは、もう我慢の限界に近かったんですね。そしたら土門さんが声をかけた。先生、そのデッサンに木炭を当てているところをお願いします。そしたら梅原さん、この絵は完成させた絵だから、今さら木炭を当てるわけにはいかん、ということを吐き捨てるようにいわれた。私、その時に見ていたんですが、梅原さんの顔が、表情がだんだんこわ張っていくんですよ。そして木炭を持つ手を、パッと膝に置いて動かさないんです。それでも、まだ、シャッターを切らない。そしたら、何かイヤーな感じになってきた。ほんとに爆発寸前というのは、あの時のことじゃないかと。そしたら土門さん、閃光一発、カシャッとシャッターを切った。やれやれ、私はホッとしました。ちょっと梅原さんのほうを見ますと、今まで座っていた籐椅子をアトリエの床に叩きつけんばかり。ああ、相当怒っておられるなと私は思った。

それで、カメラをカメラケースに入れて帰る支度をしました。すると、おい角田、もう一枚撮るんだよと。あれっ、何撮るんだろう。そうしたら、土門さんが梅原さんのところにつかつかと行かれて、先生、お顔のクローズアップをもう一枚お願いします。こう頼んだわけです。私、そのお二人の、なんか両雄の最後のね、勝負っていうのを感じましたね」

（ドキュメント人間列島　一九八四年六月二七日放送）

〈梅原龍三郎〉(土門拳、1941年、シリーズ『風貌』)

美術館を旅する

日本初の写真美術館

酒田市の市街の中心は、最上川《もがみがわ》をはさんで北東側にある。紅花の港であり、「奥の細道」の旅で芭蕉が滞在したところであり、竹久夢二《たけひさゆめじ》もやってきたし、江戸時代の雛人形などが伝えられており、豪商・本間家が創始した本間美術館がある。

土門拳記念館はこの中心地とは反対側の、最上川の南西側の地域にある。本間美術館の前の大通りを南西に向かうと、そのまま出羽大橋で最上川を渡る。橋を渡り終えて五〇〇メートルばかり先を左折し、さらに八〇〇メートルほど行くと、飯森山公園というグラウンド施設中心の公園があり、その一角が土門拳記念館になっている。酒田駅からはおよそ五キロ。林を抜けて見えてくる、記念館の真っ白い建物は、静かに水をたたえた池の岸に浮かんでいるように見える。長方形の箱を組み合わせたようなシンプルな構造だが、池も建物も、美しい。谷口吉生《たにぐちよしお》の設計で、記念館は土門生前の一九八三年（昭和五八）に開館している。コレクションは、土門自らが故郷の酒田市に寄贈した作品・約七万点。日本初の写真美術館である。

建物に入る手前の池の縁に、池の名を「拳湖」と記した、詩人・草野心平《くさのしんぺい》揮毫《きごう》の碑がある。入館するとすぐに展示室だが、主展示室から企画展示室Ⅱなどへ行くときに、中庭を眺めながら歩けるガラス張りの歩廊がある。池の水が浅く引き込まれた広くゆるやかな階段をなしているその中庭には、イサム・ノグチの彫刻〈土門さん〉が飾られている。歩廊には、勅使河原蒼風《てしがはらそうふう》の彫刻が三体ほど置かれていた。企画展示室Ⅱの裏側には、勅使河原宏《てしがはらひろし》がデザインしたモダンな日本庭園がある。

ここに名前を挙げた人びとは、いずれも土門と親交があった。病と闘いながら撮影を続けていた土門のために、友人たちが贈物をした形である。さらに記念館建設には全国から約一億円もの寄付が集まった。

記念館では土門拳のさまざまな仕事を、テーマごとに二〜三か月スパンで展示している。

たとえば写真集『鬼の眼 土門拳の仕事』（光村推古書院、二〇一六年）に連動した展覧会では、「戦前戦中傑作選」と「戦後傑作選」のコーナーで、兵隊の出征の様子、年中行事、街の風景、当時の風俗、文楽など五七点、「告発」のコーナーでは〈ヒロシマ〉〈筑豊のこどもたち〉の二つのシリーズと、内灘闘争、三池闘争などから三〇点、〈古寺巡礼〉から二八点、部屋が変わって企画展室には、著名人のポートレートである〈風貌〉から二八点、といった内容である。

土門の写真には、美術館を建てるに十分に値すると思わせる力がある。その人を顕彰するために建てる館ではなく、独

〈土門拳と石津良介〉(植田正治、1949年、植田正治写真美術館蔵)

立した美術品を展示するための美術館。土門拳記念館はそういうミュージアムになっている。土門の写真は、一九三〇年代以降の日本人の歴史であり、一点一点、心にズシリと来る写真ばかりだ。

どこか「柔」を感じさせる酒田の文化風土に対して、土門拳は「剛」を思わせる。改めて、代表作の『古寺巡礼』の迫力を前にすると、土門は、なぜ古都の仏像にこれほど情熱を燃やしたのか、ということを考えさせられる。それは、北前船を通じて京都の文化への憧れを育み続けた酒田の風土と、どこかでつながっているのかもしれない。

鳥取県の植田《うえだ》正治《しょうじ》写真美術館に、植田正治が撮った土門拳のポートレートがある。砂丘に立つ土門は、まるでアフリカ探検にでも出かけるようないでたちで、足を踏ん張り、カメラを構えている。そのどこかユーモラスにも見える写真が、土門の膨大な撮影と豊かなエピソードの数々に、深みを与えてくれるように思われる。

ちなみにこの写真は、一九四九年（昭和二四）六月に、雑誌「CAMERA」の編集長・桑原《くわばら》甲子雄《きねお》の企画で行われた「砂丘対決」の時のものだ。土門拳が山陰を訪れ、地元の植田正治、緑川洋一《みどりかわよういち》と鳥取砂丘を舞台に競写した撮影会である。土門拳とともに写っているのは、中国写真家集団のメンバー石津良《いしづりょう》介《すけ》である。

気力の気を、絵に入れる。

森田茂と
酒田市美術館

山形県酒田市飯森山3-17-95
(〒998-0055)
0234-31-0095

代表的なアクセス
JR「酒田」駅から
るんるんバス「酒田駅大学線」で約20分
「出羽遊心館・美術館」下車すぐ

この美術館の
ウェブサイト
はこちらから

〈老松と富士〉(森田茂、1988年、油彩・キャンバス)

NHKさまざまな番組から

「森田能」の世界へ

森田茂《もりたしげる》は一九〇七年（明治四〇）、茨城県に生まれた。茨城県師範学校（現・茨城大学）卒。はじめ小学校の図画の教師をしたあと、三一年（昭和六）に上京し、熊岡美彦《くまおかよしひこ》が主宰する熊岡洋画研究所に入所する。三三年に東光展に〈白衣〉が入選、翌年帝展に〈神楽獅子の親子〉が初入選。戦後、五六年、日展審査員、東光会委員となる。六六年の日展で〈黒川能《くろかわのう》〉が文部大臣賞受賞。七六年、日本芸術院会員。九三年（平成五）、文化勲章受章。二〇〇九年（平成二一）、一〇一歳で東京に没した。

一九九三年放送の「土曜美の朝」が、森田茂のアトリエを訪ねた。

幾重にも塗り重ねられた絵の具。大胆な筆遣い。森田は対象となるモチーフのなかにひそむエネルギーをキャンバスのなかに表してきた。牡丹を描こうとするとどうしても絵の具が厚くなる、と森田はいう。この花のもつ存在感や質感がそうさせるようだ。〈老松と富士〉に代表される富士山は、森田の作品によく登場する。富士山の雄大さは、森田の心をのびやかにさせる。また〈飛驒の谷〉などの作品が示すように、飛驒高山へはもう五〇年以上通っている。とくに奥飛驒の、人の手の入っていない、荒々しい景色に森田は惹かれる。

インタビュアーは山根基世《やまねもとよ》アナウンサー。森田のアトリエで驚かされるのは、ところ狭しと積み上げられた描きかけのキャンバスである。

山根基世　描きかけの絵が……こんなにたくさん。

森田茂　ええ、描きかけですね。これが楽しくてしょうがないの。これからどうやろうっていうのが、一つの問題になってきて、おもしろいなあって思っているんですよ。騒いでるよ、絵が。早く描いてくれ、早く描いてくれって。おれのほうを先に描いてくれよ。いや、お前はあとでいいよ、おれのほうを先に描いてくれよって、みんないっているよ。

山根　騒がしいですね。

森田　だからここにいると楽しいの。夜が更けるまでこうやってじぃーっとしていると、声が聞こえる。おれのほうは黒く描いちゃったから、もう少し色を出してほしいとか、いや、おれはのほうは明るすぎるからもっと暗くしてくれよとか、黄色すぎるからもう少し何とかしてくれとか、しゃべってんの、みんな。待ってくれ、あと二、三年経ったらおまえのいうとおりにしてやるからってい

〈黒川能(熊野)〉(森田茂、1968年、油彩・キャンバス)

って、宥《なだ》めているんだ。

山根　二、三年ですか。じゃあ、一枚仕上げるのに、どれくらいかけていらっしゃるんですか。

森田　いや、どれくらいという決まりはありませんわな。一時間で仕上がっちゃう小さな絵もあるし、一年やっている絵もあるし、とにかく途中が楽しいや。絵、描いている途中が。仕上がるよりも。

山根　途中が楽しいんですか。

森田　ここが赤いんだけど、この赤がいいかな、もっと渋みのあるのがいいかな。この緑はこのあと、赤と合わないぞ……そんなことを考えている時がいいんだよ。そうすると、いや、おれのほうを見なさい。おれのほうがうまくできているよって絵がいってるんだよ。

山根　完成した時が嬉しいんじゃないですか。

森田　完成した時もある程度は嬉しいけど、途中がおもしろいのだ。山登りの途中……景色が良かったりする。山(の頂上まで)登っちゃうよりも。

一九六六年(昭和四一)、森田はその後の作品の重要なモチーフとなる山形県櫛引町《くしびきまち》の黒川能に出会う。

四〇〇年前から櫛引町に伝わる黒川能は、地区の氏神、春日神社に奉納される。なかでも二月一日、扇祭で夜を徹して舞い続けられる能は、櫛引の人びとにとっては一年のうちで

〈黒川能（知盛）〉（森田茂、1984年、油彩・キャンバス）

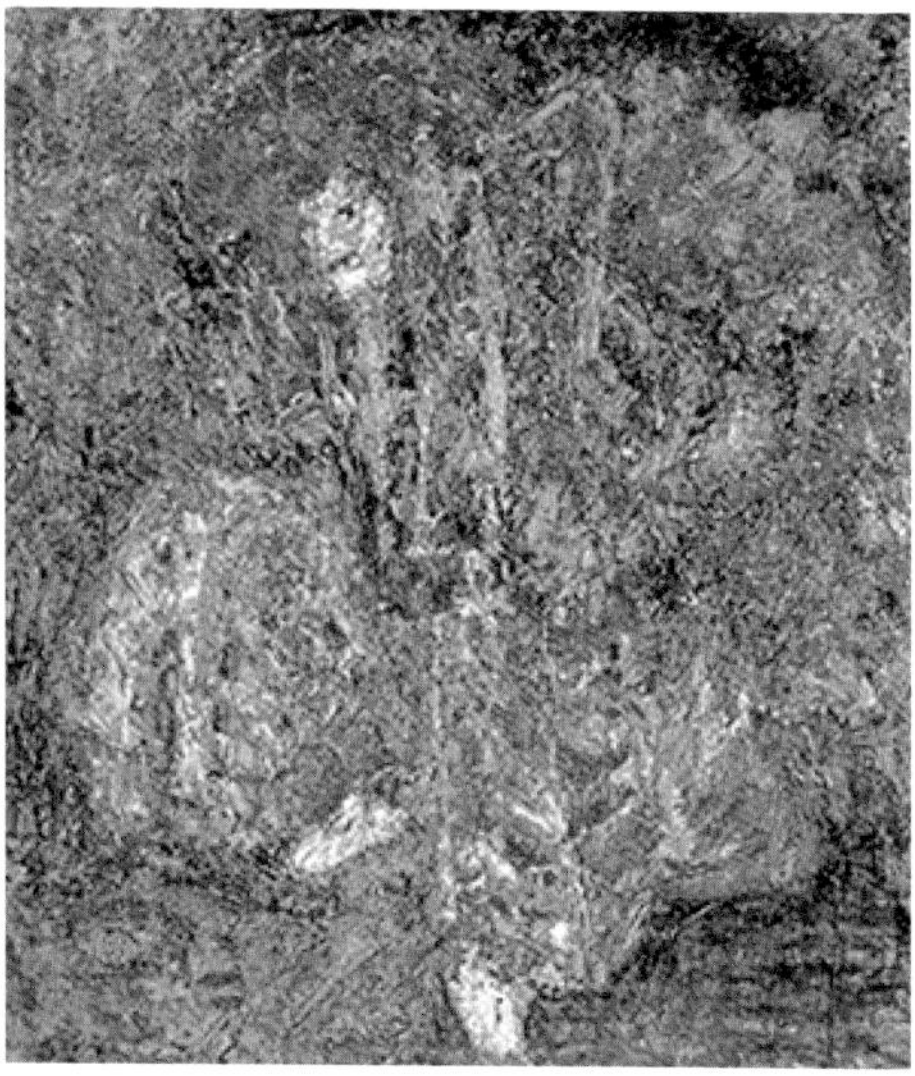

〈黒川能（石橋）〉（森田茂、1993年、油彩・キャンバス）

最も重要な行事だ。

森田　信仰に結びついた能なんですよ、あそこは。

山根　それが魅力なんでしょうね。

森田　やっぱり、その精神がおもしろい。

山根　ふつうの、私たちが思い浮かべる能とは……。

森田　東京あたりでやっている能とはね。あれはね、上手過ぎちゃって。黒川能は、荒いけれども、そこに情緒があることで……（画家が）自由に衣装を自分で考えてつくれるんだね。黒川能には、こんな赤いのはないんですよ。嘘だけども、黒川能を借りて自分の能、「森田能」をここに表現しようというわけだ。これは向こうのものを写生はするんだけども、自分の持っている感覚なり感情なり情感なりを表現するんだから、そこに一つの何かがあるわけだ。そいつを表現するほうがおもしろい。ただ向こうのものを描くよりも、そこに何か自分の色を、嘘を、嘘の色を描くわけだな。それが美しく見えたりするんです。美しくなければならない。画面の美しさってものが。

初期の頃に描かれていた能舞台の背景は、齢とともに消えてゆく。実際に使われる衣装は、赤を基調とした光として捉えられ、背景の中に溶け込んでいく。〈黒川能（知盛）〉らの作品で強調されるのは、荒々しいまでの演者の姿だ。
それは、森田の言葉どおり、もはや黒川能ではなく、「森田能」の世界になっている。

森田 一つ、これは勝負だからね。将棋差しが二手、三手を考えているようなもんで、やっぱりね、ここんとこ赤く塗ったらとか、ここは黒くすんだぞ、ここは黄色に塗るけど、やがては真っ青にするんだぞと思いながらやっていくと、今の色とはまるで違うものが出てくるわけだね。そういうことがおもしろい。

山根 そうしますと、今この絵はこういう状態にありますけれども、森田さんの頭の中にはもっと違う色が、先の色が見えているわけですね。

森田 (制作中の絵を指して)風景みたいに最初は黒と白でやるんだけれども、そこに赤が入ったり緑が入ったりすることによって複雑な雰囲気が出てくるでしょ。(別の一枚を指して)こっちも赤だけど、もっと渋くしちゃう。乾いてないとできないの、それが、だから乾かして、ふた月、三月乾かして、それから描くと描きいい。それからね、気、気力の気が絵に入らないといかん。精神的な内容だ、気は。モノを立体に描くとか美しく描くよりも、気力が……何か静かなら静かでいいけれども、そこに気力が出てこなくちゃいかん、と。まあ、結局、それが美しいということになるんでしょうけど。

(土曜美の朝　一九九三年四月一〇日放送)

美術館を旅する

酒田の丘の上に

酒田市の市街から最上川を南西に渡った郊外に、土門拳記念館がある。酒田市美術館は、その土門拳記念館から西へ一キロほどのところにある。

鳥海山、最上川そして酒田市街を一望できる丘の上に芝生の緑地が広がり、横に細長い箱形の酒田市美術館が建っている。かなり大きな建物であるにもかかわらず、緑地が広いために片隅にひっそりとあるように見える。敷地の面積は約三万平方メートル、施設の面積は約三〇〇〇平方メートルである。入館すると、あたりの林や芝生に溶け込んだ、実に軽快な建物であることがわかる。

設計は池原義郎《いけはらよしろう》。開館は一九九七年(平成九)である。市立美術館ではなく公益財団法人の美術館。山形美術館などと同様、いくつかの地元の個人コレクションの寄贈があったことが、美術館建設につながった。

一九九二年(平成四)には、美術館建設を前提に、酒田市内の実業家・新田嘉一《にったかいち》から油絵八四点、日本画二二点、版画七点、合わせて一一三点のコレクションの寄贈を受けた。そのなかには、黒川能などを描いた洋画家・森田茂の作品三四点が含まれている。

新田嘉一は養豚を主とする平田牧場の経営で成功した、地元では知らない人のない人物だが、郷土の発展のためにもさまざま尽力してきた。コレクションの寄贈はその一つである。

一九九四年には、酒田市の開業医でアララギ派の歌人だった岸田隆の遺族から、青山熊治《あおやまくまじ》、椿貞雄《つばきさだお》、金山平三《かなやまへいぞう》など近代日本絵画と彫刻のコレクション約五〇点の寄贈を受けた。岸田は鳥取県の生まれだが、社会保険酒田病院（現・日本海酒田リハビリテーション病院）に勤務して院長になり、のちに酒田で医院を開業して永住した人だ。

ほかにも、洋画家・國領經郎《こくりょうつねろう》の遺族から國領の作品五二点が寄贈されている。國領は一九七〇年代から八〇年代にかけての絵画ブームの時代に、人気画家の一人であった。横浜市生まれの国領は、砂丘を背景に人物を描く作品が多く、鳥取砂丘とともに庄内砂丘にも訪れていたのが、酒田市美術館への遺贈の理由だという。

酒田市出身の彫刻家・高橋剛《たかはしごう》からは、生前の一九九一年に石膏原型一七八点の寄贈を受けている。やはり酒田市出身の洋画家・斎藤長三《さいとうちょうぞう》の作品七二点も、遺族から寄贈。斎藤には、〈山居倉庫〉など、酒田を描いた作品がある。

入館してまっすぐ廊下を進み、右へ折れてさらに奥まったところに、森田茂の作品が常設展示されている部屋がある。黒川能をモチーフとする作品が森田の到達点であることはもちろんだが、それ以外の作品にも魅力がある。〈老松と富士〉や〈松林富士〉など雄大な富士山を描いたものや、京都の舞妓を描いた〈舞妓三人〉なども見応えがある。

新田嘉一コレクションの中に〈酒田の舞娘〉がある。美人画で知られた地元出身の画家・佐藤公紀の作品である。酒田の料亭・相馬楼《そうまろう》に出ていた舞娘を描いたものだろうか。

相馬楼は古くからの繁華街・日吉町にある。相馬楼は以前は相馬屋といい、江戸時代から続く料亭で、竹久夢二も訪れたことがあった。夢二は相馬屋のために、提灯を下げて歩く女を〈からふねや〉という美人画として描いている。いま、この相馬楼の敷地内には、竹久夢二美術館が併設されている。

近代の青春に立ち会う。

松本竣介・舟越保武と
岩手県立美術館

岩手県盛岡市本宮字松幅12-3
(〒020-0866)
019-658-1711

代表的なアクセス
JR「盛岡」駅東口から
岩手県交通バス「盛南ループ200」で約13分、
「県立美術館前」下車すぐ

この美術館の
ウェブサイト
はこちらから

〈塔のある風景〉(松本竣介、1947年頃、油彩・キャンバス)。
東京・お茶の水の「ニコライ堂」を描いた、早逝の画家 晩年の作品

NHK日曜美術館から

時代を走った画家

松本竣介《まつもとしゅんすけ》は一九一二年（明治四五）、東京に生まれた。幼少時を岩手県花巻、盛岡で過ごす。一四歳の時、病気のために聴力を失う。盛岡中学を中退して上京。盛岡中学では同学年にのちの彫刻家・舟越保武《ふなこしやすたけ》がいた。太平洋画会研究所に通い、三三年（昭和八）、兄の創刊した雑誌『生命の藝術』の編集に携わり、挿絵や美術批評を掲載。三五年、二科展に〈建物〉で初入選。三六年から翌年にかけて、自らデッサンとエッセイの雑誌『雑記帳』を発行した。四一年、二科会会友となる。同年、雑誌『みづゑ』に「生きてゐる画家」を投稿し、反ファシズムの姿勢を鮮明にした。戦後、優れた作品を発表する傍ら、美術界を活性化するために組合結成の運動を起こすが、一九四八年（昭和二三）、肺結核が悪化して早逝した。

一九八八年の「日曜美術館」で、作家の中野孝次《なかのこうじ》が松本竣介を語った。

僕は竣介が非常に好きで、僕が最初の小説集『麦熟るる日に』を書いた時に、お願いして竣介の〈Y市の橋〉（一九四二年）という絵を表紙に使わせてもらったというようなこともあって、竣介には特別な関心があるんですね。

〈塔のある風景〉（一九四七年頃）は、竣介三六歳、死の前の年、本当に短い一生の、晩年の作品ですね。竣介の描いたものを見ると、絵の具も何もなくなっちゃって、庭に埋めてあった絵の具が焼け残ってて、それを取り出して描いたっていうんですけど、その絵の具というのが、代赭色《たいしゃ》というのか、そういう絵の具ばかりだったらしくて、晩年の竣介の絵はこの色が基調になっているんです。それが、焼け跡のあの風景にじつに合っているんですね。この時代、僕も二二歳で同じ時代を生きているんですけど、実際、焼け跡の色を、この竣介の戦後の作品から感じます。

それと、〈塔のある風景〉の塔というのはニコライ堂ですけれども、竣介は若い頃からニコライ堂のあの特別のフォルムに魅せられて何度も描いている。最晩年にもやっぱりこの形を描いている。竣介はおそらくこれから新しいところへ出発しようとしていたんじゃないかと思うんです。非常に活動家ですから、戦後になって自由になったんで、檄《げき》というとおかしいけれども、同志を募って新しい運動を始めないかと、呼びかけている。何ていうか、新しい、別の世界へ飛び出そうという意欲が見られる。その最中に死んじゃったんですが、実際、惜しい画家を亡くしたと思います。

松本竣介のことを僕はよく考えるんですが、やはりこの人は、とくにあの時代にあって、時代とともに生きた、そして

〈長崎二十六殉教者記念像〉(舟越保武、1962年、ブロンズ、長崎市西坂公園)。
1597年、豊臣秀吉の命によりカトリック信者が磔にされる。「二十六聖人」と呼ばれた20人の日本人と６人の外国人宣教師。舟越保武は５年をかけて彼らの姿をレリーフで表現した

〈ダミアン神父〉(舟越保武、1975年、ブロンズ)

〈原の城〉(舟越保武、1971年、ブロンズ)

時代と真っ正面から取り組んできた画家の代表的な一人だと思います。画家というのは時代の外に美を追求する人だと思われているけど、そうではなくて、竣介は時代とがっちり四つに組んで生きている。時代の空気をいつも表そうとしている。戦後のこの絵からもその空気がうかがえると思います。

（日曜美術館　一九八八年六月一九日放送）

NHK日曜美術館+アルファから

彫刻の実在感

舟越保武は一九一二年（大正元）、岩手県で生まれた。東京美術学校（現・東京藝大）彫刻科卒業。在学中から、国展に出品して入選。三九年（昭和一四）、新制作派協会彫刻部創設に参加、会員となる。この頃、大理石の直彫り彫刻を始めた。戦後、カトリックの洗礼を受ける。五七年から五年がかりで制作した〈長崎二十六殉教者記念像〉によって、高村光太郎賞受賞。七一年完成の〈原の城〉で第三回中原悌二郎《なかはらていじろう》賞受賞。九九年（平成一一）、文化功労者。二〇〇二年（平成一四）没。

一九八三年放送の「訪問インタビュー」に登場した舟越保武が、自身の石の彫刻について語った。

粘土でつくって石膏にしてそれをブロンズにしてあるわけです。それを、石にしてみようとすると、全然感じが違うんです。そこで、これ（石の彫刻）に、これから細かい仕掛けを、秘密の仕掛けをしようとしている。ほとんどできていて、このままでもいいようなものなんですけど、ある日、光をあてた時にちらりと翳りといいますか、少し影が動くように見える、そういう仕掛けをこれから砥石を使ってやるんです。

この石の作品を彫っていて、どうも冷たい色だな、と思う。グレーだけれども、ちょっと青っぽい感じがありますでしょ。仕上がって、何とかしなければいけないと思っていたら、そばに飲みかけの紅茶があったの。それ、何日も放っておいて濃縮されて濃い色になった紅茶なの。それを試しに塗ってみた。ハンマーなんかに、ちょっと錆がありますね。やすりをかけると、赤い錆が取れる。それを石の彫刻の頬になすりつけると、頬と唇に鉄錆がちょっと付くだけなんだけれども。つまり汚す。全部均一じゃなくて、出っ張ったところを少し汚すのが、自然ですわね。出っ張ったところが汚れていくのは自然。そのほうができたての、のっぺり全部同じ色というよりも……私の言葉でいえば……実在感みたいなものが感じられますね。

（訪問インタビュー　一九八三年一二月一三日放送）

一九八七年、舟越は脳梗塞で倒れた。一命を取り止めたが、利き腕の右手が不自由になり、一時、視力の一部を失う。一度は絶望の淵に立たされ、「何もない。私には何もなすすべがない」と述懐した舟越だが、リハビリを始め、ベッドに横たわりながらも左手でデッサンをするまでになった。退院し、数か月後には視力も回復し、その年の暮れには左手によるデッサン展を開くまでになる。翌年には左手だけで彫刻作品の制作も始めた。硬い石を彫る彫刻は無理だったが、粘土で原型をつくるブロンズ像に取りかかり、一九八八年、初めて左手だけで制作した彫刻〈サルビア〉を発表する。

二〇一一年（平成二三）の「日曜美術館」で、舟越の長女で絵本編集者の末盛《すえもり》千枝子《ちえこ》と画家の千住《せんじゅ》博《ひろし》が、舟越保武の作品の芯について語った。

末盛千枝子　ほんとに勤勉だったと思います。アトリエが自分の家にありまして、ベッドもアトリエにありましたので、家にいる間はいつも仕事をしていた。

千住博　とっても伝わってくるんですね。破天荒な、驚かせようとしたアーティストではなくて、淡々と、自分の仕事を普通に普通にやった方なんだなと。

末盛　そういうふうにいっていだけると、父はとても喜ぶんじゃないかと思います。職人さんの仕事ぶりを自分の理想としていたって思いますのでね。

千住　まず職人ありきですよね。生後八か月でご長男を亡くされたことが転機になったと聞いているんですが……。その当時のこと、覚えていらっしゃいますか。

末盛　ええ。赤ん坊の弟が風邪をひいていて、急性肺炎になって、哺乳瓶でミルクを飲ませている時にむせて、あっという間に亡くなったんですよね。ですから、私は子供でしたけれども、人の命、生と死というのは、本当に一瞬で別れるというのをその時実感しました。父はあまりいいませんでしたけど、初めて生まれた男の子でしたので、どれほど悲しかっただろうかと思いましたね。

千住　舟越先生は、小さい時にお母様を亡くされて、お父様も亡くなられて。キリスト教のテーマを追う制作を通して、亡くなった人たちに何か作品のなかで影響されている、そういう気持ちがするんですが、いかがでしょう。

末盛　結局、〈聖ベロニカ〉にしても、〈原の城〉にしても、〈ダミアン神父〉にしても、共通して祈りというか、悲しみの極みの人たちに寄り添う姿勢というものがあるような気がしますけれども。たぶん父のなかでは聖なるものと美しいものというのは、分かちがたく一緒にあったのではないかと思います。

（日曜美術館　二〇一一年一〇月三〇日放送）

【上】〈一馬と水仙〉（舟越保武、1948年、パステル、個人蔵）。
生後８か月で長男を亡くした舟越が、わが子への思いを描いた一枚
【下】〈サルビア〉（舟越保武、1988年、ブロンズ）。
脳梗塞から復活した舟越が、初めて左手だけで制作した作品

〈水着姿〉
（萬鐵五郎、1926年、油彩・キャンバス）。
和傘を持った断髪のモダンガールの水着は、
萬自身が探し求めて手に入れたものという

〈筆立のある静物〉
（萬鐵五郎、1917年、油彩・キャンバス）。
物の簡略化や複数の視点からの描写など、
キュビスムの傾向が見られる作品

美術館を旅する

盛岡の青春群像

盛岡駅からバスに乗って「県立美術館前」で降りると、灰白色の横に長い美術館の建物が見えてくる。近づいてみると、見えていたのは、外へ向かってゆるい弧をなすファサードで、入館すると吹き抜けの大空間がエントランスになっている。展示室は、その後ろに接続している建物のなかにある。一階は企画展示室、二階に常設展示室が三室あり、一室には館蔵品が展示され、あとの二室は岩手出身の作家たちの部屋、洋画家の萬鐵五郎《よろずてつごろう》展示室と、松本竣介・舟越保武展示室に特化されている。開館は二〇〇一年（平成一三）。この美術館ができるまでは、近代美術はすべて岩手県立博物館に収蔵・展示されていた。

　県立博物館の時代から、この館の萬鐵五郎（一八八五―一九二七）のコレクションはよく知られていた。萬は、岩手県土沢（現・花巻市東和町）の出身。東京美術学校（現・東京藝大）の卒業制作〈裸体美人〉が話題を呼び、日本フォーヴィスムの先駆的作品と位置付けられた。キュビスムの造形言語を手がかりに、自画像、静物画、風景画を数多く描き、独自の表現を模索したが、四一歳で亡くなった早逝の画家である。この美術館には、第一回フュウザン会展に出品された〈女の顔（ボ

〈萩原朔太郎像〉
（舟越保武、1955年、ブロンズ）。
萩原家の納得がなかなか得られず、何回もつくり直す工程があったという

〈Y市の橋〉
（松本竣介、1942年、油彩・キャンバス）。
松本竣介の親友だった舟越保武は、絵のなかの橋の上から手を振る竣介が見えたとエッセイに綴っている。Y市とは横浜市のこと

アの女〉〉、二科展出品の〈筆立のある静物〉〈木の間から見下した町〉や、晩年の代表作〈羅布かづく人〉〈水着姿〉など彼の画業をたどることのできる約一五〇点が収蔵されている。

松本竣介・舟越保武展示室では、両作家の真価にふれることができる。特に、松本の〈春のスケッチ〉〈有楽町駅付近〉〈盛岡風景〉〈Ｙ市の橋〉〈議事堂のある風景〉〈鉄橋近く〉〈塔のある風景〉といった、青春の瑞々《みずみず》しさと時代の郷愁を感じさせる風景画にたっぷりと浸れる。舟越の彫刻も、代表作が揃っている。訪れた日には、〈長崎二十六殉教者記念像〉のうち四体や〈原の城〉〈ダミアン神父〉〈ＬＯＬＡ〉〈聖ベロニカ〉〈青い魚〉などが展示されていた。〈萩原朔太郎像〉という頭像は、舟越自身の述懐によると、たまたま荒っぽく一気につくっていた時、昼食で中断して食事をしながら見ていたところ、「あっ、これだ」と、そこでストップして出来上がった作品だという。「普通は自分で仕上がったと思って仕事を終えるわけだけれど、ところが終わるずっと前に、もっといい時があったかもしれないのだな」と舟越は語っている。

盛岡を中心とする地域は、近代の青春を発信したところだった。詩歌の宮沢賢治しかり、石川啄木しかり。

萬鐵五郎も松本竣介も、舟越保武もまた、盛岡の地から作品を通して現在も発信を続けている。

コツコツコツコツ歩むこと。

佐藤忠良と 宮城県美術館

宮城県仙台市青葉区川内元支倉34-1
(〒980-0861)
022-221-2111

代表的なアクセス
仙台市営地下鉄東西線
「国際センター」駅
西1出口から北へ徒歩7分

この美術館の
ウェブサイト
はこちらから

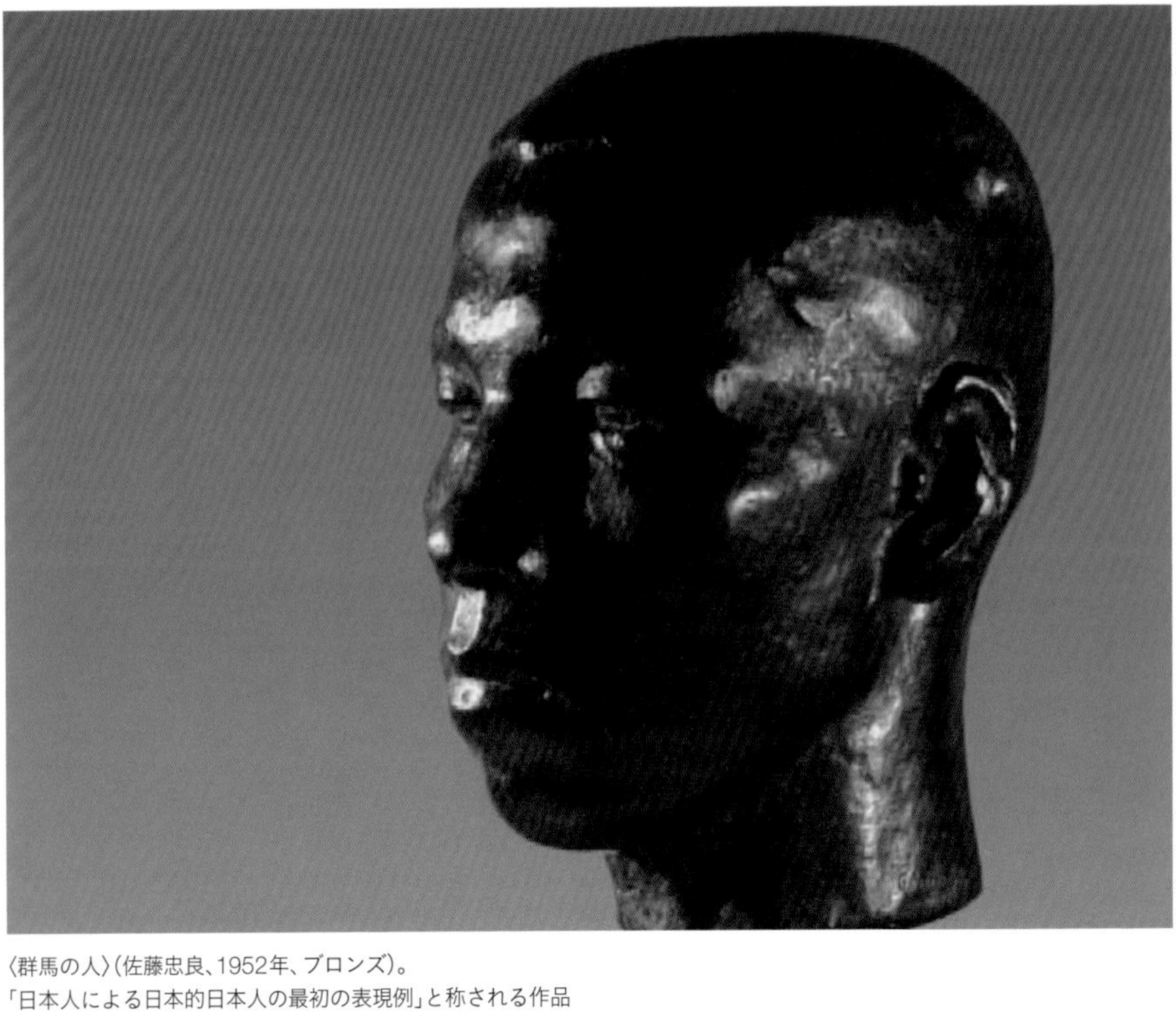

〈群馬の人〉(佐藤忠良、1952年、ブロンズ)。
「日本人による日本的日本人の最初の表現例」と称される作品

NHKさまざまな番組から

ものを見る深さ

佐藤忠良《さとうちゅうりょう》は一九一二年（大正元）、宮城県に生まれた。幼少期を北海道で過ごし、二〇歳で上京。はじめ川端画学校で油絵を学んだが、彫刻に転じ、東京美術学校（現・東京藝大）の彫刻科を卒業した。在学中に彫刻作品が国画会に初入選、奨励賞を受賞。三九年（昭和一四）、新制作派協会彫刻部の結成に参加する。四四年に応召、終戦後三年間シベリアに抑留され、四八年に帰国した。戦後は〈群馬の人〉（一九五二年）などで日本人固有の体質を表現したと評価される。その後、現代日本美術展、日本国際美術展に出品、六〇年、〈うれ〉〈エイ〉（ともに一九五九年）などで高村光太郎賞受賞。国際的にも評価が高まり、七三年にはメキシコ大統領の依頼で〈支倉常長像〉を制作、アカプルコに設置される。八一年、フランス国立ロダン美術館で個展。同い年の彫刻家・舟越保武とは生涯の友人でありライバルだった。二〇一一年（平成二三）、死去。

〈群馬の人〉は、佐藤忠良を一躍有名にした作品である。ヨーロッパ風な彫刻が主流を占めていた当時の日本の彫刻界で、日本人が初めて日本人の顔をつくったとして、高く評価されたのだが、この作品には、決して裕福とはいえない家庭で育った彫刻家の特別な思いが込められていた。

一九九六年放送の番組「シリーズ日本美術の名匠」で八二歳の佐藤忠良が語った。

「私が札幌の中学の一年の時、植物園で休んでいたら、偶然、青年が寄ってきて、その青年と話をした。私が、六歳の時に父を亡くし、当時弟が二歳。二七、八の母が裁縫をしながら育ててくれたこと、それで仕送りをしていることを話したら、『どうだ、自炊しないか』って、その人が言う。その人は群馬の人だったの。二三歳だったの、その人。今だったら、知らないお兄ちゃんに声かけられたら逃げるところだけど。

その群馬の岩瀬さんという人と私……中学の一年から三年、四年っていうと下手をするとグレちゃったりする時期でしょ。今振り返ってみると、兄貴のような父親のような人とめぐり会った。世話になったんです、大切な時にね。私のなかには、その人がずうっとわだかまりになっていたわけ。

それで家の近くに群馬の詩人がいたの。『歴程』の会員の詩人がね。その人、絵が好きでしょっちゅう家にみえたんで、ある時、先生、丸坊主にしてくださるなら顔をつくりたいっていったら、その日のうちに丸坊主になって来てくださってね。それでその人の顔を借りて、私のなかにずうっとあった群馬の人……もう題名は決まっちゃってた。振り返ってみると、私のなかの一つのリアリズムなんでしょうね。世話になったその人を、この詩人の顔を借りて群馬の人をつくってみたいということがあったんでしょうね」

こうした作品が生まれる背景には、佐藤のシベリアでの抑留生活もかかわっている。

「じゃがいもみたいな顔をつくり続けてきたのは、振り返ってみると、あのシベリアでの男どもが三年間も生活したなかで、お互いにみんなさらけ出して見せ合った……人間というのは教育も必要なんだろうけど、農家の人だったり、工事している人だったり、そういう人のなかでも本当につき合える人、いい人というのはいるんだなということが、知らず知らずのうちに私のなかにあったんでしょうね。シベリア時代に、知識と教養がバラバラになったと思い知らされた。昔の言葉でいう百姓だとか、そういう人たちのなかに労《いたわ》りの気持ちのある人がいて、そういう人たちとつき合える、という感じ。簡単なことですよ。行きずりのいい顔をした人、目鼻立ちがどうのということではなくて、じわじわっと滲み出てくるような。そういう人をつかまえてモデルになってもらうことが多かったですね。だからブサイクな顔が割合多かった。『キタナ（汚な）モノヅクリ』って批評にも書かれたんだから」

次いで、アトリエを訪れた山根基世《やまねもとよ》アナウンサーとの会話。

佐藤忠良　あなた、この（和田堀）公園初めて?

山根基世　初めてです。よくスケッチに来られるんですか。

佐藤　ええ。杉並にもいいところがあるでしょ。私もここへ来て二五、六年。自転車でちょいと、簡単に来られるからね。木を描きに来ることが多いです。人によって、同じ一本の木を見ても、同じ彫刻家でも感じ方は違うんでしょうが、私の場合はね、地べたでがんばってそこから生えている胴体、どんな雨にも風にも倒れないで枝を広げている。そのがんばりの痕跡がうねりやシワになって出てきている。人体のようなものを感じちゃうのね。

山根　生きていることにおいて共通だということですか。

佐藤　そうです。人体は手足と首と胴体で感情表現を何万年も何十万年もやってきている。時代背景によって動き方は違うにしてもね。人体だって木だって地球の上に立って、それで生きようとしていろいろにこなしているわけでしょ。地軸といかに戦って倒れまいとして重心を保ちながら立とうとしているのか、これはわれわれの課題ですよ。特に人体をやる場合にはね。

山根　木を見ることが彫刻につながっているんですね。

佐藤　苦悩しながら耐えて耐えて戦って生きているなっていう感じ、木を見るとね。特に桜の木なんて欅《けやき》なんかと比べてうねってるでしょ。ここに並んでいる桜の木の根はきっと川側に伸びていますよ。こっちの通路側に伸びていたらきっと倒れちゃう。バランスをとりながら、地球をしっかり押さえているんです。

山根　作品の上で変わりたいというお気持ちはありますか。

佐藤　変わりたいというよりも、昔のほうがいい仕事をしてたなっていう悔しさね。たどたどしい肉づけのなかに、どもりながら人に訴えるような気持ちのほうが、ペラペラいい言葉使ってやるよりはね。今、どっちかというと、彫刻のなかで上手に、下手をするとウケを狙ってしまう、そうしまいとしながらもね。だから、深くなるっていうのはどういうことか。それが今の私の課題だと思います。

山根　答えはあるんですか。

佐藤　マラソンは、折り返し地点があって必ずゴールに帰ってくるわけでしょ。われわれにはゴールがないの。見えないところを走っているんですよ。この次の抱負を聞かせてくださいなんて言われるけれども、振り返ってみると、走りもせず、止まりもせず、コツコツコツコツ歩いてきた自分しか考えられない。作品見るとよくわかるけれどもね。これからも、走りもせず、止まりもせず、見えないゴールへ向けてコツコツ歩いて行くよりほかないと思っている。そのためには、しっかり歩くためには、いかに深く、気持ちが深くなること、ものを見る深さを自分のなかにいかに蓄えることができるか、それが課題だなって思っているね」

（シリーズ日本美術の名匠　一九九六年四月二六日放送）

美術館を旅する

彫刻の似合う街

仙台市には、市街を南北に貫く地下鉄（一九八七年開業）に加えて、二〇一五年（平成二七）に東西に伸びる地下鉄が開通した。仙台駅から宮城県美術館に行くには、この地下鉄東西線が便利だ。八木山《やぎやま》動物公園行きの電車に乗って三つ目、国際センター駅で降りれば、すぐである。

宮城県美術館は、蛇行する広瀬川の西側の小高い丘の一角にある。丘の北のはずれに美術館があり、南寄りには青葉城（仙台城）跡がある。

宮城県美術館は一九八一年（昭和五六）の開館。所蔵品は美術館が独自に収集した近・現代の日本美術、カンディスキーやクレーなどの海外美術のほか、『気まぐれ美術館』などのエッセイでも知られる洲之内徹《すのうちとおる》のコレクション一四六点が一九八八年（昭和六三）に一括収蔵されている。さらに一九九〇年（平成二）には彫刻家・佐藤忠良から自作の彫刻作品の寄贈を受け、館内に佐藤忠良記念館が設けられた。

坂道を上って、一面に赤レンガ敷きになった美術館前の広場まで行くと、白い角柱が美術館の入り口までズラリと並んで立っている。広場右手ではヘンリー・ムーアの彫刻〈スピンドル・ピース〉（一九六三〜七四年）が存在感を示している。

〈帽子・夏〉(佐藤忠良、1972年、ブロンズ)。
若い女性の姿を洗練されたスタイルで表現する作風の代表作

入館して一階のすぐ左手が大きな常設展示室になっている。ここで開かれるコレクション展では、たとえば小松均《こまつひとし》が素朴に大原女を描いた〈八瀬〉に出会い、冨田溪仙《とみたけいせん》の〈蘭亭曲水〉(二曲一双)のトロリとした味を堪能し、尾竹竹坡《おたけちくは》の三幅対〈月の潤い・太陽の熱・星の冷たさ〉でモダンな画風に驚かされる。高橋由一《たかはしゆいち》の〈宮城県庁門前図〉、松本竣介《まつもとしゅんすけ》の〈画家の像〉、三岸好太郎《みぎしこうたろう》の〈オーケストラ〉、佐藤哲三《さとうてつぞう》の代表作中の代表作〈赤帽平山氏〉などに出会うこともできる。

仙台の文化人に天江富弥《あまえとみや》という人物がいる。戦後は仙台に郷土料理の店「炉ばた」を出し、炉端焼きなる独得の接客スタイルを生み出したことで知られたが、大正期から昭和初期にかけては、野口雨情《のぐちうじょう》、山村暮鳥《やまむらぼちょう》、竹久夢二《たけひさゆめじ》、宮沢賢治、土井晩翠《どいばんすい》、柳原白蓮《やなぎわらびゃくれん》といった人びとと交流し、仙台で児童文学雑誌を発行するなど、幅広い文化活動を行っていた。夢二が東北を旅する折には、天江のところに滞在したという。宮城県美術館には、この天江のコレクションも収蔵されていて、夢二の〈ギヤマン問屋の娘〉はそのうちの一点である。

常設展示室の西側に、佐藤忠良記念館がある。日本の彫刻家の話になると、誰も彼もがロダンに憧れて、ということになってしまうが、佐藤忠良の場合は、ロダンよりもマイヨールに近いように思われる。作品は、ロダン的な量塊感や存在感ではなく、ある種音楽のような、詩のようなものを伝えてくる。記念館の展示室に立つと、力強い彫刻に囲まれたとい

〈緑の風〉（佐藤忠良、1977年、ブロンズ、仙台市・台原森林公園）。
「仙台市彫刻のあるまちづくり事業」の第１期第１号作品として設置された作品

う感覚はなく、彫刻たちはあちこちで、風のように歌うようだ。〈群馬の人〉という作品が、日本人が初めて日本人の顔をつくったといわれたのは、写実的に日本のおじさんの顔を写したからではなく、どちらかといえば能面のような表現によって、それがどうしようもなく内面から日本人であることをみごとに引き出しているからなのではないか。

美術館からの帰りは、歩いて新仲の瀬橋で広瀬川を渡り、バスで駅へ向かった。橋の上から広瀬川を見下ろすと、西側の崖を削るようにして急流が流れている。

仙台の街といえば、青葉通りはもちろんいいが、中央の緑地帯にエミリオ・グレコやジャコモ・マンズーの、高さ二メートル以上もありそうな彫刻の立つ定禅寺《じょうぜんじ》通りも魅力のある通りである。仙台市は「彫刻のあるまちづくり」という事業を一九七七年（昭和五二）から二〇〇一年（平成一三）まで続け、市内各所に二四体の彫刻を設置した。その第一号を飾ったのが、仙台市北部の台原《だいのはら》森林公園に設置された佐藤忠良の〈緑の風〉という女性像である。

仙台は彫刻の似合う街だ。地元の努力の賜物である。

益子陶芸美術館と濱田庄司記念益子参考館

《益子陶芸美術館》
栃木県芳賀郡益子町益子3021(〒321-4217)
0285-72-7555

《濱田庄司記念益子参考館》
栃木県芳賀郡益子町益子3388(〒321-4217)
0285-72-5300

代表的なアクセス
真岡鐵道「益子」駅下車、益子陶芸美術館まで徒歩約25分。
益子陶芸美術館から濱田庄司記念益子参考館までは
徒歩約15分

《益子陶芸美術館》

この美術館のウェブサイトはこちらから

《濱田庄司記念益子参考館》

この美術館のウェブサイトはこちらから

くつろぐ濱田庄司

NHK日曜美術館から

六〇年と一五秒

濱田庄司《はまだしょうじ》は、一八九四年（明治二七）、神奈川県高津村（現・川崎市）に生まれた。東京高等工業学校（現・東京工大）卒業。在学中に二年先輩の河井寛次郎《かわいかんじろう》を知る。一九一八年（大正七）、バーナード・リーチと出会い、二年後、リーチの誘いでともに渡英、セント・アイブスに築窯し、作陶に打ち込む。二四年に帰国、京都で河井邸に滞在し、柳宗悦《やなぎむねよし》を河井に紹介するなどして、自身は栃木県益子《ましこ》に移った。以後は益子で、この地にもともとあった釉薬《ゆうやく》を用い、独自の民藝陶器をつくり出してゆく。奇をてらった作風を嫌い、やきもの本来の健やかで堅実な表現を生涯にわたって追求した。五五年（昭和三〇）に第一回の人間国宝。六八年に文化勲章を受章。一九七八年（昭和五三）没。

一九九四年（平成六）の「日曜美術館」は、七七歳の時の濱田庄司の制作風景と、当時の濱田の言葉を紹介した。

「今、この齢《とし》になって、私は自分のやきものが若い頃よりも良くなったと感じます。すべての技が私にとって自然であり、意のままに扱えます……」

こうした濱田の境地について、濱田に師事した益子の陶芸家・島岡達三《しまおかたつぞう》が述べる。

「先生は直感力が非常に優れた方でありますけれども、同時に理詰めにものを考えられる方です。どうすればこういう茶碗ができるんだろうと、いろいろあれやこれや、試されたわけでしょうね。最終的にはやはり数を挽《ひ》いて、無意識な状態になるまで数挽いて、そしてろくろが多少曲がっていようが、がたがたしていようが構わずに挽く。そういう境地に達したんじゃないでしょうか。それもやっぱり、的確な、造形に対する、ろくろ上の造形に対する判断がまずあって、そして今度は、それを消しても、体が自然に、手が自然に、その形ができるようになるまで挽き続けるということでしょうね」

番組はさらに、一九七七年（昭和五二）、八三歳の濱田が、大皿に釉薬を「流し掛け」をしている場面を紹介する。「流し掛け」は濱田にしかできないといわれた、独特の技法だ。この画面を背景に、濱田自身の言葉を引用しながら、後に有名になった逸話がナレーションで語られた。

「ある時、濱田庄司はこう話しています。『このような大皿一枚を流し掛けで装飾し、釉《くすり》を施すのに、実際は、一五秒以上はかかりません』。それで多くの訪問客は尋ねます。『早すぎるのではないか』『一五秒しかかからないのに、なぜそんなに高価なのか』。濱田が答えます。『皿を作るには、六〇年と一五秒もかかっているのです』。『この仕事は、ただ手が長年習い覚えた動きに任せているだけです。六〇年間、体で鍛えた仕事には、無意識の啓示があります。今の私は、私の仕事に、つくるよりも、生まれるものが増えることを願っています』」

（日曜美術館　一九九四年四月一〇日放送）

美術館を旅する

陶郷益子の町を歩く

真岡《もおか》鐵道の益子駅から濱田庄司記念益子参考館までは、ほぼ一本道で、歩いて三〇分ほどの道程である。途中、電線を地下に埋設した益子町の中心部の町並みが美しい。通りに面した家は改修されているものが多く、すっきりとしている。ところどころに茅葺《かやぶ》き屋根の家が見られるのも、意識的に残され、あるいは移築されたものだろう。田町《たまち》、内町《うちまち》辺りから、ぽつぽつ民芸陶器の店が目立ってくる。

ここまで平坦だった道が、城内坂《じょうないざか》という交差点から上り坂になる。この坂を上り詰める辺りまでが、益子で陶器の店が最も集中しているところだ。

城内坂の途中から左手に折れた丘の上に、陶芸メッセ・益子の中心施設である益子陶芸美術館があった。白壁の土蔵を模したような二階建ての建物である。展示場は一階に入ってすぐのところが、濱田庄司の部屋になっており、作品が三〇点ほど展示されている。〈柿釉大鉢《かきゆうおおばち》〉〈掛合釉指描大鉢《かけあわせゆうゆびがきおおばち》〉といった大鉢のほか、〈赤絵蓋物《あかえふたもの》〉や扁壺、角皿、土瓶、徳利、茶碗から灰皿まで、濱田の多彩な仕事ぶりを示す内容である。

二階には、バーナード・リーチと英国の陶芸家たちの作品が展示されている。セント・アイブスのリーチ工房の人びとの作陶で、作者の名前を見ると、ノラ・ブラスデン、エリザベス・フリッチなど女性の名前が多かった。

陶芸メッセ・益子から城内坂に戻って坂を上がり、上がりきって下りに入ったあたりの左側に、益子焼窯元共販センターという看板の建物ややきもの店に囲まれた広場があった。春と秋に開催される益子の陶器市でにぎわうところである。

道はゆるやかに下り、やがて向かい側の丘の斜面に、濱田庄司記念益子参考館の棟々が見えてくる。

参考館は、入口の長屋門を含めると、六棟の和風建築が集まっていて、まるで豪族の屋敷のような趣である。展示館は一号館（長屋門の内部）から四号館まであり、ほかに濱田庄司館、工房などが整備されている。二号館、三号館は大谷石《おおやいし》の石倉、四号館は濱田の別邸だった茅葺き屋根の家、といった具合で、これら近隣から移築した建築物自体が、濱田のコレクションなのである。つまり、濱田は「自身の膨大な世界の民芸品コレクションを、広く世の工芸家や芸術家に参考にしてほしい」とこの参考館を残したが、そこには建物までもが含まれているのである。

〈青釉黒白流描大鉢〉(濱田庄司、1962年、濱田庄司記念益子参考館蔵)

一号館から三号館までは、世界各地の民芸品の展示場になっている。メキシコの石鉢、中国の碗、朝鮮の水差、フランス・オランダ・イギリスの陶器、各地の家具や織物などまで、三〇〇〇点ともいうコレクションから選ばれた品だ。

濱田庄司館と呼ばれる瓦屋根の建物には、濱田の〈青釉黒白流描大鉢〉などの作品と、河井寛次郎やバーナード・リーチなど、濱田と交流のあった作家の作品が展示されている。

濱田庄司記念益子参考館の長屋門を出ると、ある濃密な世界を体験し、そこから解き放たれたような思いに包まれる。

濱田庄司が一九六九年(昭和四四)に語った言葉がある。

「私は近頃轆轤《ろくろ》中、形が予期しているものから崩れても、却ってよくなって立直るようなことがときどきある。少し言葉が過ぎるかと思うが、形は轆轤に委せ、絵付は筆に委せ、焼くのは窯に委せるという気持ちが、ほんの少しながら仕事の上にちらつくことがある。去年赤絵の絵付をしているときも、しきりにそのことを思った。東西、新旧の陶器を問わず、私の焦点を通して自分の好きなものには、ますます想いを深めるばかりだが、私は夏の朝の畑に立ってみて、胡瓜、茄子、かぼちゃ、みんななったままの自然で鮮かで、私の焦点に関係なく、立派なのには参った。焼物でも作ったというより生れたというような品がほしい」

(『近代日本の巨匠 濱田庄司』水尾比呂志編著、講談社、一九九二年)

人間を描く。高みへ導く。

鶴岡政男・福沢一郎と
群馬県立
近代美術館

群馬県高崎市綿貫町992-1 群馬の森公園内
(〒370-1293)
027-346-5560

代表的なアクセス
JR「高崎」駅東口から
各種バスで25〜40分、
「群馬の森」下車すぐ

この美術館の
ウェブサイト
はこちらから

〈重い手〉(鶴岡政男、1949年、油彩・キャンバス、東京都現代美術館蔵)

NHK日曜美術館から

強靭な肉体と精神

鶴岡政男《つるおかまさお》は、一九〇七年（明治四〇）、群馬県高崎市に生まれた。一五歳で太平洋画会研究所に所属し、井上長三郎《いのうえちょうさぶろう》や靉《あい》光《みつ》らと交流。その後、洪原会《こうげんかい》の結成を経て前衛的な美術集団ＮＯＶＡ美術協会の創設に参加する。三七年（昭和一二）に召集されて中国へ。四三年に、麻生三郎、松本竣介らとともに新人画会を結成。戦後は自由美術家協会会員となる。四九年の自由美術協会展で発表した〈重い手〉は、戦後社会の現実にふれた美術として、高い評価を受けた。一九七九年（昭和五四）、群馬県立近代美術館で開かれた特別展「戦後洋画の異才　鶴岡政男の全貌」の直後に死去した。

一九八一年の「日曜美術館」で、映画監督の大島渚《おおしまなぎさ》が鶴岡政男との出会いを語った。

「鶴岡さんとは、酒場で自然に出会いました。戦後美術の伝説的な方で、僕なども作品に衝撃を受けていたほうですから、あれが鶴岡政男か、とこわごわ見ていたんです。たいへんなエネルギーと元気のあった方ですね。六〇歳になって、われわれ若い者と一緒に、夜中までボンゴをたたいて、踊っておられたんですからね。鶴岡さんはこう、自分が思い切って道化になろう、ピエロになろう、そういうことで時代が変わるんじゃないか、と思っておられたんじゃないか。とにかく、いつも一番最初にボンゴを叩き出すのも、最初に踊り出すのも鶴岡さんでした」

そして、撮影現場での忘れ難い思い出。

「一九六八年に、『絞首刑』という映画をつくったんですが、小菅《こすげ》の死刑場を見学に行きましてね、スタジオにそっくりなセットをつくったんです。この時、鶴岡さんがスタジオに来られましてね、ものすごく興味を持たれた。鶴岡さんも死刑台というものにショックを受けているんですが、それは僕などの受けているショックともまた違うんです。セットの死刑台を見ているうちに、目がだんだん輝いてくる。そのうち、大島君、ちょっと悪いけど、僕の首吊ってみてくれ、って言うんです。で、僕が首に縄をかけてあげて、落としたら死にますから、落とさないように。すると、鶴岡さんは、大島君、引っ張ってみてくれ、つまり喉が締まるようにしてみてくれって、言うんです。だんだん喉が締まっていくわけですが、まだ大丈夫、まだ大丈夫、なんて言っている。その感覚を楽しんでいるんですね。撮影が終わって、鶴岡さんは、縄を記念に僕にくれ、と言うんで、差し上げました。その後、鶴岡さんが毎日その縄を見て絵を描いていたということを聞きましたが、彼のなかには、自分は死刑囚でありながら、一方で

〈敗戦群像〉(福沢一郎、1948年、油彩・キャンバス)

死刑執行人であると、首切り役人であるかもしれないと……その両方をね、彼は味わいたかったんじゃないかな」

(日曜美術館　一九八一年六月二一日放送)

NHK日曜美術館から

日本のシュルレアリスム

福沢一郎《ふくざわいちろう》は、一八九八年(明治三一)、群馬県富岡町(現・富岡市)の旧家に生まれた。東京帝国大学(現・東京大学)文学部を中退し、朝倉文夫《あさくらふみお》のアトリエで彫刻を学んだ福沢は、二六歳の時にフランスに渡り、絵画に転じて、シュルレアリスム(超現実主義)の作品〈他人の恋〉を「一九三〇年協会展」にパリから出品し、話題を呼んだ。翌三一年(昭和六)、パリ滞在のまま、独立美術協会の結成に参加し、同年帰国する。戦時中には、超現実主義者は共産主義者であるとされ、四一年、瀧口修造とともに治安維持法違反の疑いで検挙される。戦後は群像の大画面シリーズを手がけ、旺盛な活動を続ける。七二年、東京駅にステンドグラス〈天地創造〉を設置。九一年(平成三)、文化勲章受章。一九九二年に東京で没した。

一九九〇年の「日曜美術館」に出演した福沢一郎が、フランスから帰国した頃のことを語った。

〈他人の恋〉（福沢一郎、1930年、油彩・キャンバス）

「日本に帰ってくるのに、タイミングが良かったと思います。日本では、印象派とその後のフォーヴィスムなどがはびこっていて、若い絵描きなどは興味を持っていましたけれども、その後のシュルレアリスムの運動などは普及していなかった。そういう時代だったので、私の持って帰った仕事は非常に反響があったんです。これをベースにいろいろな動きが起こり、グループもできて、若い人たちと古い画派と衝突するという現象も起こってきました。憎まれもし、喧嘩もしました。批評家と喧嘩して、こちらも毒舌をふるいました。戦争が来て、前衛絵画が弾圧されなければ、もっとやっていたと思います。戦争前の日本には、そういう盛んな運動の時期があったということです」

（日曜美術館　一九九〇年五月二〇日放送）

そして、人間を描くことについて、福沢は一九八二年の「日曜美術館」でこう語っていた。

「私はよく人間を描くんですが、面白いから描くんです。静物、風景もいいけれども、人間がうまくできたら、最上の油絵の仕事じゃないかと思うんです。人間を描くことで、いちばん高いものが表現できると思うんですね」

（日曜美術館　一九八二年一一月七日放送）

美術館を旅する

群馬の森の表現者たち

群馬県立近代美術館は、高崎市の「群馬の森公園」のなかにある。公園の正面入口からすぐのところに、まばらな木立ちに囲まれた大きな広場があり、広場を前に、美術館と群馬県立歴史博物館の建物が並んでいた。

美術館は一九七四年に開館し、二〇〇八年に大改修をしている。外壁がガラス張りの白い箱型の建物で、磯崎新《いそざきあらた》の設計だ。一階と二階に広い展示スペースがある。

一、二階とも非常に見やすいゆったりした展示室で、日本の洋画では、まず湯浅一郎《ゆあさいちろう》、横堀角次郎《よこぼりかくじろう》といった群馬県出身の画家の作品が並ぶ。湯浅一郎は日本洋画の先駆者の一人。その後に、福沢一郎、山口薫《やまぐちかおる》、鶴岡政男といった作家がいることを思うと、群馬が優れた洋画家を少なからず送り出した土地であることがわかる。

福沢一郎の代表作〈他人の恋〉は、睦み合う一組の恋人たちが白抜きのシルエットで描かれ、男が塀ごしにそれを覗いている絵だ。浮遊するのは性愛を司る女神ヴィーナスで（背後に彼女の持物である鳩とオリーブ樹が描かれている）、西洋では古くから淫欲の象徴とされる猿も登場する。この作品は、窃視《せっし》

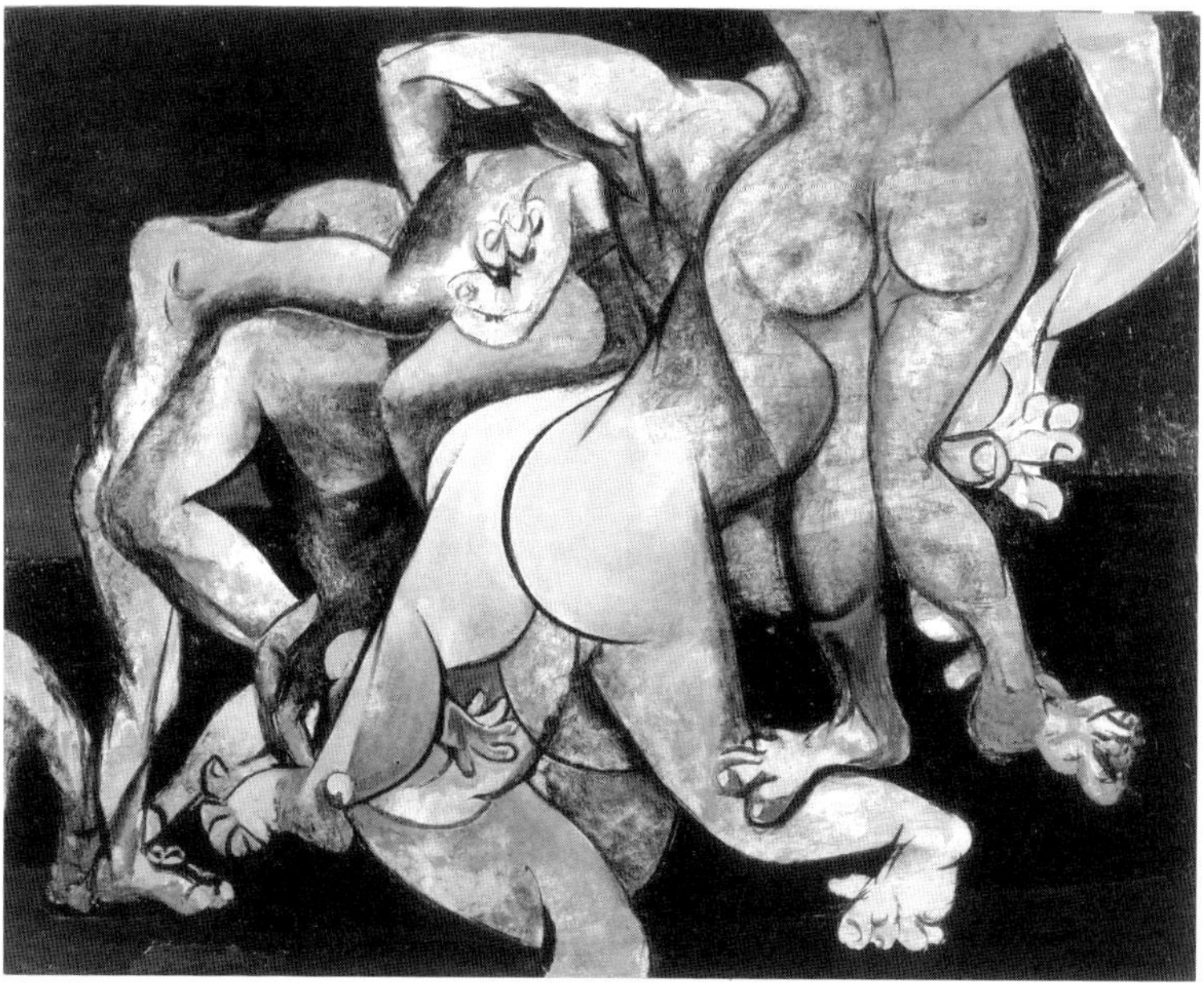

〈夜の群像〉（鶴岡政男、1949年、油彩・板）

者《しゃ》の欲望をめぐる寓意（アレゴリー）を主題としたものと考えられている。同じく代表作に挙げられる〈敗戦群像〉（一九四八年）は、ダンテの『神曲』「地獄篇」がモチーフになっている。

鶴岡政男の〈夜の群像〉は、画友の松本竣介の死後、彼のアトリエに残されていたベニヤの廃材に描かれた作品だ。鶴岡と松本は表現も性格も対照的だったが、太平洋画会研究所でともに学び、グループ「新人画会」でともに活動してきた仲間だった。〈夜の群像〉に描かれているのは、暗がりの空間のなかで、頭部がなく、性別も定かでなく、踏みつけられ、絡み合いながらもがく肉体だ。鶴岡は「群像で混沌とか、矛盾を描きたかった」と記している。戦前の作品を東京大空襲ですべて焼失し、焼け跡の廃墟から新たに歩みだした鶴岡政男は、この作品のなかで、戦争を、人間の内面的な危機と破滅の様相としてとらえている。

群馬県立近代美術館には、正面から見ると、左手に、建物の一部が斜めに突き出ている部分がある。一階は柱を残して内部の見えるガラス張りで、二階が展示スペースになっている。その入口には、「山種記念館」という表札がかかっている。この美術館が建てられた時、群馬出身の実業家・山崎種二《やまざきたねじ》（東京・広尾にある山種美術館の創設者）から寄付があったことを記念しているものだ。ここでは日本画や工芸が展観される。

河童は、ここにいる。

小川芋銭と
茨城県近代美術館

茨城県水戸市千波町東久保666-1
(〒310-0851)
029-243-5111

代表的なアクセス
JR「水戸」駅南口から徒歩約20分。
あるいは北口からバス「払沢方面」「本郷方面」行きで、
「文化センター入口」下車、徒歩約５分

この美術館のウェブサイトはこちらから

〈水魅戯〉(小川芋銭、1923年、紙本淡彩)
カワウソやイモリやカエル、そして正体不明のモノたちが、渦巻く水に体をゆだねている世界

NHK日曜美術館から

牛久沼のほとり

小川芋銭《おがわうせん》（一八六八－一九三八）は、江戸赤坂で下級武士の家に生まれたが、明治維新を迎えて一家で現在の茨城県牛久《うしく》沼《ぬま》のほとりに帰農した。少年時代に東京に出て奉公しながら洋画などを学んだ後、二八歳頃からは牛久沼にほぼ定住し、画家としての活動を続けた。

『橋のない川』で知られる作家の住井《すみい》すゑ（一九〇二－一九九七）は、一九三五年（昭和一〇）頃から、芋銭の家と三〇〇メートルほどしか離れていないところに住んでいたという。一九八〇年の「日曜美術館」では、芋銭が数多く描いた河童の絵をめぐって、住井に、「芋銭は実際に河童がいると信じていたのでしょうか」という問いを投げかけた。住井は、芋銭自身の言葉を踏まえ、こう答えた。

「いるかといわれて、いないという確証はないだろうといっているんですね。だから、いると思えばいるし、いないと思えばいないと」

さまざまな水の精を描いた意味を、住井は考える。

「河童を水の精としてとらえているんですね。龍もまた水の精。イモリとかヤモリもまた水の精であると。天地のなかにある水というものの不思議さというか、大きな力ということをいっているわけです。水と土を離れて人間の生命はないわけですから。魑魅魍魎《ちみもうりょう》という言葉を、芋銭先生よく使われましてね。魑魅というのは、山野の妖怪、魍魎というのは水の妖怪という意味なんです。ですから魑魅魍魎は天地自然の不思議ということなんですね。天地自然の不思議というものを、見る人に感得してもらいたいという願いはあったでしょうね。単なる伝説とかお話のそれじゃなく、いってみれば一種の哲学なんです」

（日曜美術館　一九八〇年七月六日放送）

二〇〇四年（平成一六）の「日曜美術館」は、小川芋銭の蔵書のなかから、『北斎漫画』が発見された新事実を伝えた。葛飾北斎《かつしかほくさい》のいわばデッサン集であり、カット集であるこの本には、あちこちに栞《しおり》がはさまれていた。その栞は、芋銭が自らの画集『河童百図』（一九三八年）の絵を描く際に引用するためのものであったことが、のちの調査でわかっている。

北斎研究の第一人者・永田生慈《ながたせいじ》が語った。

「『北斎漫画』と芋銭というのは、たいへん意外でしたね。画風も様式もまったく違う画家同士ですから。芋銭が『北斎漫画』を引用して、自分の発想の元にしていたというのは、ちょっと想像したこともなかった。鯨の図などは、芋銭は『北斎漫画』を写していますが、それだけじゃなく、それを発展させているところがおもしろい」

〈白藤源太の睨らみ〉（小川芋銭、『河童百図』第23図、1937年、紙本淡彩）

芋銭の『河童百図』には、北斎のほかにもさまざまなものからの引用が見られるという。

（日曜美術館　二〇〇四年一〇月三日放送）

美術館を旅する

カッパと云ふもの

千波湖《せんばこ》を右に、茨城県近代美術館へのやや長い一本道のアプローチは、見晴らしが良い。小高い場所に建っていて、広大な緑地のなかに、それだけ見えている美術館は、青銅の屋根とピンクがかった壁のマッチした、印象的な建物だ。開館は一九八八年（昭和六三）。

美術館は、一階に二つの所蔵品展示室があり、二階が特別展のための大展示場になっている。一階、二階とも、館内はワンフロア方式で、展示室もレストランもミュージアムショップも壁ではなくパネルで仕切られているだけだから、どこにいても開放感を感じる。その開放感が、近代のモダンな作品の展示にまことによく合っていた。

茨城県近代美術館は、約四〇〇〇点の収蔵品を随時紹介する所蔵作品展と、折々の企画展を通じて、内外の近代美術に日常的に接する機会をつくり、また地元茨城の生んだ美術家たちについて、わかりやすい形で紹介し続けている。

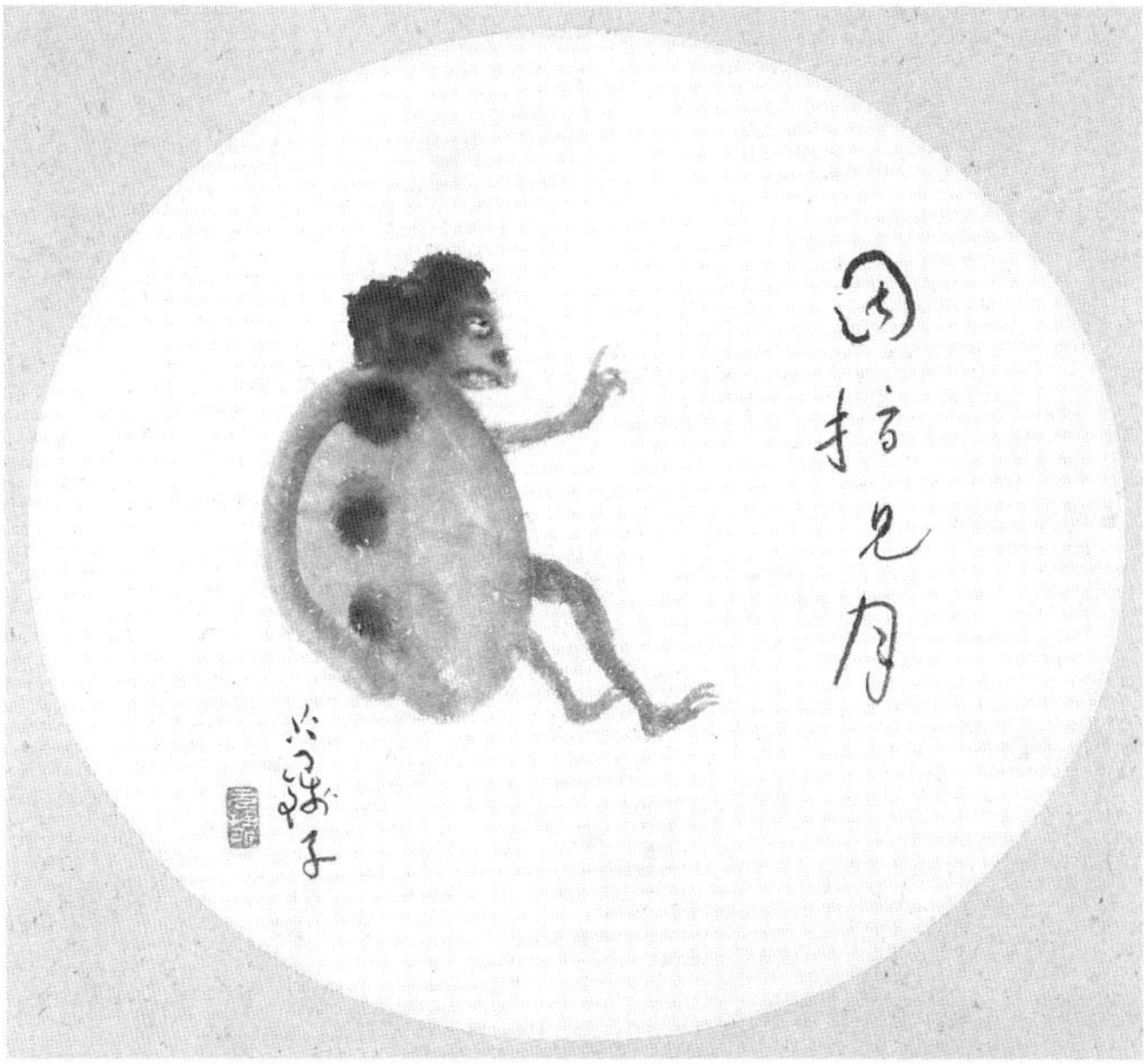

〈因指月〉（小川芋銭、『河童百図』第46図、1937年、紙本墨画）

茨城県は、河鍋暁斎《かわなべきょうさい》（古河出身）、横山大観《よこやまたいかん》（水戸出身）、中《なか》村彝《むらつね》（同）・木村武山《きむらぶざん》（笠間出身）などの優れた美術家を輩出してきた。古くは室町後期の水墨画家・雪村《せっそん》が常陸国（現・常陸大宮市）の出身である。幕末の画家・林十江《はやしじっこう》も一七七七年（安政六）、水戸の商家に生まれ、水戸の大学者・立原翠軒《たちはらすいけん》に見出されて才能を顕《あらわ》したが、三七歳の若さで没した。この十江の再評価には、彼を取り上げた一九九三年の「日曜美術館」も役割の一端を担っている。

そうした茨城ゆかりの作家のなかで、やはりこの美術館でぜひ出会いたいのが小川芋銭だ。牛久沼畔に隠棲して農画工と自称した芋銭は、不可思議な生物たちの生態を、水郷の生活伝承にあわせて独特な世界観で表現してきた。芋銭は、『河童百図』の序文で次のように記す。

「カッパと云ふもの古動物として存在したりしや又怪異として存在したりしやといふに、動物としては享和辛酉（編集部注：一八〇一年）六月朔、常陸国水戸浦の漁夫が捕へたる屁こきカッパの記録により其存在を確かめたり。怪異としては九州其他の伝説に不思議を残したり。さもあればあれ、予は唯想像の翼に任せて筆端カッパを捉らへ、カッパを放ち、遊戯自在に振舞ひて終に三昧に入るを以て楽しみとなす。即芋銭のカッパかカッパの芋銭かの称ある所以か、之を序となすのみ」（小川芋銭画、島田勇吉編『河童百図』俳画堂、一九三八年）

日本美術院の道場に、響く波音。

茨城県天心記念五浦美術館

茨城県北茨城市大津町椿2083
(〒319-1702)
0293-46-5311

代表的なアクセス
JR常磐線「大津港」駅から
バスあるいはタクシーで約15分、
「五浦美術館前」下車

この美術館のウェブサイトはこちらから

＊2020年8月1日から休館中
(2021年4月24日リニューアルオープン予定)

【上】〈屈原〉(横山大観、1898年、絹本著色、嚴島神社蔵)
【下】〈落葉〉(菱田春草、1909年、紙本著色、六曲一双、永青文庫蔵) [右隻]

NHK日曜美術館から

新しい日本画を目指して

岡倉天心《おかくらてんしん》（一八六三―一九一三）は、一八九〇年（明治二三）、東京美術学校（現・東京藝大）校長兼教授となり、東洋美術の復興を目指して、自ら奈良時代の服装で馬に乗って登校し、教職員にもそれに倣《なら》わせるなど、独特の教育を行ったが、九八年の「美校騒動」といわれる騒ぎで東京美術学校を退いた。直後、新日本画運動の拠点として、ともに美校を辞した教頭の橋本雅邦《はしもとがほう》、生徒の横山大観《よこやまたいかん》、下村観山《しもむらかんざん》、菱田春草《ひしだしゅんそう》らと興したのが日本美術院である。その後、大観と春草らを伴い渡米。ボストン美術館の中国・日本美術部長の時期を経た後、日本美術院を茨城県五浦《いづら》に移し、天心と主要メンバーがここに住むことになったのは、一九〇六年の末であった。

一九九八年（平成一〇）の「新日曜美術館」で、平山郁夫《ひらやまいくお》が「五浦時代」を語った。

――日本美術院第一回展出品作であった横山大観の〈屈原《くつげん》〉（一八九八年）について。屈原は中国・戦国時代に、楚の王の側近として用いられたが妬まれて左遷され、自殺した詩人。大観はこの屈原を、天心の境遇に重ね合わせて描いたという。

「画面に風がごうごうと吹き荒れているような感じ。木や木の葉を見ても、音を立てているような、鳥などもばたばた驚いて飛んでいるような、そういう迫力がありますね。屈原の体も非常に動きがあります。屈原がぐうっと思いを込めている、そういう感じもよく出ています」

――一九〇九年（明治四二）に発表された菱田春草の〈落葉〉について。この作品は、明治日本画の一つの到達点といわれる。

「日本美術院の絵画は当初、朦朧派《もうろうは》という悪評を受けたわけですが、その評価の当否は別として、春草のこの絵は、朦朧派を脱して、木の表現、奥行き、落葉が非常にうまく連動しています。朝霧の景色を描いているわけですが、構図的に、だんだん奥へ入っていって、木の枝にとまる鳥できゅっと締め、朝の空気がすうっと流れているような感じが出ていますね。日本画の伝統的な、精神性、装飾性というものを踏まえながら、空気まで描写し、詩情やあらゆる絵画的要素を備えた、日本画の近代化という一言ではいい表せない、これまでになかったものがここに表現されているように思います」

（新日曜美術館　一九九八年四月一二日放送）

美術館を旅する

画室のすぐに前に断崖と海

五浦の日本美術院は、いわば天心道場であったから、何と

岡倉天心（前列右から５人目）と日本美術院のメンバー。1898年（明治31）

なく道場風の美術館を想像していたのだが、ＪＲ常磐線の大《おお》津《つ》港《こう》駅からタクシーでたどり着いてみると、重厚にして堅牢、宝物館といったたたずまいのコンクリート造りの美術館が、海岸の高台に建っていた。

広い敷地の建物は、綺麗に刈り込まれたツツジの植え込みで囲まれている。中庭には正方形の池が設けられていた。

館内に入ると、エントランスは広々としていて、ガラス越しに太平洋の海が見えた。外部の音が完全に遮断されているために、海は音もなくうねっている。企画展が開催される三つの展示室とは別に、一室、岡倉天心記念室があり、天心関係の興味深い資料が展示されている。

岡倉天心（本名角蔵、のち覚三）は、一八六三年（文久二）、横浜に生まれた。一〇歳の時から英語を学び、一二歳の時に東京へ移住。七五年（明治八）東京開成学校（七七年に東京大学に改称）に入学、翌年からフェノロサのもとで哲学などを学び、フェノロサの日本美術研究を手伝う。八〇年に東京大学を卒業すると文部省に奉職、美術関係の要職に就き、フェノロサとヨーロッパに出張するなどして、東京美術学校（現・東京藝大）の設立に尽力、二七歳で同校の校長に任命された。

九八年（明治三一）に美校を退き、日本美術院を創設した天心はアメリカ滞在時に出版した『茶の本』をはじめ、『東洋の理想』『日本の覚醒』など英文の書物を著し、アメリカだけでなく、インドやヨーロッパを歴訪していて、友人も多か

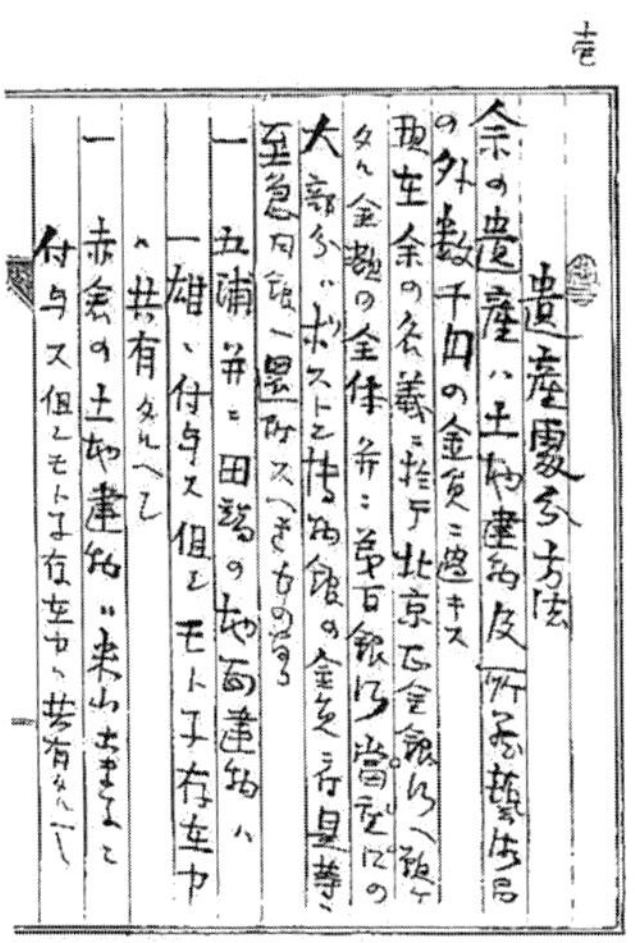
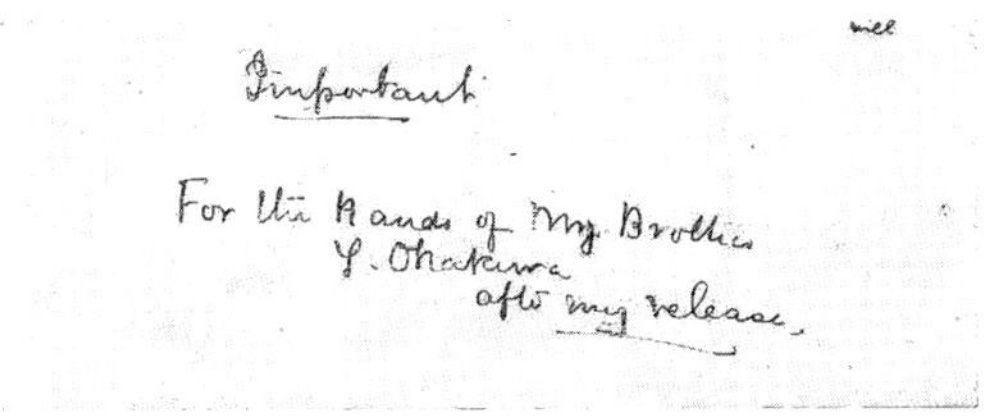

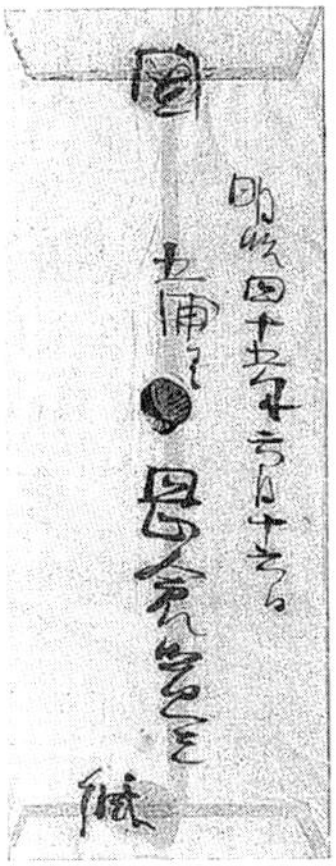
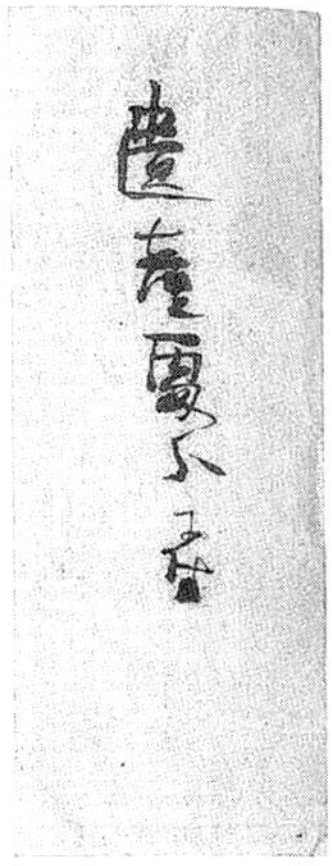

岡倉天心遺言状（1912年[明治45]、部分）。天心が没する1年余り前に弟の由三郎に宛てたもの。表封筒には「Important ／ For the Hands of my Brother Y. Okakura ／ After my release.」、そして右上に「will」。中封筒は「遺産処分に付」の墨書。自らの死後に家族が不和にならないように配慮した財産分与の内容が記されている

った。一九一三年（大正二）、新潟県の赤倉に建てた山荘で療養中に没した時は、まだ五二歳だった。

天心記念五浦美術館の岡倉天心記念室には、英文の手紙や草稿が数多く展示されている。そのなかには、天心がインド滞在中に恋に落ちたといわれるプリヤンバダ・デービィー・バネルジー夫人に宛てた手紙と、夫人からの手紙なども含まれている。天心直筆の英文の文字は、日本人が書いたものとは思えないほど手慣れたものだ。それに対して、彼の日本語の手書きの文字は、やや右下がりで極めて特徴がある。同じ文字で記された経歴書も、遺言書もあった。

記念室で心に残るのは、天心と門下が習練した当時の五浦の画室を再現した模型である。それを見ると、細長い画室に大観ら画家たちがずらりと並んでいる。海側の戸はすべて開け放たれて、画室のすぐ前が断崖と海。絵を描く大観らの耳には、絶えず太平洋の波の響きが聞こえていたに違いない。

天心記念五浦美術館を出て、海沿いの道を歩いてみる。太平洋は、一見それほどの波がないように見えて、じつは力強く岸に押し寄せており、いきなり大きな音とともに驚くほど高い波飛沫《なみしぶき》が上がる。ドーンという波の音がするたびに、この地に息づいていた日本美術院を思った。

この美術館は、二〇二〇年（令和二）八月一日から空調改修工事のため休館している。再開予定は二〇二一年四月下旬である。

時代の変わり目で、時代を見据えた。

河鍋暁斎記念美術館

埼玉県蕨市南町4-36-4
(〒335-0003)
048-441-9780

代表的なアクセス
JR「西川口」駅西口から徒歩約20分。
あるいはJR「蕨」駅西口からコミュニティバス
南ルートで「河鍋暁斎記念美術館前」下車すぐ

この美術館のウェブサイトはこちらから

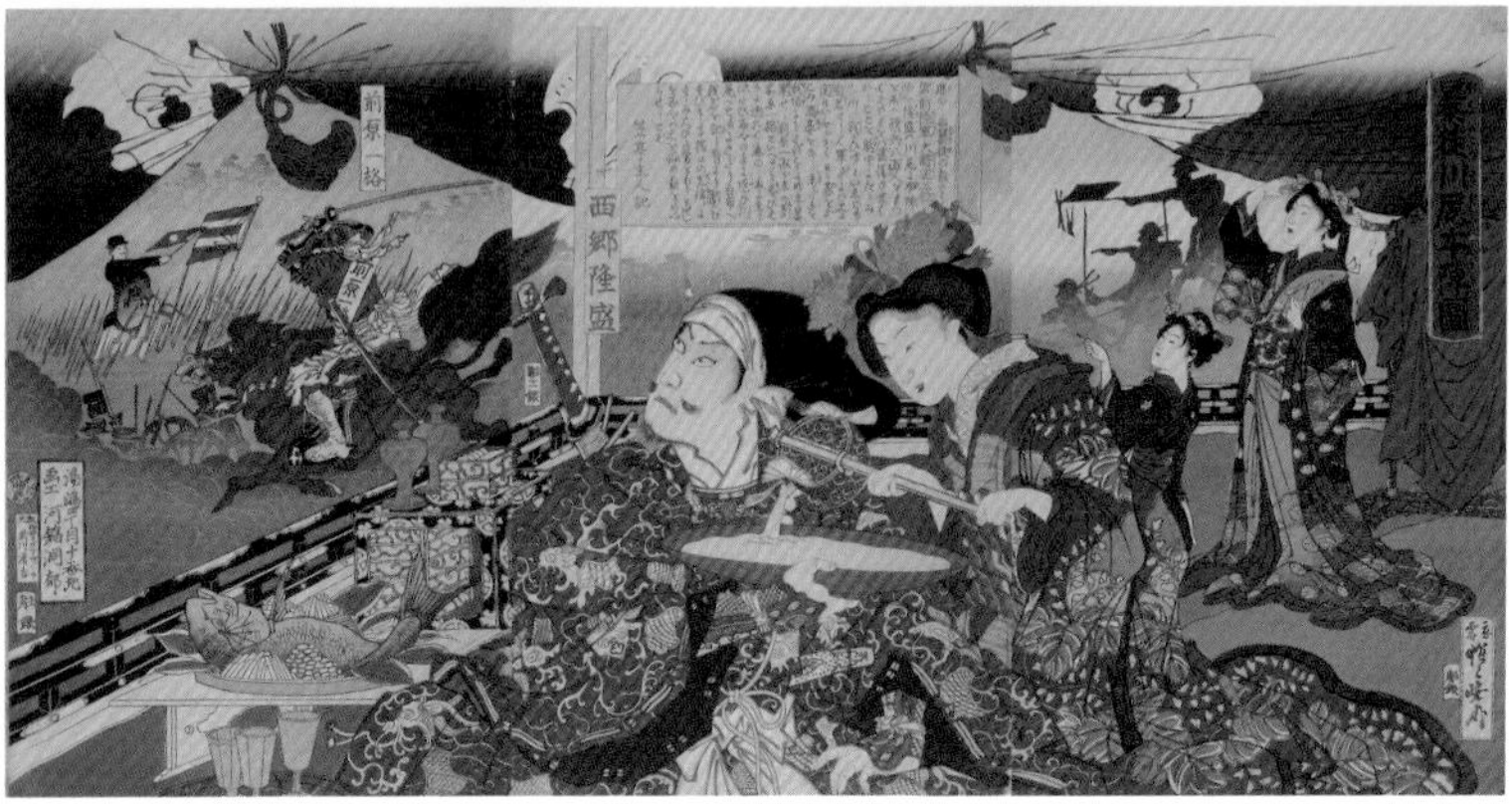

【上】〈江戸名所 築地浪除乃夜景〉(河鍋暁斎、1864年、錦絵)
【下】〈暴徒川尻本陣図〉(河鍋暁斎、1877年、錦絵)

NHK日曜美術館から

画鬼になるまで

一八三一年（天保二）に下総古河《こが》に生まれ、一八八九年（明治二二）、東京で没した河鍋暁斎《かわなべきょうさい》は、幕末から明治にかけて活躍した絵師。その強烈な個性から「画鬼」と呼ばれた。
一九八七年（昭和六二）の「日曜美術館」が、この特異な画家の生涯をたどった。語り手は作家・永井路子《ながいみちこ》である。

河鍋暁斎という画家は、非常に不羈奔放《ふきほんぽう》な絵を描くということと、それにも増して人間的なおもしろさが、物書きの私としてはたいへん興味があります。

暁斎が生まれたのは、茨城県の古河というところですが、じつは私の先祖が、暁斎の父の生家から一〇軒くらい離れたところで、同時代に生きていたんです。ごく近所です。暁斎の父の実家は、その当時はお米屋さんで、周三郎というのが暁斎の本名だったらしい。私の家の先祖はその頃、お茶の葉を売るお茶屋をしていました。米屋とお茶屋ですから、商人仲間で、親しかったのではないかと思います。今年（一九八七年）、古河に暁斎生誕の地という碑が建ったようですね。

暁斎ははじめ浮世絵の歌川国芳《うたがわくによし》の門に入りましたが、浮世絵と、本格的な絵画と見なされていた狩野派《かのうは》の絵とでは各段の差がありました。当時、浮世絵は今日でいえば挿絵や劇画くらいに考えられていましたから、それを描いていては本物の絵描きじゃない、という意識があったんですね。やはり芸大のようなところに行かなくては、というのが狩野派の画家への入門だったわけです。

この狩野スクールはなかなか厳しくて、初めは絵など描かせてもらえず、お掃除などからです。絵の勉強というのは、手本をそのまま模写するだけ。初めは瓜《うり》とか茄子《なす》を描かせる。やがて花鳥風月になって、さらに修業を重ねると、雪舟《せっしゅう》とか探幽《たんゆう》の絵を模写させてもらえるようになります。それまでに一〇年は早いほうで、二〇年かかってもそこまでいかない人がいくらでもいたそうです。

狩野派の本家は木挽町《こびきちょう》にあったのですが、暁斎が入門したのは、駿河台狩野と呼ばれていた分家の一つでした。先生は狩野洞白《かのうとうはく》という人。三〇人くらいの内弟子がいたようです。暁斎はここを一〇年もしないで卒業しました。たいへんな腕の持ち主と認められたわけです。狩野の門人としてもらった画号が、洞郁陳之《とういくのりゆき》。しかし、狩野スクールを卒業したからといって、そうそう有利な仕事があるわけではありません。暁斎は狩野の名前を伏せて、生活のために描きに描きまくります。神社のお札、絵馬みたいなものを、たくさん描いています。そういう仕事をし過ぎて駄目になった画家もいるようですが、暁斎はそんなことぐらいでは壊れない画家でした。

江戸から明治へ、時代の変わり目に生きた江戸っ子の暁斎から見れば、御一新《ごいっしん》といっても、占領軍のようなものに占領されてしまったという気持ちもあったかもしれません。絵師仲間たちも不景気になっていって、不満もあった。そういうなかで、独自の、時代を見据える目を培ったといえるでしょう。それが、暁斎の作品の戯画的な面を生んだのではないかという気がします。

（日曜美術館　一九八七年一二月六日放送）

美術館を旅する

住宅街の河鍋暁斎

河鍋暁斎記念美術館は、蕨《わらび》市の住宅街にある。最寄りのJR西川口駅から二キロほどで、歩いて二〇分強の道のりである。沿道はずっと住宅街で、同じような風景が続いていくのだが、おもしろいことに、川口市にある西川口駅をスタートする順路は、戸田市を通って、美術館のある蕨市と、埼玉県の三つの市を進むのだ。

戸田市の喜沢《きざわ》通りを歩いて、小さな川を越えるあたりが、中間地点。橋を渡って鬼沢橋の交差点を右に進むと、いかにも新道らしい真っ直ぐな道に、カリン通りという名前がついている。

カリン通りを歩いていくと、右手に美術館の看板が見えてくる。だが、美術館らしい建物は現れない。それもそのはずで、河鍋暁斎記念美術館は、個人の住まいを改造したもので、一般的な美術館のイメージとはかなり違うのだ。入館すると、展示室が三つの小さな部屋に分かれている。

この地は、一九四四年（昭和一九）、暁斎の孫の代に、河鍋家が強制疎開によって東京都内から移ってきたところだという。その自宅を改装して美術館にしたのが一九七七年。一九八六年に財団法人化し、二〇一二年（平成二四）に公益財団法人となった。現在も、創設者の河鍋楠美が館長・理事長を務めている。

暁斎が再び注目されるようになったのは、近年のことである。驚くばかりに色鮮やかな〈花鳥図〉（一八八一年／東京国立博物館蔵）や、これとは対照的な〈枯木寒鴉図《こぼくかんあず》〉（一八八一年／第二回内国勧業博覧会で妙技二等賞牌を受賞／榮太樓總本舗蔵）などがしばしば取り上げられるが、この記念館で見ることができるように、夥《おびただ》しい数の暁斎の作品は類型的なものがなく、一作ごとに独自の力を持ち、魅力を放っている。

たとえば錦絵《にしきえ》（浮世絵版画）の〈江戸名所　築地《つきじ》浪除《なみよけ》乃《の》夜景《やけい》〉は、江戸末期の一八六四年（元治元）、暁斎が数えで三四歳の時の作品で、江戸築地の浪除稲荷社に近い料理屋の宴の様子を描く。画面手前のガラス製の燭台が、新時代の到来を暗示している。一方、四七歳の暁斎が描いた〈暴徒川尻本陣図〉

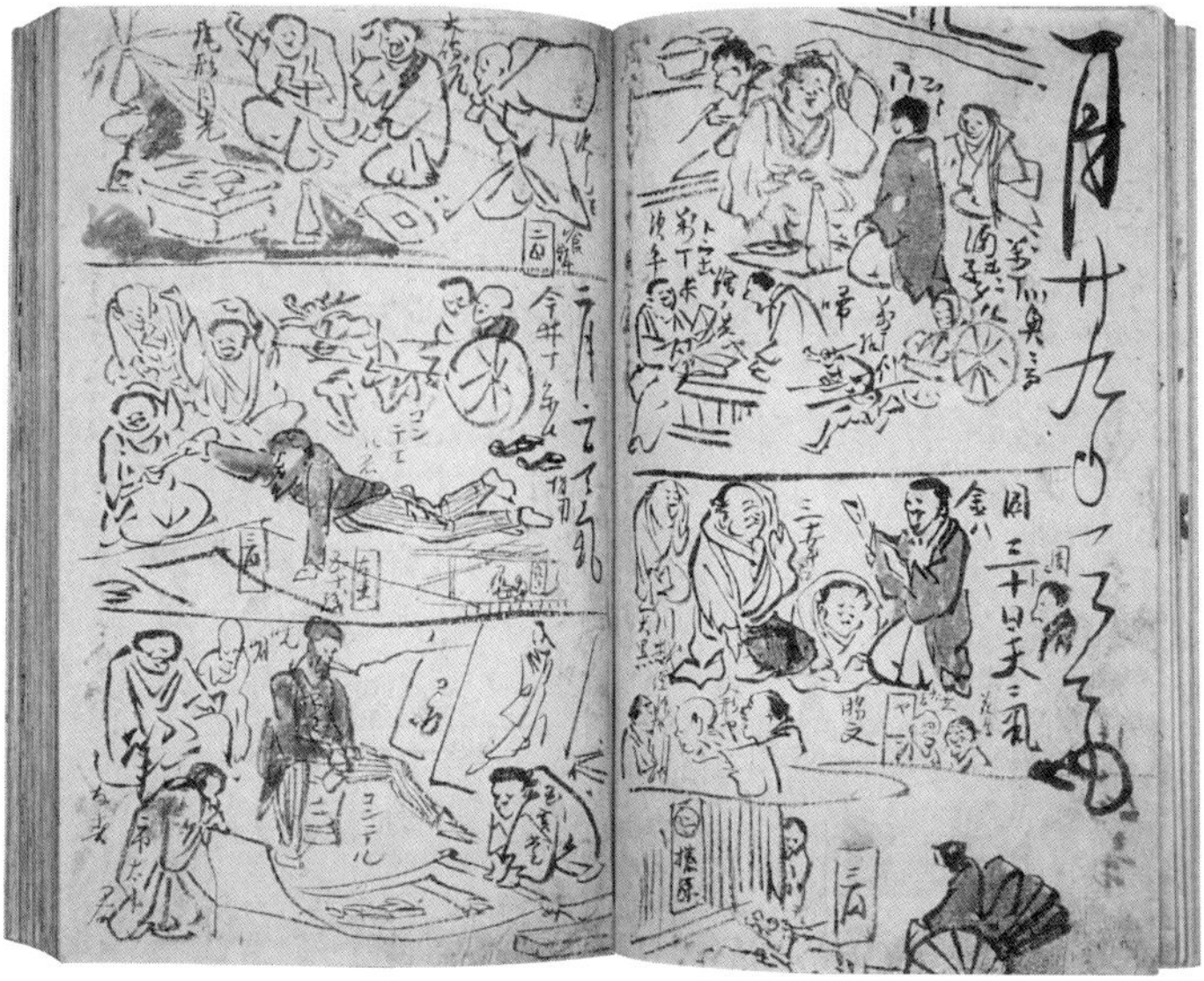

国立国会図書館所蔵の『暁斎絵日記』の一部分。画面左側の２段目は、正座が苦手だったコンドルが身体を伸ばして苦労しながら絵を描いているところ。その下には、椅子にすわって一服するコンドルが描かれている（1884年[明治17]2月２日）

は、一八七七年（明治一〇）の西南戦争をモチーフにしている。熊本城攻略のために川尻に陣を構えた西郷隆盛が、戦況を見守りながら酒宴を催したという風説が絵画化されている。前者の署名は應需惺々狂斎。三〇代の暁斎は「狂斎」を名乗っていたが、四〇歳の時、酒に酔って描いた戯画がお上を嘲弄するものだとされ、一時、獄につながれると、四一歳の時に「暁斎」の号に改めた。後者の署名は、應需惺々暁斎である。

明治の日本で活躍したイギリス人建築家、ジョサイア・コンドル（暁斎の用いた表記は「コンデル」）が、熱心な暁斎の弟子であったことは、今日ではよく知られている。コンドルの本格的な暁斎研究である『Paintings and Studies by Kawanabe Kyōsai』（邦題『河鍋暁斎』）は、岩波文庫で読むことができる。

訪れた日、美術館では『暁斎絵日記』のコンドルが登場する場面が紹介されていた。『暁斎絵日記』は、暁斎が、明治初期から亡くなるまで毎日付けていた日記である。軽妙で楽しい描写が評判を呼び、欲しがる者たちも多く、暁斎の手もとにはほとんど残らなかったという。

近年、国立国会図書館や東京藝術大学付属図書館のほか、河鍋暁斎記念美術館、フランス国立ギメ東洋美術館など国内外で『暁斎絵日記』の一部が所蔵されていることがわかり、河鍋暁斎記念美術館によって復刻されている。

絵画で、何ができるのか。

原爆の図
丸木美術館

埼玉県東松山市下唐子1401
(〒355-0076)
0493-22-3266

代表的なアクセス
東武東上線「森林公園」駅から
タクシーで約12分

この美術館の
ウェブサイト
はこちらから

〈原爆の図 第2部「火」〉(丸木位里・丸木俊、1950年、紙本彩色、四曲一双)［部分］

NHK日曜美術館＋アルファから

位里と俊とスマ

丸木《まるき》位里《いり》は一九〇一年（明治三四）、広島県に生まれた。日本画家を目指し、上京して田中頼璋《たなからいしょう》、落合朗風《おちあいろうふう》に師事したこともあったが、三六年（昭和一一）から二年連続で川端龍子《かわばたりゅうし》の青龍社展に入選し、画家デビューを果たす。その後は団体に属さず、個展やグループ展によって活動し、シュルレアリストの福沢一郎《ふくざわいちろう》などとも交流、戦後は妻・俊《とし》との共同制作〈原爆の図〉（第一部―第一五部／一九五〇―八二年）を制作する傍ら、アンデパンダン展などに出品。一九九五年（平成七）没。

丸木俊《とし》（旧姓赤松）は一九一二年（明治四五）、北海道生まれ。上京して女子美術専門学校（現・女子美術大学）卒業。三七年（昭和一二）から二度にわたってモスクワに滞在するという経歴を持つ。南洋群島にも旅をして、戦前は南洋に取材した洋画を発表。四一年、丸木位里と結婚。戦後は位里とともに〈原爆の図〉を制作しながら、数多くの絵本の仕事も手がけた。二〇〇〇年（平成一二）没。

丸木位里は郷里の広島に、原爆投下の三日後に駆けつけた。俊も一週間遅れで広島に入り、凄惨な光景を目にしただけでなく、自らも焼け跡で被爆した。その後、原爆症で苦しむことになる。位里は父親、おじ、姪を亡くした。丸木夫妻はこうした原爆体験を通して、「遺言のつもりで」〈原爆の図〉を描き始めたという。俊が人物群像をデッサンし、その上から水墨画家の位里が墨をぶちまける。そこに、〈原爆の図〉の独特の画面が生まれた。

食べるもののない被爆直後の広島で、俊は道端のかぼちゃを拾って食べた。一九八九年（平成元）放送の「ヒロシマの証言・被爆者は語る」が、その時のことを振り返る二人の会話を伝えた。

丸木俊　二、三杯かぼちゃ雑炊を食べたら、夜中からおなかが痛くなって、明け方、出血したんですよ。ざーっとね、全部、血よ。それが三か月くらい続いて。

丸木位里　それで東京へ帰ってからずっと、（妻は）寝とったんですよ。

俊　もう死ぬかなあ、と思って。その頃から、遺言かなんかね、一緒に描きましょうということになって。丸木の方は、だいたい水墨画で風景画家なんです。私の方は人間を描く、人間画家なんです。それが共同制作になったら、おもしろい結果が出た。自分がモデルになって、鏡を見ながら人体を描いた。そしたら、丸木が「お前のはリアルに出過ぎる、生々し過ぎる」といって、墨をかけ

〈塔〉（丸木スマ、1950年、紙本彩色）

るんですよ。でーっと、絵の上に。あ、絵が真っ黒けになったと思って、わーっと思っていたら、墨が乾いてくると、いい塩梅《あんばい》になるんです。私のデッサンが浮かび上がってくる。その上からまた私が描いて、丸木が墨を流して、繰り返しているうちに、絵に深みが出てきました。

（ヒロシマの証言・被爆者は語る　丸木位里、俊夫妻　一九八九年八月一日放送）

丸木位里の母・丸木スマ（一八七五―一九五六）は、七〇歳を過ぎてから位里の妻、俊の勧めで絵を描きはじめ、八一歳で亡くなるまでに七〇〇点を超える作品を残した。

一九八一年（昭和五六）放送の「日曜美術館」で、俊がスマの思い出を語った。

ピカで、位里のお父さんの金助じいさんが亡くなって、おばあちゃん一人になった。そこへ旧満州から三番目の息子が帰ってきて、これが親孝行でよく働き、お嫁さんもよく働いて、「おばあちゃん、楽隠居してください」と言われ、おばあちゃんは炬燵《こたつ》に入って、「退屈じゃ、退屈じゃ」って言っていた。飴玉をもらってしゃぶっていると、胃を壊すし、寒い日に潮干狩りに行って風邪をひく。年寄りがそういうことをしてはならないと言われ、炬燵に入ってなきゃならない。そこへ私たちが東京から広島へ帰りましたら、おばあちゃんが、「わしゃあ、退屈で、退屈でやれんよ！」と言うもので

〈めし〉(丸木スマ、1950年、紙本彩色)

すから、おばあちゃん、絵を描いてみたら、と言ったんです。

　最初は魚屋さんで買ってきたメバル。赤い綺麗な魚で、「おばあちゃん、これ描いたら?」と言いますと、「そうじゃのう」と言って、硯《すずり》で墨をすって、左手で筆をもちましてね、右手を添えて持たしてやるんです。それで、墨をつけて、ちょん、ちょんと描くんです。点で絵を描いて行く。おばあちゃんは字も書けませんし、読めませんでしたから、筆など握ったことがなくて、線を引くということも知らなかったんでしょうね。しかし、墨と少し桃色の点点で描いた絵がものすごく綺麗だった。やわらかくて、あたたかくてね。

　それから、広島に帰ると、「おおい、見てくれ」と言っていっぱい絵を持ってくるようになったんです。一枚の絵を見て、「おばあちゃん、これ、犬?」と聞くと、「違うよ、こりゃ魚じゃよ」。もう一枚見て、豹と虎が喧嘩しているような絵だから、「おばあちゃん、豹と虎ね」といったら、「なあに、猫じゃよ」って。どれもおもしろいから、おもしろい、おもしろいと言ったら、「おもしろかろうがの、おもしろかろうがの」と言って見せるんです。

　これを女流展に出品したいと思って、東京へ持ち帰り、女流画家だけの審査員の前に並べたんです。

　皆さん、「あらー、素敵じゃない。どこの外国人が描いたの?」と言うんで、「外国人じゃない、日本のおばあさんよ」と言ったら、今年はこの絵を女流展のホープにしよう、とい

うことになって、特別入選で全部入選させてくれたの。何ともいえず感動しました。それが始まりでしたね。

（日曜美術館　一九八一年八月三〇日放送）

美術館を旅する

問いかけられている時間

原爆の図 丸木美術館は、関東平野を流れる川の一つ、都《と》幾《き》川のほとりにある。ブルーグレーの壁にすっぽりと覆われた、ほとんど窓のない建物。生前の丸木位里・俊夫妻が、力を合わせて建設し、一九六七年（昭和四二）に開館した、思いの籠《こも》った個人美術館だ。

二階から始まる順路の、一番手前の部屋には丸木スマの作品が飾られている。たとえば〈めし〉（一九五〇年）という作品は、食べ物に四匹のネズミが四方から頭を寄せ合って食らいついている。だが、よく見ると、それはどうもネコを描いたものらしい。ネコがほかならぬネズミにそっくりに描けているところが、スマ絵画の神髄であるようだ、と納得する。

隣の展示室一に〈原爆の図〉がある。ここと一階の展示室二・三で、〈原爆の図〉全一五部の内の複数の場面がいつも展示されている。一五部の題名は、〈幽霊〉〈火〉〈水〉〈虹〉〈少年少女〉〈原子野〉〈竹やぶ〉〈救出〉〈焼津〉〈署名〉〈母

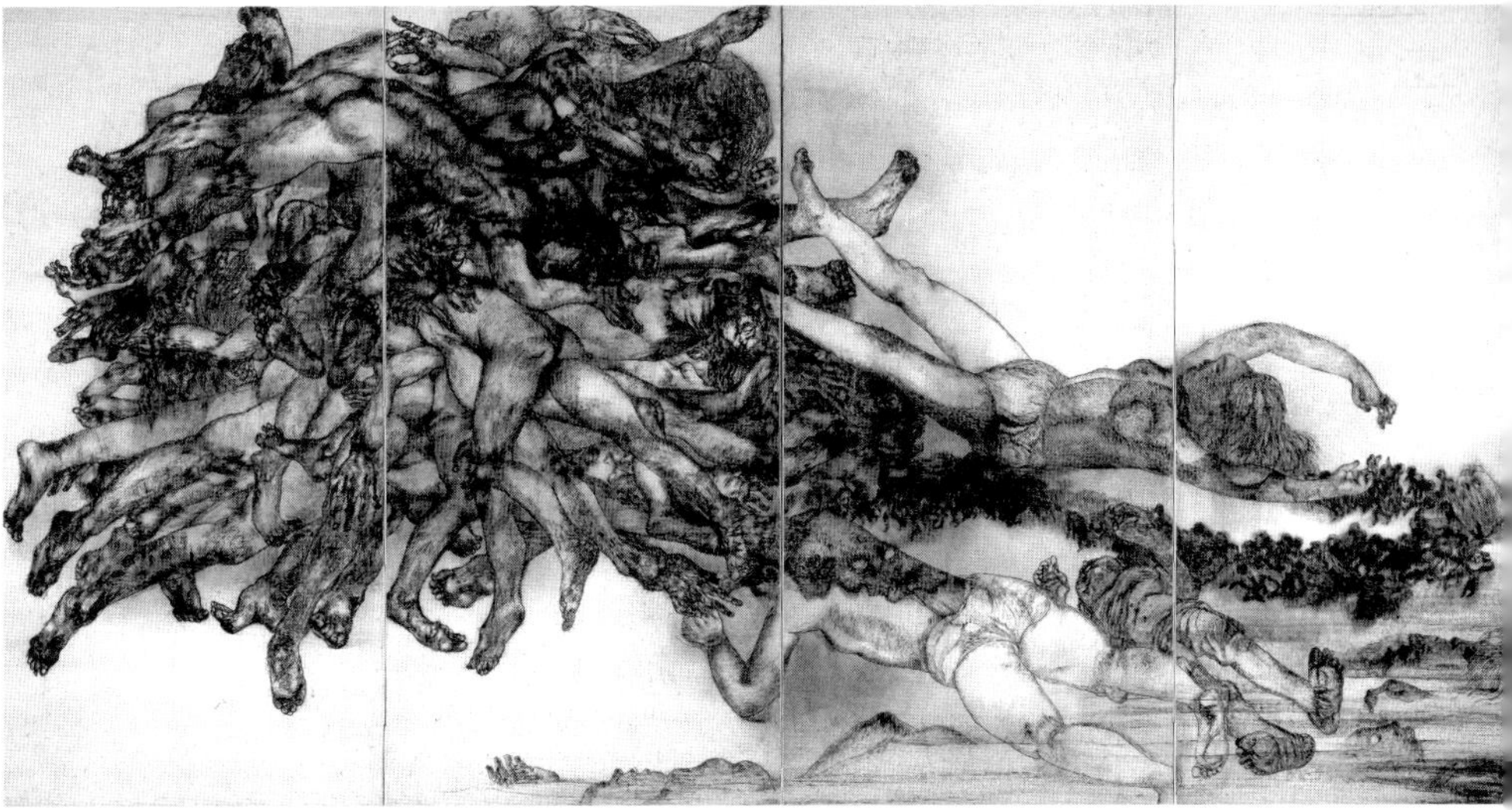

〈原爆の図 第３部「水」〉(丸木位里・丸木俊、1950年、紙本淡彩、四曲一双)

子像〉〈とうろう流し〉〈米兵捕虜の死〉〈からす〉〈長崎〉〈長崎〉のみ長崎原爆資料館蔵)。一階の新館ホールには夫妻の共同制作の〈南京大虐殺の図〉(一九七五年)、〈アウシュビッツの図〉(一九七七年)、〈水俣の図〉(一九八〇年)、〈水俣・原発・三里塚〉(一九八一年)がある。

丸木夫妻の絵画群は、〈原爆の図〉を原点としている。その原点とは、原爆が投下された直後の惨状がこのようであったと、写実的に描くことなどとうてい不可能であったなかで、人間の痛み、哀しみをとらえた俊の裸婦群像のデッサンと、それらを覆いつくすようにひろがる位里の水墨とで、悲劇を象徴的に表現したものだ。

この美術館では、ふつうの美術館にいる時とは違う問いかけの前に立たされる。作品から作品へと、壮絶な画面のなかに投げ込まれる時間を過ごしていると、絵画でどんなことができるのか、ということを、考えることになる。

〈原爆の図〉を大切に思う市民からの寄付などで支えられてきた美術館は、「原爆の図保存基金」を立ち上げている。そのホームページには、各界の識者から寄せられた応援メッセージが掲載されていて、そのなかに、アメリカの歴史学者ジョン・W・ダワーの言葉がある。

「丸木夫妻の偉大な作品は、過去の恐ろしい出来事だけでなく、現在と未来の問題にも声をあげている。できる限り多くの観客に共有されるよう叫び続けている」

絶世の美人画に会いに行く。

鳥居清長・橋口五葉と
千葉市美術館

千葉県千葉市中央区中央3-10-8
(〒260-0013)
043-221-2311

代表的なアクセス
JR「千葉」駅東口から徒歩約15分。
あるいは京成千葉線「千葉中央」駅東口から徒歩約10分

この美術館のウェブサイトはこちらから

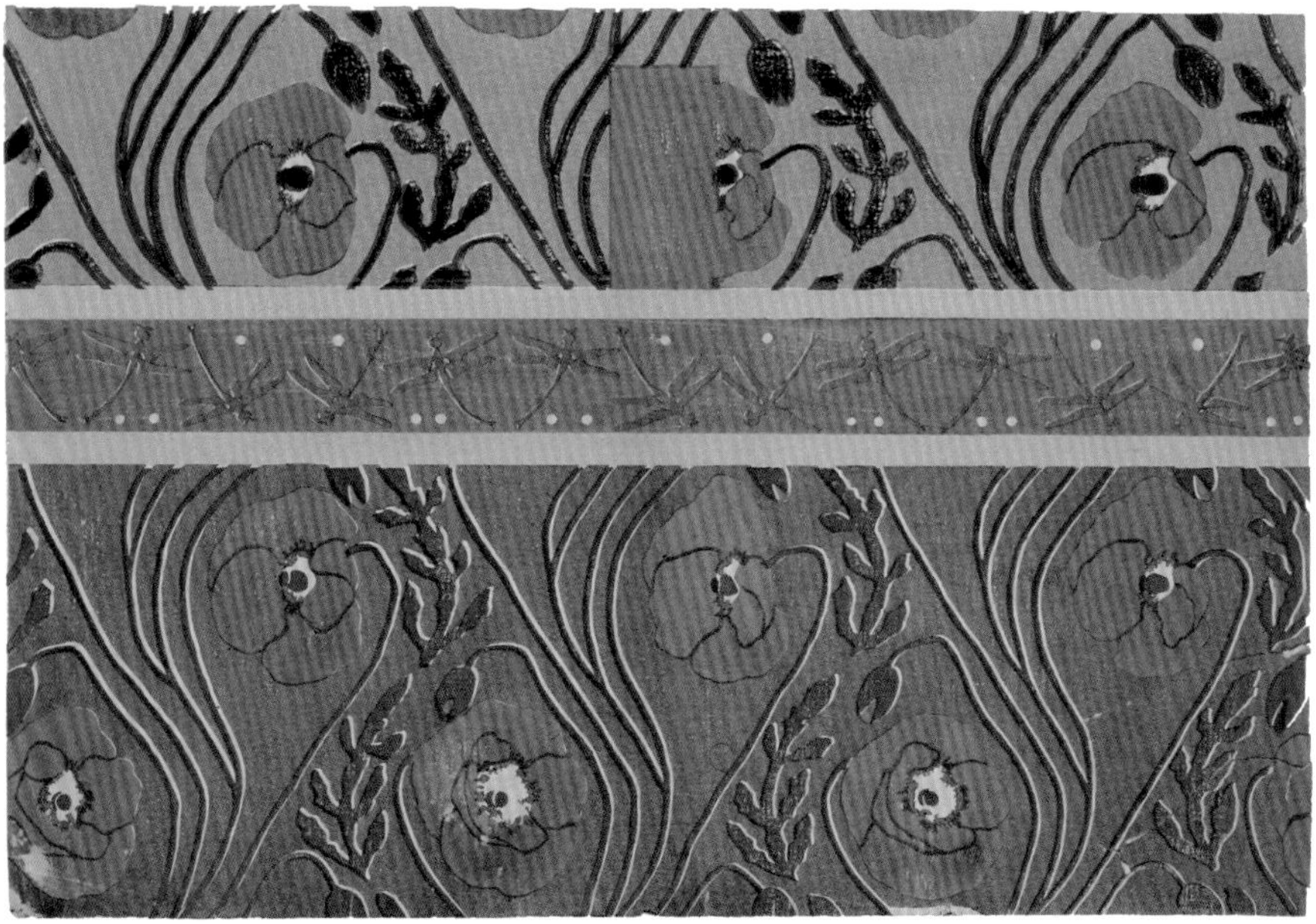

橋口五葉が手がけた『虞美人草』(夏目漱石著)の表紙(1907年、木版)の見本刷り

NHK日曜美術館から

色彩の秘密

鳥居清長《とりいきよなが》（一七五二―一八一五）は、江戸中期の浮世絵師。江戸の本屋の息子に生まれ、鳥居家三代目鳥居清満《きよみつ》に入門し、鳥居家が家業とする芝居絵・役者絵を描いたが、本人は美人画を得意としていて、今日九頭身美人と呼ばれる丈高い流麗な美人の典型をつくり上げた。

二〇〇七年（平成一九）の「新日曜美術館」が、清長の最高傑作といわれるシリーズ「美南見十二候《みなみじゅうにこう》」の〈九月（漁火《いさりび》）〉（一七八四年［天明四］頃）を取り上げ、着色料の非破壊分析調査の結果を紹介した。

調査を行った下山進《しもやますすむ》（吉備国際大学教授）が説明する。

「分析してみて、清長の色に対する鋭さというか、色の表現力というか、そういうものを感じます。帯の柄の色の発色を見ると、ウコンの黄色と藍の青を混ぜて緑に見せている。では、帯の丸い模様の少し暗い黄色は何かというと、ウコンだけです。ただ、ウコンを少し暗く見せるために薄墨を混ぜているんです。手前で寝そべって草紙を読んでいる女性は、少し白っぽい着物を着ていますが、薄い地色の紅に、濃い紅色で模様を重ね刷りしたものです。格子の窓の外にぼうっと赤く見える漁火は、実はこれも紅の赤です」

清長の絵の具は、青色を出す露草と藍、赤色の丹と紅、黄色のウコンと石黄《せきおう》、これに墨を加えてもわずか七種類、色の数では四色だけなのだが、濃度を調整したり、混ぜ合わせ方を工夫することで多彩な色彩を生み出していたことがわかったのである。

（新日曜美術館　二〇〇七年五月二〇日放送）

NHK日曜美術館から

柘植《つげ》に彫る髪

橋口五葉《はしぐちごよう》は一八八一年（明治一四）、鹿児島県に生まれ、一九二一年（大正一〇）、東京で没した。はじめ橋本雅邦《はしもとがほう》に師事し、東京美術学校（現・東京藝術大）西洋画科を卒業。白馬会に出品しながら、文筆活動も行い、『ホトトギス』などに寄稿している。夏目漱石の『吾輩ハ猫デアル』や『虞美人草《ぐびじんそう》』など、多くの装丁の仕事を残した。一五年頃から木版画を手がけ、〈化粧の女〉（一九一八年）など二〇余点を自ら刊行している。

橋口五葉の〈紅筆持てる女〉（一九二〇年）の復刻版画を刊行した出版社の代表・佐伯伸一が、二〇〇八年放送の「新日曜美術館」で、五葉の技法を語った。

「復刻する場合に難しいのは、顔の部分の彫りです。わずかでも違えば、別の顔になってしまう。それから髪の部分、この絵ですと髷《まげ》ですね。五葉のオリジナルは、髷の部分は、毛筋の一本一本まで出すために、硬い柘植《つげ》の木に彫ってあるんです。私のところの復刻はそこまではできないので、桜の木に彫っています。やはりそこが復刻の限界で、原画と復刻では、毛筋の本数が違っている。今では、五葉の時代のものはできないということです」

千葉市美術館所蔵の〈髪梳ける女〉（一九二〇年）も、木版による髪の表現が大きなポイントになっている橋口五葉の作品である。

（新日曜美術館　二〇〇八年一月一三日放送）

美術館を旅する

江戸に親しい土地柄

JR千葉駅の東側には、駅前大通りという、とても幅の広い通りがまっすぐ五〇〇メートルほど続いている。道沿いにはNTT東日本などの高く大きなビルが並び、街路樹が小さく見えるほどだ。大通りは、やがて突き当りの千葉市中央公園を避けるように右にうねって、最初の交差点が「中央公園」、その先二つ目の交差点が「中央3―2」で、そこを左折すると美術館通りである。二〇〇メートルほど進むと左手に千葉市美術館の建物がある。

一二階建てのビルだが、一、二階部分は柱だけで支えられていて、内部に古い建物が収まっている。平泉の中尊寺に、金堂を保護するために堂舎をすっぽりと覆った「さや堂」と呼ばれる建物があるが、この建築もさや堂を兼ねた形で設計された高層ビルなのだ。さや堂に収められた建物は、一九二七年（昭和二）に建てられた旧川崎銀行千葉支店。内部は二階まで吹き抜けで、二階の天井部分まで届く八本の円柱で支えられているだけで、間仕切りの壁などが一切ない。漆喰《しっくい》基調で、大理石などが随所に使われた趣のある空間である。

さや堂を含む建物が、千葉市中央区役所との複合施設として竣工したのは一九九四年（平成六）。美術館の開館は翌九五年だった。七階と八階が展示スペースで、九階に市民ギャラリーがあり、一階のさや堂ホールと呼ばれる空間も展示スペースとして使用されることがあった。二〇一九年（令和一）五月に、この建物の三―五階に入っていた千葉市中央区役所が近隣の「きぼーる」（官民複合ビル）に移転。そして千葉市美術館は同年一二月末から休館。建物の一階から五階の改修工事が進められ、二〇二〇年七月、建物全体が美術館スペースに拡張されてリニューアルオープンした。

リニューアル前は常設展のスペースがなかった千葉市美術館は、所蔵品を組み込んださまざまな企画展――たとえば「江戸美術の革命―春信の時代」（二〇一七年）、「千葉が生んだ浮世絵の祖―菱川師宣とその時代」（二〇一八年）等――を通じ

〈紅筆持てる女〉（橋口五葉、1920年、木版）

てコレクションの一部を紹介してきたが、リニューアルを機に建物の五階に常設展示室が設けられ、所蔵品が常時公開されるようになった。またワークショップルーム（みんなでつくるスタジオ）、美術にまつわる親しみやすい図書をそろえた開放感のある図書室や、市民アトリエ、子どもアトリエなど、いつでも誰でも美術にふれあえる空間が整備された。

千葉市美術館のコレクションの柱の一つは「房総ゆかりの作家・作品」である。戦前に千葉市を中心に活躍した水彩・テンペラ画家の無縁寺心澄《むえんじしんちょう》や、幼少期を千葉で過ごした版画家・浜口陽三《はまぐちようぞう》など、房総出身もしくは房総に関わりの深い作家たちの作品群。さらに「近世から近代の日本絵画と版画」。狩野派《かのうは》、琳派《りんぱ》、円山四条派《まるやましじょうは》など江戸時代のさまざまな流派と、浮世絵版画から近代の版画芸術まで多数の収蔵品がある。また「一九四五年以降の現代美術」も分厚い。

浮世絵に優品が多いのは、房総が江戸と密接な関係にあった土地柄ゆえだ。浮世絵の元祖といわれる菱川師宣《ひしかわもろのぶ》の出身地でもある。菱川師宣の〈角田川図《すみだがわず》〉（肉筆／一六七九年）、喜多《きた》川歌麿《がわうたまろ》の〈納涼美人図〉（肉筆／一七九四－九五年）のほか、鈴《すず》木春信《きはるのぶ》、鳥居清長、東洲斎写楽《とうしゅうさいしゃらく》、葛飾北斎《かつしかほくさい》などの作品を所蔵しているのは、おそらく江戸との交流の濃さを今に伝えるものだ。橋口五葉や棟方志功《むなかたしこう》など、近・現代の版画の作品が多いのも、浮世絵版画の流れに沿った収集だろう。

〈美南見十二候　九月（漁火）〉（鳥居清長、1784年頃、大判錦絵）

〈髪梳ける女〉(橋口五葉、1920年、木版)

何もないところから、つくりだす力。

宮崎進と
横浜美術館

［撮影：笠木靖之］

神奈川県横浜市西区みなとみらい3-4-1
(〒220-0012)
045-221-0300

代表的なアクセス
みなとみらい線「みなとみらい」駅から徒歩３分。
あるいはJR・横浜市営地下鉄「桜木町」駅から徒歩10分

この美術館の
ウェブサイト
はこちらから

アトリエの宮崎進

NHK日曜美術館+アルファから

シベリア・鎮魂と祈り

宮崎進《みやざきしん》は一九二二年(大正一一)山口県徳山町(現・周南市)に生まれた。日本美術学校(のちの日本美術専門学校)を繰り上げ卒業して出征。終戦後、四年間、ソ連の捕虜となってシベリアで過酷な強制労働を強いられた。帰国後、画家として旺盛な活動を始め、六七年(昭和四二)には《見世物芸人》(一九六六年)で安井賞を受賞。六〇年代から七〇年代にかけては、旅芸人の世界を描いていた時期もあったが、八〇年代に入ると、従軍した戦争とその後の抑留体験に正面から立ち向かい、画風も抽象的なものに変化した。多摩美術大学教授、多摩美術大学美術館長、周南市美術博物館名誉館長などを歴任。九八年(平成一〇)に芸術選奨文部大臣賞受賞。二〇一八年(平成三〇)没。

一九九四年放送の「土曜美の朝」で、宮崎進がシベリア体験を語った。

「ヤブロノイという切り立った山がありましてね。それが人間が住んでいるところとしては、世界で一番寒いところといわれている。零下七〇度以下だった。外で人差し指を立てておくと、それが何秒かで真っ白になってしまう。目まで凍って、おかしくなっちゃうんですよ。だから、逃げ出したら、終わり。逃げ出す者がいても驚かないんです。明日か明後日には死ぬだけですから」

そうした場所でも、若い宮崎には吸収するものがあった。

「僕が素晴らしいと思ったのは、何もないところから何かをつくり上げて行く人間ですね。それをまざまざと見ました。木を伐採して雪の上に敷き、土を持ってきて道路をつくる。家もつくる。たとえば、配給のパンからイースト菌を採って、一方で配給の米を蒸して、そこにイースト菌をまいて麴をつくり、それから味噌をつくってしまう。ちょっとしたアイデアがあれば、皆で持ち寄って、何もないところから、味噌でも醬油でもつくってしまうんです。そういう人間の、創造性というものに、僕は目覚めましたね。人間というのは、すごいもんだなと思ったわけですよ」

(土曜美の朝　一九九四年一一月一二日放送)

シベリアの収容所では、ドンゴロスと呼ばれる、コーヒー豆の入っていた麻袋をキャンバス替わりにして絵を描いていた。八〇年代から、宮崎進はこのドンゴロスを多用するようになる。原点回帰の傾向を強めていたのである。そして二〇〇〇年(平成一二)、シベリア再訪の旅に出た七八歳の宮崎は、かつての収容所跡に立った。二〇一〇年の「日曜美術館」がその時の言葉を伝えた。

〈不安な顔〉（宮崎進、2000年、麻布・油彩・合板）

「（廃墟を指さして）これは昔の建物ですね。向こうにドクターのいるところがあって……正面にパーニャ（入浴場）がありました。今、風がそよそよ吹いていますけれども、これが自分の記憶の大きな部分なんです。この空気が出したくて、仕事をしているようなもの。すべてここから始まっているんですね、私の仕事は」

（日曜美術館　二〇一〇年八月一日放送）

美術館を旅する

みなとみらいの美の殿堂

みなとみらい線でみなとみらい駅下車。マークイズみなとみらいという商業施設ビルの真ん中を通り抜けると、広場をはさんで正面に、横浜美術館が現れる。高層ビルにはそこそこ目が慣れているわれわれも、横に長く大きな建物は見慣れていない。だから、左右が一八〇メートルあるという横浜美術館の列柱に支えられたファサードに、まず驚かされる。正面入口とその奥にある半円筒形の八階建ての建物を中心に、三階建てのファサードが左右にシンメトリーに伸びる建築の設計は丹下《たんげ》健三《けんぞう》。従来の日本の美術館という観念を超えた、巨大な建物である。開館は一九八九年（平成元）。この横浜美術館は、左手背後にある横浜ランドマークタワーと一体化した、再開発地域の核として計画されたものだ。

〈精霊の踊り〉（宮崎進、2001年、麻布・油彩・合板）

館内に入ると、エントランスは、高さ約二〇メートルの広々とした吹き抜けの空間で、左右約一〇〇メートルに広がる階段状の展示空間とともに、グランドギャラリーを構成する。横浜美術館のシンボルともいえるスペースだ。このグランドギャラリーからエスカレーターで上がったフロアが展示室になっていて、全体の半分が特別展、半分が常設展にあてられている。いずれも、ほかの美術館ではなかなか見られない展示スペースの広さだ。展示室の続きに、一一万冊を超える国内外の美術図書と雑誌、約五八〇タイトルの映像資料を所蔵する美術情報センターがあり、入館者は無料で利用することができる。

コレクションは、ダリ、マグリット、セザンヌ、ピカソなどの作家や、幕末明治以降の横浜にゆかりの深い作家の作品など、一九世紀後半から現代にかけての国内外の美術品約一万二〇〇〇点。横浜が日本における写真発祥の地の一つであることにちなんで、写真コレクションの充実も図っている。

宮崎進の作品は本人から寄贈されたものだ。

麻布で制作された〈不安な顔〉について宮崎は語った。

「そこでの悲惨な生活は写実的に描くことでは絶対に表現できない。そのような思いから、わたしは、シミだらけの襤《ぼ》褸《ろ》のような布のコラージュを手法として用いた」

同様に麻布を用いた〈精霊の踊り〉には、極寒の地に訪れる春の喜びが表現されている。

子供の目線で、自由自在に。

横須賀美術館
谷内六郎館

神奈川県横須賀市鴨居4-1
(〒239-0813)
046-845-1211

代表的なアクセス
JR「横須賀」駅から
京急バス「観音崎」行で約35分、
「観音崎京急ホテル・横須賀美術館前」下車、徒歩約2分

横須賀美術館
のウェブサイト
はこちらから

停電小僧(谷内六郎、1960年、水彩)

夜の公衆電話(谷内六郎、1959年、水彩)

NHK日曜美術館から

忘れていた光景

二〇〇一年（平成一三）の「新日曜美術館」では、家族の目から見た画家・谷内六郎《たにうちろくろう》（一九二一―八一）を紹介した。

「子供たちと一緒に歌を歌ったり、テレビを見たり、遊びながら描いていたんじゃなかったかしらね」と妻の達子が谷内の仕事ぶりを回想すると、「自然にみんなのいるところで描いていたので、絵を描くのを邪魔して怒られたってこともないし、横で一緒に描いていたっていう思い出はありますね」と長女の広美も応じる。

そして、ありし日の画家の自在な境地を彷彿とさせる達子夫人の話。

「広美の描いた絵の上に補って、一つの作品に仕上げたものもありますし、息子がちょっと肩にさわって筆が動いてしまったような時でも、それをうまーく梅の枝にしてしまうとか、そんなようなことよね。マチエールなんかも、いろいろ使って、息子と多摩川へ行って拾ってきた砂利を、画用紙に貼りつけてその上に絵の具を塗るというふうに、工夫していました。それと、子供の目の高さでものを見る、そういう視点で絵を描いていたんです。ときどきしゃがむんです。あれっ、と思っていると、たとえば冷蔵庫は、三、四歳の子供には怪獣に見えるって、私に話すんですよ」

広告批評の先駆者であり、『くじらのだいすけ』など絵本の著作もある天野祐吉《あまのゆうきち》が、谷内六郎との思い出と、谷内の世界の魅力を語った。

「何十年前になるか、僕が二〇代の頃、原稿を依頼するために谷内さんを訪ねたことがあるんです。それが、編集者としての僕の初仕事でした。谷内さんの家のまわりで、さんざぐずぐずしたあげくに、やっと谷内さんにお目にかかって、ものすごく緊張して原稿のお願いをしたわけです。僕があんまり緊張してしゃべっているものですから、そのうち谷内さんが、プスーって笑い出しましてね。僕もそれにつられてクスッと笑い出しちゃって、それでスッと気心がわかり合えたような具合になり、原稿も快く引き受けてくださいました。それ以来長いお付き合いになったんです」

「僕の大好きな谷内さんの絵に、〈夜の公衆電話〉（一九五九年）というのがあります。絵はもちろん、絵に付いている谷内さんの文章も好きです。『……シトシトと雨の降る夜、電話ボックスの光が樹木をボワーッと巨大に見せています。電話ボックスの中にはたしかに誰かいるようです、光がシラシラと動いているのです、もしかするとキツネが電話をかけているのかもしれないよ』と書いています。さらに、ここで終わるとつまらないので、谷内さんは耳を澄まして聞いてしまう。狐は、『モスモス、モスモスわたすの姉ギツネがロイマチスが重くなったんです、至急神主さんに来ていただきたいのです』と繰り返し繰り返し朝までいっている、というんです」(注「ロイマチス」は「リウマチ」のこと)

「〈停電小僧〉(一九六〇年)もおもしろい。停電の時、窓から見ていると、停電小僧が飛び交っている、という絵ですね。こんなこと、ないといえばないですが、いや、本当は見えるかもしれないと僕は思うわけです。どうも僕らは長い時間かけて、技術文明の目という、新しい目だけは強くしましたけど、芸術文化に対する視力はすごく落ちてきちゃっている。そういう視力の衰えのために見えなくなっているものを、僕らは谷内さんの絵で見せてもらっているんだと思います」

(新日曜美術館　二〇〇一年四月二二日放送)

美術館を旅する

海の見える展示室

東京から横須賀美術館までは、JR横須賀線で一時間余り、横須賀駅から観音崎行きのバスに乗り継いでさらに四〇分余り、ざっと二時間を要する。

バスを降りると、観音崎《かんのんざき》の森を背景に横須賀美術館の白い建物が目に入る。右手に二階建ての本館、左手の手前に突き出た一棟が谷内六郎館と分かれているのだが、全体が同じ色の通路でつながっているため、とてつもなく横に長い建物に見える。無装飾でまるで白い紙でつくった模型のようだ。

前庭は広い芝生の斜面。その斜面に沿って美術館の入口に向かうスロープを上がると、建物の前面がオープン・カフェになっていて、立ったり座ったり動いている人が見える。美術館の入口付近で後ろを振り返ると、すばらしい海の景色が広がっていた。東京湾から浦賀水道を行き交う大型船も眺めることができる。

谷内六郎館では『週刊新潮』の表紙原画・全一三三五点の中から、五〇点ほどが展示されている(年四回展示替え)。それぞれに添えられた谷内自身による約四〇〇字の「表紙の言葉」には、絵に隠された思いや、社会に向けた眼差しをうかがうことができる。

谷内六郎は一九二一年(大正一〇)東京生まれ。幼い頃から喘息で入退院を繰り返すが絵筆は離さず、すでに十代で新聞・雑誌にイラストや漫画を発表。五五年(昭和三〇)文藝春秋第一回漫画賞受賞。五六年の『週刊新潮』創刊と同時に表紙絵を担当、八一年(昭和五六)の死去まで二六年間続けた。壁画やろうけつ染、絵本などの作品も多数。ねむの木学園とも交

〈ポップコーン咲いちゃったよ〉（谷内六郎、1974年）

〈まちぼうけ〉（谷内六郎、1968年）

流して絵の指導を行うなど福祉にも力を注いだ。横須賀市にアトリエを構えたのは一九七五年のことだった。

横須賀にアトリエをもつ以前から、谷内の『週刊新潮』の表紙絵には、海を背景にした作品が少なくなかった。彼は少年時代、喘息の療養を兼ねて千葉県の御宿に滞在したことがあり、その頃から好んで海辺をスケッチしていたという。一九六八年の〈まちぼうけ〉に海が見える。七四年三月一四日号に掲載された〈ポップコーン咲いちゃったよ〉は、真っ青な空の下、沿岸にも砂浜にも船が見える海のそばで、そこに咲いている梅の花を、弟らしい幼い子どもが指差し、姉らしい少女に、「ポップコーン咲いちゃったよ」と言っている絵である。実は、袋のポップコーンの中身をおおかた後ろに隠しもつ弟が、姉に、それはなくなったのではなく、梅の花になって咲いてしまったんだよ、と言い訳をしているのだ。

谷内六郎は子供の世界を描いていたように見えるが、実は大人の詩の心を、子供の日常に託して表現しようとしていたのだろう。『週刊新潮』の表紙をまとめて見ていると、そんなことが感じられる。

絵を見た後、突き当たりのガラス窓の海の景色に、息を呑む。建物の全面がガラス張りになっているため、まるで巨大な水槽のなかから海を見ているような感覚にとらわれる。

描くことで守りたかったもの。

鎌倉市
鏑木清方
記念美術館

神奈川県鎌倉市雪ノ下1-5-25
(〒248-0005)
0467-23-6405

代表的なアクセス

JR横須賀線・江ノ電「鎌倉」駅から
小町通りを北に徒歩7分

この美術館の
ウェブサイト
はこちらから

〈朝夕安居〉(鏑木清方、1948年、絹本著色) [「朝」の部分] ©Akio Nemoto

NHK日曜美術館から

タイムマシンの風景

一九七九年（昭和五四）の「日曜美術館」で、野坂昭如《のさかあきゆき》が明治生まれの画家・鏑木清方《かぶらききよかた》の魅力を語った。

「一つは、生き方ってものがあると思うんですね。清方さんは、今、自分が時代の変わり目に立たされている、ということを文集のなかで書いておられるんですが、自分の生きてきた時代とか世の中とか社会というものを、まるごとひっ抱えて描かれた方じゃないかと思うんです。正確なデッサン、見事な色の配合、そういうものも、近代的な手法とか、色についての科学的な理論が取り入れられる以前に、清方さんが自分の生きた時代に身に付けられたもので、使命感というのじゃないですが、今、ここで自分が描き残しておかなければ、という意識はあったと思うんですね。時代の変わり目に出てきた天才で、それは幸運でもあるわけですが、美人画家という範疇を超えた存在だと思います」

清方の作品〈朝夕安居《ちょうせきあんきょ》〉を、野坂が読み解く。

一九四八年のこの作品は、明治の東京の庶民の暮らしぶりを、朝・昼・夕の三場面に分けて描いた、全長四メートルを超える絵巻である。

「家のなかに見える人は、中流のサラリーマンだろうと思いますけど、当時サラリーマンといえば非常に先端的な職業ですね。家の前に車を停めているのが、煮豆屋。動物性たんぱく（質）の少ない時代ですから、植物性たんぱくとして、豆は大事でした。車の上の箱に引き出しがたくさん見えますけど、豆のほかにも紅生姜《べにしょうが》やら何やら売っていたんですね。煮豆屋の後ろでは小女《こおんな》が表を掃いていて、新聞配達が走って行く。裏の方では井戸端会議中。どこそこの息子が悪所通いをしているとか、誰それの手間賃がいくらになったなどと。朝から、今風にいうと、コミュニティが始まっているわけですね。決して独りで生きているんじゃない、ということ」

野坂は、こういう情景は、実際にはそれほど見ていないとしながら、イメージとしては自分も強くそれを受け継いでいると言う。

「左端で、手桶に水を汲んで向こうへ歩いている姿かたち、どっかで見ましたね、あの形を。ああいう重い物を持って、片方の腕がつい上がってしまう。この後ろ姿を見ると、タイムマシンのスイッチを入れられたように、自分自身は実際には知らない、父親や母親によって伝えられた、ある暮らしの

〈にごりえ〉（鏑木清方、1934年、紙本著色）［第５図］ ©Akio Nemoto（左ページも含めて３点）

流れみたいなものがこっちに流れ込んできます。〈朝夕安居〉という作品を見ていると、安らかに暮らしていた人たちの、秩序とか、たたずまいとか風習、習慣、言葉遣い、身だしなみといったものが、画面の全部から聞こえてくるような気がするんですよ」

鏑木清方の出世作は〈一葉女史の墓〉（一九〇二年）であったが、一九三四年には、一葉の小説『にごりえ』に材をとった一五枚の連作〈にごりえ〉を発表した。清方がこのような連作を指して「卓上芸術」という言葉を用いたことに関連して、野坂は次のように言う。

「さりげなく楽しめる、軽やかなもの。江戸の伝統ってのは、軽やかさですね。官展とか文展とかじゃなく、また印象派とか何とかじゃなく、自分の境地はこれなんだ、ということを主張なさったのが、清方さんの卓上芸術ってものじゃないかと思います」

野坂は、『にごりえ』の登場人物のお力《りき》も含めて、清方の描く美人の典型は、清方夫人のお照《てる》さんがモデルになっているのではないか、という一説を述べる。さらに、お力に惚《ほ》れて捨てられる源七には身につまされ、お力が惚れている結城朝之助という男が、モテない男からみると腹立たしいなどと

〈秋宵〉（鏑木清方、1903年、絹本著色）

〈一葉女史の墓〉（鏑木清方、1902年、絹本著色）

ボヤいたあと、清方の世界をこうしめくくった。

「江戸時代の人間の生き方というものがあって、それが明治維新でちょん切られてしまった。清方さんはそれをもういっぺん、滅びゆく江戸の下町の風俗を描くことで守ろうとした。僕も自分自身物書きとして、やはり過去執着型なものですから、守りたいものがある。守って、作品を残せた清方さんは、それだけの才能がおありになったからですが、幸せな方だったし、幸せをもたらされて当然の強い方だったと思います」

（日曜美術館　一九七九年一〇月一四日放送）

美術館を旅する

数寄屋門のある美術館

鎌倉市鏑木清方記念美術館は、まず入口が、ふつうに考える美術館と趣が違う。つい「ごめんください」と言ってしまいそうな、数寄屋門なのだ。左右に竹垣があり、格子戸のついた軽快な瓦屋根の門。それも、にぎやかな小町通りを歩いて、横道に入り、表通りの喧騒がふっと消えて静かになったと思ったら、すぐに門があるのである。

美術館というより、個人のお宅を訪ねる、という感覚だ。旧居跡を生かして建てられているのだが、門が通りとすぐ隣

〈曲亭馬琴〉（鏑木清方、1907年、絹本著色）　©Akio Nemoto（左ページも含めて２点）

り合わせにあるところが、いかにも鏑木清方らしいと思われる。自身を市井に生きる者の一人とする家のたたずまい、とでもいおうか。清方の絵に会いに来たのだ、という思いがしみじみと湧いてくる。

鏑木清方は一八七八年（明治一一）、東京は神田で生まれた。父は戯作者で新聞記者でもあった條野採菊《じょうのさいぎく》。清方自身も文才豊かで、『こしかたの記』をはじめとする多くの名随筆集を残している。一〇代に始まる長い画家としての生涯を、一九七二年（昭和四七）、鎌倉で終えた。

鎌倉市鏑木清方記念美術館には、清方の画業の、各時代を味わえる作品が所蔵されている。二四歳の作品〈一葉女史の墓〉と、その翌年に描かれた〈秋宵《しゅうしょう》〉。〈秋宵〉の、振り袖に袴《はかま》、靴といういでたちの若い女性がバイオリンを弾く姿は抒情的だ。甘い絵、という批評があったかもしれない。そういう批評に応えるかのように、清方は自身絵を描き始めた頃を追想して、こんな言葉を残している。

「心が余って技が足りないのは、後で見ても我慢がなる。技が勝って心の足りないのはやり切れないものである」

（鏑木清方『こしかたの記』中公文庫、一九七七年）

三〇代に入る頃の作品に、〈曲亭馬琴《きょくていばきん》〉と〈嫁ぐ人〉がある。立体的な造形、細密描写と色彩の濃厚さが、際立っている時

〈水汲〉(鏑木清方、1921年、絹本著色)

期だ。それが四〇代の〈水汲《みずくみ》〉や〈朝涼《あさすず》〉になると一変し、中間色を基調として、ある種近代的な女性像をつくり出している。

泉鏡花の小説『註文帖』に材をとった、一九二七年の一三枚の連作〈註文帖〉、一九三四年の連作〈にごりえ〉、一九四八年の絵巻〈朝夕安居〉などは、清方独自の世界だ。いずれも傑作だが、戦前の二作が小説から生まれたのに対し、戦後の〈朝夕安居〉は、小説を生み出し得る作品だといえるかもしれない。

館内には画室も再現されている。中庭では、四季折々の風趣を楽しむこともできる。清方は季節の花々を愛したが、とりわけ紫陽花《あじさい》を好み、紫陽花舎《あちさゐのや》の雅号を用いていたことは、清方ファンのよく知るところであろう。

美術館を出ると、すぐまた人、人、人の小町通りのにぎわいに戻る。思えば鏑木清方は、ひたすら人間を描いた画家であった。

思いどおりにいかないから、おもしろい。

真鶴町立
中川一政美術館

神奈川県足柄下郡真鶴町真鶴1178-1
(〒259-0201)
0465-68-1128

代表的なアクセス
JR東海道本線「真鶴」駅から
路線バス「ケープ真鶴」行あるいは
コミュニティバス真鶴線「中川一政美術館」行で
約15分、「中川一政美術館」下車

この美術館の
ウェブサイト
はこちらから

中川一政の「天井のない、世界一広い私のアトリエ」

NHK
日曜美術館
から

世界一広いアトリエ

中川一政《なかがわかずまさ》は一八九三年（明治二六）、東京に生まれた。中学生の頃から文学に親しみ、愛読していた文芸誌『白樺』で紹介されたゴッホやセザンヌの作品に触発されて絵を描き始める。巽画会に入選した〈酒倉〉（一九一四年）が岸田劉生《きしだりゅうせい》に認められ、劉生率いる草土社に参加し、二科会にも出品する。劉生との交流から武者小路実篤《むしゃのこうじさねあつ》や志賀直哉《しがなおや》ら、『白樺』同人の人びとの知遇も得た。一九二一年（大正一〇）、二科賞を受賞した年に、春陽会創立に客員格で加わり、以後は春陽会会員として活動を続けた。後年は水墨画などにも手を染め、自在な画境を示すようになった。文筆活動も活発で、詩集や随筆集などを数多く出版している。装丁の仕事も多い。七五年（昭和五〇）、文化勲章受章。一九九一年（平成三）没。

一九八〇年（昭和五五）の「日曜美術館」が、八七歳の中川一政が箱根の駒ヶ岳を描く現場をドキュメントした。

中川は、標高九九〇メートルの芦ノ湖スカイラインの広場に大きなキャンバスを持ち込み、ここを「天井のない、世界一広い私のアトリエ」と呼ぶ。強風に飛ばされないよう、キャンバスは大きな石で固定される。

番組のなかで、作家・尾崎一雄《おざきかずお》と中川の対話が紹介された。

尾崎一雄　箱根で大きいのをお描きになったとうかがいました。その作画の一番の眼目をうかがいたいのですが。

中川一政　僕は肉体ってものと精神というものと、分けない。一つのものだと思っているから、手だけとか頭だけで絵を描きたくない。体全体で、自分の体力に応じた仕事をしていきたい。そういう仕事というのは、年とっちゃできないからね、今のうちにやろうと思っている。それから、小説でいえば長編をやっているようなわけなんで、幾日かかろうとかまわないと思っているんですね。長編となると、いろいろな伏線みたいなものがあったり、こっちを描いている時に、またこっちへと通じる、全体がバランスを持って一つの世界ができる、そういうものを描きたいと思っている。それをやり出したら、なかなかおもしろくて、箱根をもう一〇年くらい描いているかもしれないけれども、思い通りにはいかない。思い通りにいかないところがまた魅力でやっているわけなんで、こういう仕事をもう少し続けたいと思っている。

（日曜美術館　一九八〇年三月二日放送）

中川が手がけた装丁の仕事のなかに、作家・向田邦子《むこうだくにこ》の小説『あ・うん』がある。中川のファンであった向田の念願が叶い、小説の題字と狛犬《こまいぬ》を描いた表紙カバーの装画を中川が制作したのである。この二人の対談が『向田邦子全集』（文藝春秋）に収載されている。二〇一一年放送の「日曜美術館」がその一部を紹介した。

たとえば、こんな会話である。

向田　先生は、女のヌードってあんまりお描きにならないんじゃないですか?

中川　（略）使いにくいの、モデルってのは。描いている最中に、「帯買ってくれ」なんて言うらしい（笑）。

向田　（略）描いて見せていただきたいですね。（略）私、サカナの目を描くとね、みんな女の目になっちゃうんですよ。女っぽいサカナなんですよ。先生のお描きになるサカナの目って、みんな男ですね。

中川　サカナってのは怖いですよ、目が。（略）海ん中で真剣に生きているから、目が怖いです。遊んでいる人の目っていうのは、あんまり怖くないです。

向田　（略）気が付かなかったわ。

中川　（略）タイなんか、怖い。

向田　（略）先生はお目は。

中川　今のところ悪くない。みんな、どっか悪くないか、どっか悪くないかって聞くからね、口が悪いって言ってるの（笑）。

（日曜美術館　二〇一一年三月二〇日放送）

美術館を旅する

海へ下り、海から上る

相模《さがみ》湾沿いの東海道線は、早川、根府川《ねぶかわ》といった駅のあたりでは、電車がそのまま海の上に乗り出してしまうのではないかと思うほど、海のそばを走る。

真鶴《まなづる》町立中川一政美術館へ行くためのバスのルートは二つの系統がある。一つは、真鶴駅から真鶴半島方向に行く路線バスだ。往路はこの路線バスに乗る。駅を出てしばらくすると、どんどん坂を下り続けて、一度真鶴港に出てから、また急坂を上って行く。真鶴半島は、周囲がおおむね切り立った崖になっていて、道はすべて上り下りの激しい山道だ。木々の間にチラチラと光る海をバスの窓から見ながら進んでいく。

中川一政美術館は、半島の突端に出る少し手前の、岩棚のような平地にあった。前面は公園になっていて、美術館は少し引っ込んだ崖の上を整地して建てられている。ドーム型の印象を与える白く細長い建物だ。

一階と二階が展示室になっていて、一階には〈阿吽〉（一九八三年）が掛けられている。その下にこの絵のモデルとなったと思われる、中川が所蔵していた一対の〈高麗犬像〉（木彫）も置かれていた。〈駒ヶ岳〉（一九八二年）、〈酒倉〉（一九一四年）

美術館の別棟で復元・公開されている中川一政の真鶴アトリエ

といった風景画は二階に展示されており、ほかにトレドやコンカルノなど海外の風景を描いたものもあった。

中川は文章の名手でもあり、『モンマルトルの空の月』（一九五五年）をはじめとする数多いエッセイ集は、どれを読んでもおもしろい。戦後間もない頃から、かなり長期の、欧州を中心とする海外旅行をしており、その紀行文は、画家ならではの着眼にあふれたもので、彼が海外で描いた絵も、それらを読むことで一段と味わいを増すように思われる。

中川の絵のなかで人気の高いバラは、一階にも二階にもたくさん掛けられていた。二階には十数点のバラに混じって椿の絵も飾られていた。中川の手がけた数々の装丁本や、パッケージ・デザインなども展示されていたが、なかには鱒鮨《ますずし》の弁当の包み紙などもあった。中川一政美術館では、年に三〜四回の展覧会が企画される。

一人の画家のさまざまな面にふれ、人間としての魅力を知る上で、真鶴の中川一政美術館は絶好の場所だ。

帰路はコミュニティバスに乗った。このバスは真鶴港の反対側にある福浦港の上を通って真鶴駅に向かう。真鶴港は真鶴半島の表玄関で、福浦港は勝手口のような小さな漁港だが、中川はここの風景を愛し、この福浦港を描いた作品も多く残している。

【上】〈酒倉〉（中川一政、1914年、油彩・板）　【下】〈阿吽〉（中川一政、1983年、紙本著色）

【上】〈駒ケ岳〉(中川一政、1982年、油彩・キャンバス)　【下】〈福浦〉(中川一政、1963年、油彩・キャンバス)

ここは、洋画の華の館。

藤島武二・青木繁・関根正二とアーティゾン美術館

東京都中央区京橋1-7-2
（〒104-0031）
03-5777-8600（ハローダイヤル）

代表的なアクセス
JR「東京」駅八重洲中央口、
あるいは東京メトロ銀座線「京橋」駅
6番・7番出口から徒歩5分

この美術館のウェブサイトはこちらから

〈黒扇〉（藤島武二、1908―09年、油彩・キャンバス、重要文化財）

NHK日曜美術館から

名作を生んだアトリエ

藤島武二《ふじしまたけじ》は一八六七年（慶応三）鹿児島生まれ。上京して初めは川端玉章《かわばたぎょくしょう》に日本画を学んだが、洋画に転じ、松岡寿《まつおかひさし》や山本芳翠《やまもとほうすい》に学ぶ。九三年（明治二六）にフランスから帰国した黒田清輝《くろだせいき》の影響を受け、三年後に開設された東京美術学校（現・東京藝大）の助教授に任ぜられた。黒田清輝の白馬会に属し、〈天平の面影〉（一九〇二年）などを発表する。一九〇五年から足掛け四年、フランス、イタリアに留学。帰国後、東京美術学校教授。三七年（昭和一二）、文化勲章を受章。一九四三年（昭和一八）、東京で没した。

藤島の代表作の一つ〈黒扇《こくせん》〉（一九〇八―〇九年／重要文化財）を取り上げた一九八三年放送の「日曜美術館」で、藤島の弟子・小堀四郎《こぼりしろう》が語った。〈黒扇〉は、藤島自身にも所在がわからなくなっていて、それを「発見」したのは小堀だったという。

「アトリエの掃除をしていた時に、先生が雲の研究をされるために屋根の方へ行く階段があるんですが、その階段の裏にピンで留めてあった〈黒扇〉を偶然に見つけたんです。先生にお目にかけたら、『こんなところにあったのか』と喜ばれて、額縁をつくってご自分の居室にお飾りになりました。〈黒扇〉をご覧になってもわかるように、顔を見ましても体や手を見ましても、ほとんど半分しか描いてないような感じで止めてあります。わざとそうしているのであって、この絵を隅から隅まで黒く塗ってしまったら、響きも余韻もなくなります。どこからどこまで写真のように描いてしまわないことで、先生の気持ちは十二分に表現されていると思います。先生は美術学校で、人物のデッサンの時も、細部にとらわれて大事な重心の点を疎《おろそ》かにしないようにと、教えてくださったように思います。たとえば立像なら、部分はうまく描けていても、立っていないように見えては何にもなりません。そういう時には、細部は消してしまって、重心の線をぐっとお引きになる。それで、なるほどと理解できました」

藤島を初めて訪ねた時の小堀の思い出。

「一九二一年（大正一〇）、美術学校に入る前年に、初めて曙町《あけぼのちょう》（東京・新宿区）の先生のお宅を訪ねたんですが、有名な藤島先生のお宅らしい家が見つからないんです。それでもう一度、一軒一軒見直して歩きましたら、小さな平屋のお宅に『藤島』とあって、びっくりしました。先生は日本画を描いておられました。『先生、日本画をお描きになるんですか』と

お聞きすると、『売れないからね』とおっしゃる。生活のために売れやすいものをお描きになっていたんですね。ところが、アトリエの方に参りますと、大きな立派なアトリエで、なかが素晴らしいんです。時が経つにしたがって、先生のご様子を見ておりますと、ご自分のしたい放題のことをなさっていました。ご自分が気に入って絵の材料になるものは、シナ服であろうと陶器であろうと、どんどん買って、その代わりに生活のほうは切り詰めておられるようでした。まったく仕事本位の生活をなさっていたんです」

（日曜美術館　一九八三年五月二二日放送）

NHK日曜美術館から

熱情のなかの冷静

青木繁《あおきしげる》は一八八二年（明治一五）福岡県久留米生まれ。中学を中退して上京し、小山正太郎《こやましょうたろう》の不同舎を経て東京美術学校（現・東京藝大）西洋画科選科に進み、在学中、〈黄泉比良坂《よもつひらさか》〉（一九〇三年）で第一回白馬賞を受け、注目される。一九〇四年（明治三七）、友人の坂本繁二郎《さかもとはんじろう》らと千葉県布良《めら》に滞在し、〈海の幸〉（一九〇四年／重要文化財）ほかの作品を描く。〇七年に東京府勧業博覧会に出品した〈わだつみのいろこの宮〉（重要文化財）は夏目漱石に高く評価されたが、画壇には認められず、

〈自画像〉(東京藝術大学大学美術館蔵)

〈海の幸〉　ともに青木繁、1904年、油彩・キャンバス

その後家庭の事情もあって九州に帰り、放浪の後に肺を病んで、一九一一年(明治四四)、二八歳の半ばで福岡に没した。

美術評論家で石橋美術館元館長の嘉門安雄《かもんやすお》が、一九八八年(昭和六三)放送の「日曜美術館」で青木繁の生涯と作品を語った。

「青木繁の〈自画像〉(一九〇四年)は、彼が美術学校卒業の時に描いたものですが、当時の平明な印象派風の、あるいはもっと古い傾向の作品のなかに、突如としてこういう作品が登場したわけです。青木自身は一種の爆発を抑えるような若々しい気持ちでこれを描いたのだと思いますが、おそらくは彼自身は知らずに、ヨーロッパの世紀末芸術に通じる特色を見せています。美術学校を卒業して数年間というものは、青木が最も高揚していた時期で、全精力が、全生命がそこに集中されていたように思います。明治浪漫主義の代表者らしく、『古事記』とか『日本書紀』とか、インドの古い神話といったものに題材を採っていますが、私はその傑作の一つが〈天平時代〉(一九〇四年)だと思っています。まさに天平への憧れが表現されていて、色そのものがわれわれに音楽的なリズムで語りかけてくる。

青木繁といえば〈海の幸〉ですが、この絵のモチーフは実際には青木自身が見たものではないんですね。一緒に布良《めら》海

〈天平時代〉(青木繁、1904年、油彩・キャンバス)

岸(千葉県館山市)に行っていた坂本繁二郎が浜で漁師たちの様子を見て話したのを、青木が自分のイメージで描いたのです。その時、布良に同行していた青木の恋人、福田たねの顔も、見事に絵のなかに取り入れられている。ちょっと未完成に見える点は、青木に手持ちの絵の具が乏しかったとも考えられますが、それよりも彼の気持ちが燃え上がった瞬間にもう絵は完成したと見なすべきでしょう」

(日曜美術館　一九八八年四月二四日放送)

さらに石橋美術館学芸員・上野建造が一九九八年(平成一〇)の「新日曜美術館」で〈海の幸〉を解説する。

「画集などではわかりにくいのですが、実際の画面に近づいていただくと、画面を横切る黒い線が見られます。群像の顔の部分と、脚のつけ根に当たる部分に走っていますが、人物のプロポーションの目安にしたものと思われます。〈海の幸〉は、奔放な創造力とか、若さにまかせて描いたといった面が強調されがちな絵ですが、観察してみますと、奔放な創造力のなかにも計算の上で絵が成立していることがわかります」

(新日曜美術館　一九九八年六月一四日放送)

NHK日曜美術館から

友人・今東光が語る

関根正二《せきねしょうじ》は、一八九九年（明治三二）福島県生まれ。一九〇八年、父に従って上京、伊東深水《いとうしんすい》の紹介で印刷会社の図案部に勤務。その後信州を放浪していて、河野通勢《こうのみちせい》を知り、デューラーやレオナルド・ダ・ヴィンチなどの素描を見せられ、影響を受ける。一五年（大正四）に二科会で安井曾太郎《やすいそうたろう》滞欧作展を見て、色彩派を目指した。第五回二科展（一九一八年）で〈信仰の悲しみ〉（一九一八年）が樗牛賞《ちょぎゅう》を受け、一躍天才として注目された。だが、翌一九一九年（大正八）、肺結核のために二〇歳の短い生涯を閉じた。

一〇代の終わり頃、関根正二と親交のあった作家・今東光《こんとうこう》が、一九七六年（昭和五一）の「日曜美術館」で関根との思い出を語った（口調、用語は、当時のまま紹介）。

「関根が一七、八くらいから、本郷の絵を描いたり、文学をやったりする愚連隊仲間に入ってきましてね。水を得た魚のように、喜びやがって、僕らとわーわーやっていた。仲間に、タグチマサキさんという大阪から来た絵を描く女の人がいた。関根はそれにもう、すぐ惚《ほ》れちゃったんですよ。あいつはね、自分の姉やおふくろに対して、一種のフェミニストでしたね。〈信仰の悲しみ〉という絵は、タグチくんへの失恋の後でできたんですよ。真ん中に赤い服を着た女性が描かれていますが、これがタグチくんに似ているんですよ。タグチくんというのは、何か保護してやらなきゃいられないっていう感じを起こさせる女性でしたね。ですから、関根の一番哀しかったことはね、絵がどんどん描けて、お金が入って、そしてタグチくんを幸せにしてあげたいという、そんなものが彼にあって焦《あせ》っていたことじゃないかな。

〈信仰の悲しみ〉は、関根は新しいキャンバスなんか買えませんから、誰かの古いキャンバスに描いたんだよ。絵の具も高いから、赤い絵の具はタグチくんを描いたと思われる人物にしか塗れなかった。これも誰かの絵の具を少しもらったんですよ。絵を描く友達のところへ行くと、関根は絵の具のチューブからちゅっと自分のパレットにしぼって帰る。もっと絵の具が使いたかったでしょうね」

関根のもう一つの名作〈子供〉（一九一九年）について、今東光はこう語る。

「ほんとにいい絵ですよね。これをあんたね、一九か、二〇歳で描いたんですよ。関根はこれ、子供に飴玉一つやって、お前じっとしてろ、といって写生したんです。描くスピード

〈信仰の悲しみ〉（関根正二、1918年、油彩・キャンバス、大原美術館蔵）

も速かったですね。彼は紙さえあれば、他人のスケッチブックでも、暦の裏でも、何にでもスケッチしてました。関根がもっと生きていたら、どんな絵を描いたか。何を描くかは見当もつきませんが、〈子供〉の延長とは思えません。あいつには蛹《さなぎ》が蝶になるように、全然違ったものに変身していくだろうという、予想というか、希望を持たせるものがあった。だから、私などは、関根に死なれてショックだったんです」

（日曜美術館　一九七六年八月二二日放送）

美術館を旅する

美の新しい地平

アーティゾン美術館の前身は、ブリヂストンの創業者・石《いし》橋《ばし》正二郎《しょうじろう》が、戦後復興期の一九五二年（昭和二七）に開設したブリヂストン美術館。洋画の名品を一般公開する館の誕生は、当時、大きなインパクトを与えた。

開館に際して、日本美術家連盟会長の安井曾太郎から、感謝状が贈られた。「すぐれた美術品は個人の死蔵すべきものではないとのお考えからあなたは、御愛蔵の珠玉のような名品のかずかずを充たした清新な美術館を公衆に開いて下さいました。永い間えがいていた私どもの夢が、いま現実となって、忽然燦《さん》然と輝きでた想で、私どもの喜びは何にたとえよ

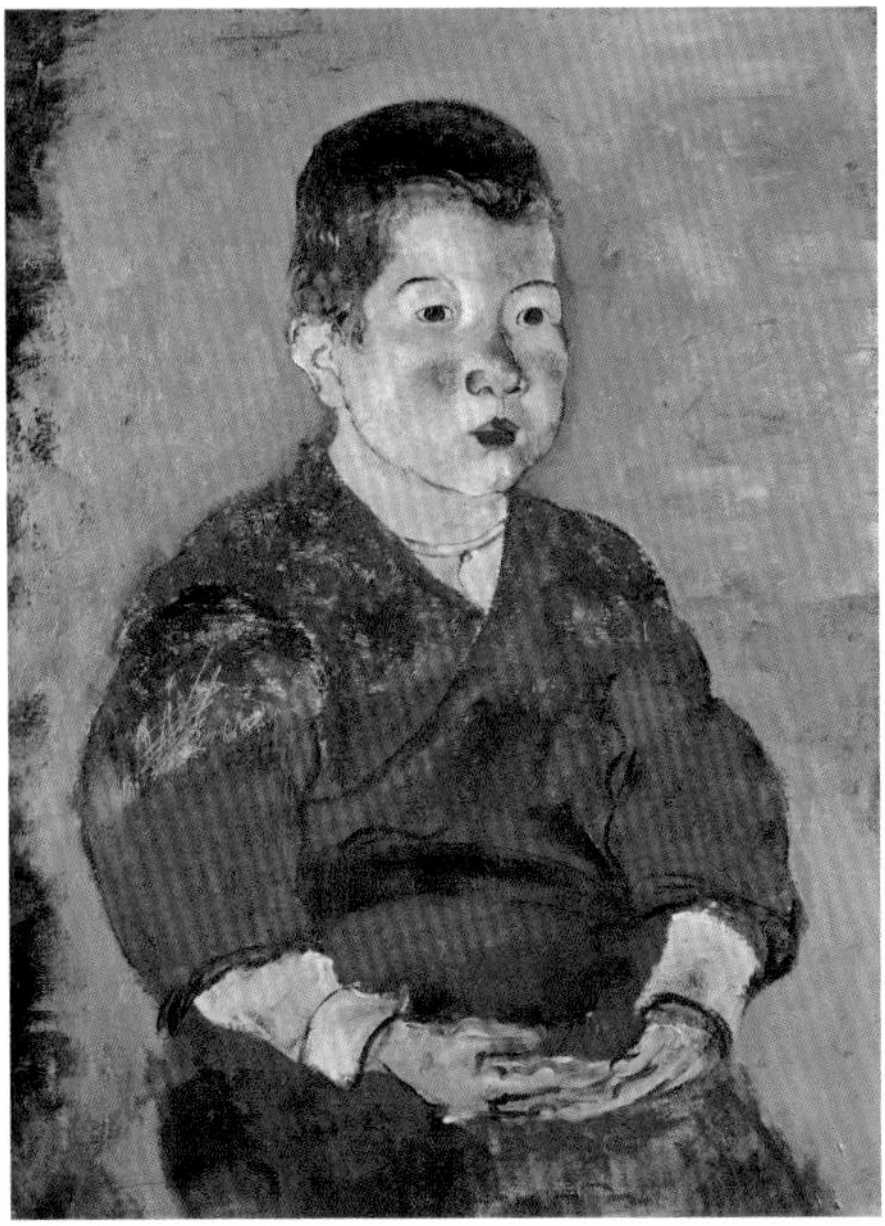

〈子供〉(関根正二、1919年、油彩・キャンバス)

うもありません。芸術的にはもっとも貧しい大都会東京の都心に、この美しく尊い贈ものをして下さいましたあなたの御厚志が、ひとり美術家のみでなく、真正の美術にうえている一般都民の心に如何に大きい慰めと糧とを与えているかは、日々美術館につどう人々の無言の姿のうちに、はっきりと見られるのであります」(石橋正二郎『私の歩み』一九六二年)

以来、多くの人びとに親しまれてきたブリヂストン美術館には、マネ、ルノワール、セザンヌ、マティスやピカソらの名作が、広い展示室にゆったりと掛けられていた。彫刻が置かれた廊下をはさんで反対側の展示室では、浅井忠《あさいちゅう》の〈グレーの洗濯場〉(一九〇一年)、藤島武二の〈黒扇〉、関根正二の〈子供〉、佐伯祐三《さえきゆうぞう》の〈テラスの広告〉(一九二七年)など、日本洋画の華と呼ぶべき作品が、いつでも見られた。

六〇余年間、西洋と日本の近代絵画を近しいものと感じさせるために大きな役割を果たした美術館は、二〇一五年五月からの長期休館を経て、二〇二〇年一月に生まれ変わった。

DNAを受け継いだ館の名称は「ARTIZON」(アーティゾン)。「ART」(アート)と「HORIZON」(ホライズン)を組み合わせた造語だ。過去から現在にいたるまで無数の作品が存在する地平で、今まさに新しい表現が創造されつつある。またその先では時代を切り拓く精神が胎動している。そのようなアートによる限りない地平を、世代や国境を超え多くの人びとに感じ取ってほしいという意志が込められた館名だ。

闇に育まれて浮かぶ光。

ミュゼ浜口陽三・ヤマサコレクション

東京都中央区日本橋蛎殻町1-35-7
(〒103-0014)
03-3665-0251

代表的なアクセス
東京メトロ半蔵門線「水天宮前」駅
3番出口から徒歩1分

この美術館のウェブサイトはこちらから

〈くるみ〉(浜口陽三、1978年、メゾチント・紙)

NHK日曜美術館から

くるみ・さくらんぼ・蝶

浜口陽三《はまぐちようぞう》（一九〇九―二〇〇〇）は、マニエール・ノワール（黒の技法）と呼ばれていたメゾチントに色彩表現を取り入れた開拓者として、世界的に認められた銅版画家である。

二〇〇七年（平成一九）放送の「新日曜美術館」で、かねてから交流があった山田太一《やまだたいち》が、浜口陽三の世界を語った。

「浜口さんは著書のなかで、自分は光が好きだとおっしゃっています。たしかに、この〈くるみ〉（一九七八年）という作品を見ても、光を描いていますね。でも周りは全部闇で、この暗黒宇宙があるからこそ光が目立っているわけです。陽光燦々たるところにこのくるみがあっても、全然目立ちません。浜口さんの絵は、銅版画の工程がそうだからではありますが、最初は真っ黒で、そこからふうっと蝶々が浮かび上がったり、ふわっとさくらんぼが浮かんできたりする。それらは闇に育まれて浮かんでくるんですが、しかし、いつ闇に飲み込まれるかもわからないという危うさを持っている。そのあたりが、僕、とても好きなんです」

浜口陽三は二八年間にわたってパリに住み、一九八一年（昭和五六）にサンフランシスコに移住した。浜口と山田の初対面は、山田がサンフランシスコに浜口のアトリエを訪ねた時だった。

その時、山田はかねて気になっていた点を尋ねてみた。

「浜口さんは、さくらんぼとか、蝶々とか、西瓜とか、素材を限定するんですね。この世には絵の素材はいくらでもあるのに、事実サンフランシスコのお宅のそばには海だってあるのに、どうしてもっとほかのものを描かないんですかって聞いたら、面倒くさいからだ、とおっしゃるんです。嘘だと思いますけどね。素材を限定し、自己の世界を限定するという意味では、戦後の小津安二郎《おづやすじろう》さんを思い出しました。小津さんも、中産階級の家庭の、娘さんが結婚するかしないかというような小さな話を、繰り返し繰り返し撮られていました。若い頃の私には、その意味がわかりませんでしたけれど、今になってみると、時代のトピックスを映画にするという圧倒的な風潮のなかで、そういう自己限定をしていくことはすごいことだなと思います。浜口さんの自己限定にも、そういう凄味を感じます」

（新日曜美術館　二〇〇七年九月九日放送）

美術館を旅する

銅版画の遺産

人形町《にんぎょうちょう》の交差点から水天宮《すいてんぐう》のほうへまっすぐ歩いて、水天

〈びんとさくらんぼ〉
(浜口陽三、1971年、リトグラフ)

宮の前を通り過ぎた先、首都高のガードにぶつかったところで右へ曲がると、ミュゼ浜口陽三・ヤマサコレクションがある。通りスレスレの全面ガラス張りの一階フロアにあるから、うっかり通り過ぎてしまいそうだ。通りに面した部分がカフェになっていて、展示室は一階と地階である。

「日々ぐるぐる─静物と30の『ことば』」という展覧会では、浜口の作品が詩や断章と組み合わせられていた。たとえば、〈びんとさくらんぼ〉(一九七一年)という浜口のリトグラフには、立原道造《たちはらみちぞう》の詩の一節。

僕は　背が高い　頭の上にすぐ空がある
そのせいか　夕方が早い！

詩は、ヴェルレーヌ、堀口大學《ほりぐちだいがく》、長田弘《おさだひろし》、茨木《いばらぎ》のり子などさまざまである。展示されていた三〇点の浜口の作品はどれも見応えがあった。一階には、ベルソーなど、浜口が用いた銅版画の用具も展示されていた。

浜口陽三は一九〇九年(明治四二)、ヤマサ醤油株式会社の一〇代目社長、濱口《はまぐち》儀《ぎ》兵衛《へい》の三男として、和歌山県有田郡広《ひろ》村(現・広川町)に生まれた。和歌山県の有田は醤油発祥の地といわれるが、ヤマサ醤油の本拠地は一六〇〇年代以来、千葉県銚子であり、陽三も六歳で千葉に移り住んでいる。以後は東京の学校に通い、東京美術学校(現・東京藝大)を中退し

〈2人の少女〉（南桂子、1964年、エッチング・ソフトグランドエッチング、サンドペーパー）

て三〇年（昭和五）にパリに渡り、戦争で帰国するも、五三年に再び渡仏してからは、海外に住み続けた。八一年に移り住んだサンフランシスコの住まいを引き払ってようやく帰国したのが、九六年（平成八）、八七歳の時である。

浜口はよく、どうしてパリに住んでいるのかと聞かれて、食べ物がおいしいからだ、と答えている。機会あるごとに食いしん坊を自認していた。「さくらんぼとか西瓜のほかにもぶどう、レモン、ざくろ、洋梨などの果物、ピーマン、アスパラガス、ういきょう、白菜などの野菜をテーマとした僕の作品をみて、『その心は……』と聞かれると、『食いしん坊だから、食うものばっかり』と答えることがあるんです」（三木哲夫編『パリと私　浜口陽三著述集』玲風書房、二〇〇二年）

浜口がパウル・クレーの作品を好んだことは、さこそと思われるが、ドイツを旅行した折、「料理のまずいのに恐れ入った」と言い、「不世出の天才クレーの育った国の料理がどうしてあんなにまずいのだろうかと、自称食通の僕は考えた」（前同）と首をひねっている。

一九九八年（平成一〇）に開館したミュゼ浜口陽三・ヤマサコレクションでは、浜口の夫人・南桂子《みなみけいこ》（一九一一―二〇〇四）の銅版画も収蔵・展示される。南は、少女や鳥・魚・樹木などを題材とした詩的な作風で知られている。

描かないことで、描かれた雪。

円山応挙と
三井記念美術館

東京都中央区日本橋室町2-1-1　三井本館7階
(〒103-0022)
050-5541-8600(ハローダイヤル)

代表的なアクセス
東京メトロ銀座線・半蔵門線「三越前」駅
A7出口から徒歩1分

この美術館の
ウェブサイト
はこちらから

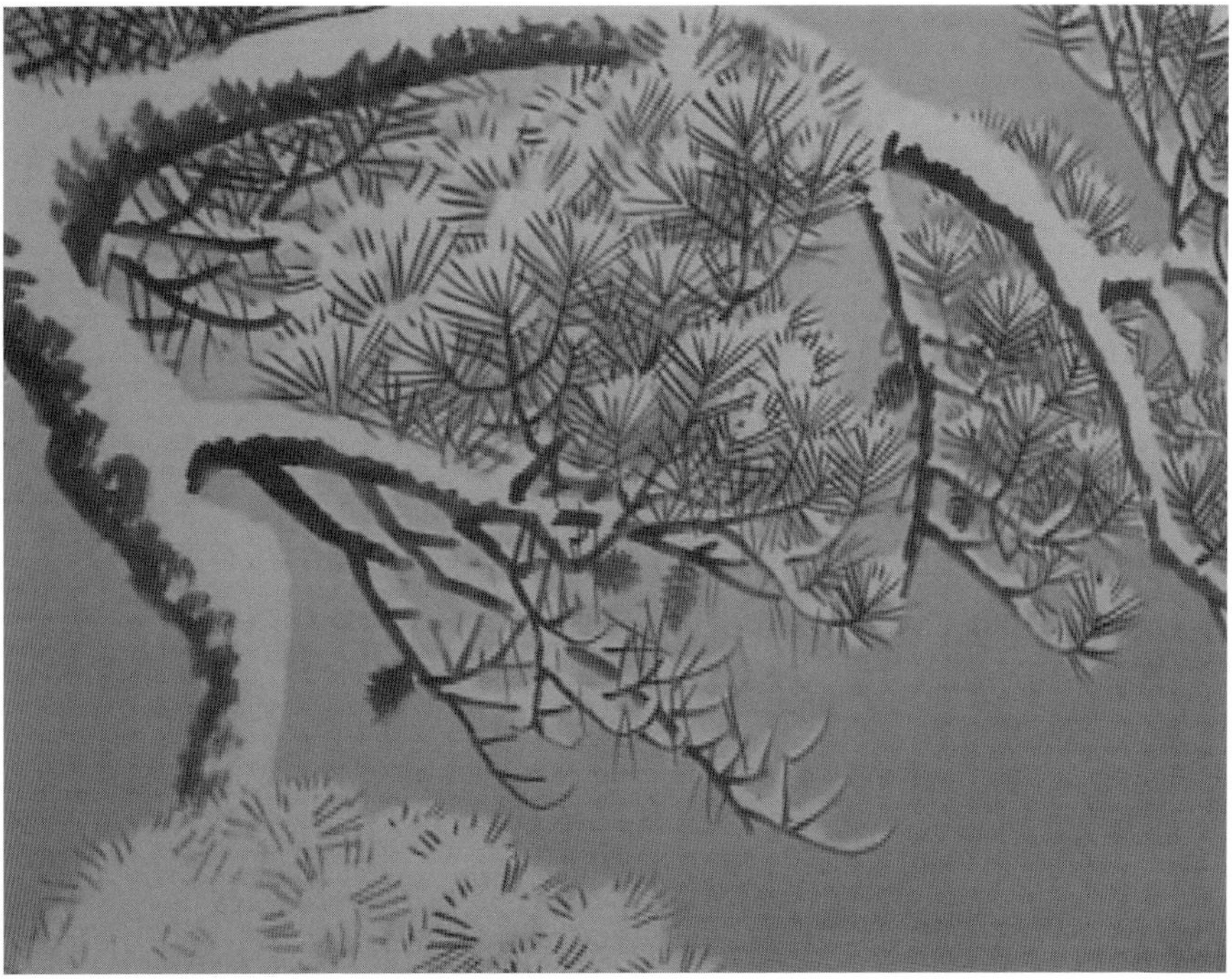

〈雪松図屏風〉(円山応挙、18世紀、紙本墨画金彩、六曲一双、国宝)［左隻・部分］。
松の枝にのる雪は、「描き残す」方法で表現されている

NHK日曜美術館から

雪松図屏風の写実

円山応挙《まるやまおうきょ》は一七三三年（享保一八）、丹波国穴太《あなお》村（現・京都府亀岡市）の農家に生まれた。一五歳の頃に京都に出て、狩野派《かのうは》の画家石田幽汀《いしだゆうてい》に絵を学んだが、その後はさまざまな流派の絵画を吸収し、徹底した写生による画風を確立したことで知られる。一七九五年（寛政七）没。生活のために、眼鏡絵の制作に携わったこともあり、これによって学んだ遠近法が応挙の写生の基礎になっているともいわれるが、応挙の写生はそうした経験を機械的に応用したものではなかった。

二〇〇三年（平成一五）放送の「新日曜美術館」は、三井記念美術館所蔵の〈雪松図屏風《ゆきまつずびょうぶ》〉（一八世紀・江戸時代／国宝）を読み解きながら、応挙の写生に迫った。〈雪松図屏風〉は、左隻六曲に二本の屈曲した松の全体を画面中央にやや遠景にまとめ、右隻六曲にはあたかも左隻の太いほうの松の根元をクローズアップしたように、上部をカットして幹の部分だけをとらえている。左右一双の非対象によるバランスは絶妙だ。松のほかには何も描かれていないが、朝日を浴びているような空間は、十分に表現されている。

雪をのせた松の描法について、日本画家・美術史研究家の佐々木正子が、次のように指摘する。

「枝に対して白い絵の具をのせて描くのが普通ですが、応挙の場合、〈雪松図〉で、雪の部分を描き残すという方法を採っているんです。この描き残すというやり方は、目のなかに描き上がった時の形を想定して、それ以外を描いていかなければなりませんので、たいへん難しい描法なんです」

また、応挙の写生が目指すところについて、佐々木は次のように述べている。

「たとえばこの幹をどんと叩くと、雪がばらばらっと、さらさらっと落ちてきそうな、そういう臨場感を写したい。応挙の写生の目的はそこにあったと思うんですね。日本の美、風情、さまざまな季節感、そういった微細なものまで写そう。それが応挙の目指した写生画だったと考えています」

（新日曜美術館　二〇〇三年九月一四日放送）

美術館を旅する

日本橋大通りの洋館

新橋から銀座を経て、日本橋、神田を通り、上野に至る中央通りは、東京を代表するメインストリートの一つである。江戸時代には日本橋、京橋が江戸の繁華街の中心だったことは周知のとおり。明治以降、にぎわいを銀座に譲った形では

〈雪松図屏風〉右隻

あるが、日本橋界隈がまったく衰退してしまったことは一度もなかった。

この中央通りに沿った地域は、数多くの画廊が集まり、絵画取引の中心地ともなっているが、美術館は多くない。京橋にアーティゾン美術館（元ブリヂストン美術館）はあるものの、日本橋には中央通りに面した美術館は一軒もなかった。そこに二〇〇五年に開館したのが、三井記念美術館である。

三井記念美術館は、三井家が江戸時代以来収集してきた美術品の寄贈を受けて、三井の本拠地である三井本館内に設けられた。三井本館は、最初の建物が関東大震災で被災したあと、一九二九年（昭和四）に再建され、現在では昭和初期を代表する洋風建築として、重要文化財に指定されている名建築である。アメリカの設計会社が設計した、新古典主義と呼ばれる様式の、銀行の店舗にはいかにもふさわしい、どっしりした重厚な建物だ。三井本館と通り一本隔てた銀座寄りには、三越本店。いうまでもなく三越は三井家が創業した百貨店だが、ほかにも向かい側にはコレド室町など、三井グループ会社の所有するビルが数多く集まっていて、一帯はさしずめ三井ワールドの観がある。

三井本館に隣接し、中央通りに面して神田寄りに建てられているのが、日本橋三井タワーという、二〇〇五年に竣工した高層ビル（地上三九階、地下四階）である。ファサードの部

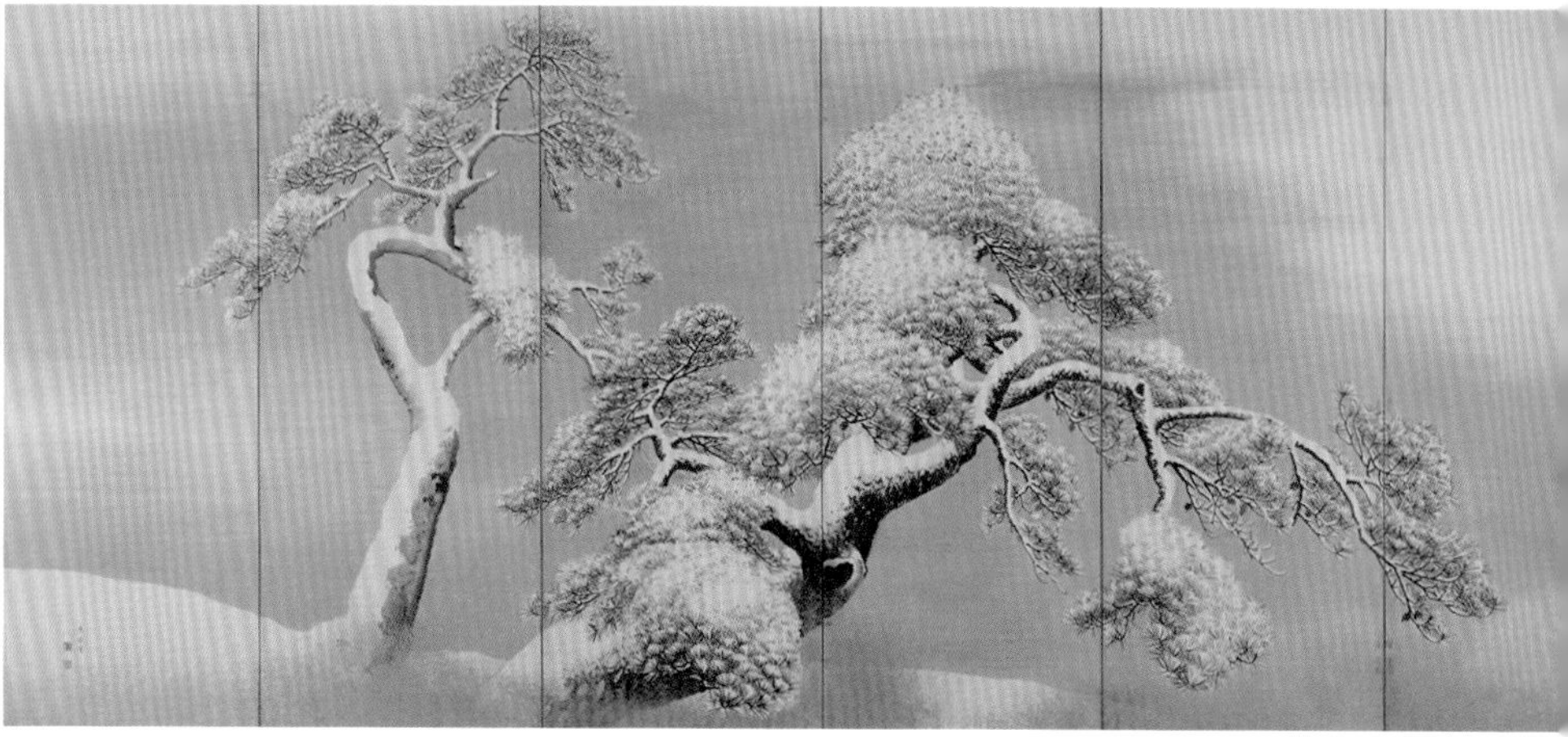
〈雪松図屏風〉左隻

分には、ズラリと太い円柱が並び、高さもスタイルも三井本館に合わせてある。美術館への入口は日本橋三井タワーの一階アトリウムにあり、入ってすぐ、通路で三井本館にまわるようになっている。展示室は、やや天井が低いところが古い建物を思わせるが、昭和初期の建物とは思えない洗練された内装だ。

三井記念美術館の、国宝六点、重要文化財七五点を含む収蔵品には、茶道具の名品や絵画のほかに、櫛・かんざし、雛人形といった江戸時代の生活用品なども多く、総数は約四〇〇〇点にものぼる。ほかに約一三万点の切手を所蔵しており、これは世界的なコレクションの一つだ。三井各家から寄贈された美術品は、それぞれに三井家ゆかりの来歴を持っている。たとえば所蔵品中最も有名な円山応挙の〈雪松図屏風〉（国宝）は、三井家の後援を受けていた応挙が、三井家の跡取りの誕生を祝って描いたものという説もある。

写生画の祖といわれる応挙については、写生をめぐるさまざまなエピソードが伝えられている。たとえばある時、応挙の描いた馬の絵を見た農民が、馬が草を食べる時には目を守るために必ず目を閉じるのに、この絵の馬は目を開いたまま草を食べている、といって笑った。応挙は大いに恥じ、すぐにその農民のもとに駆けつけ、馬の話を聞いたという（滝沢馬琴『著作堂一夕話』）。

柳宗悦の民藝発見を思う。

日本民藝館

東京都目黒区駒場4-3-33
(〒153-0041)
03-3467-4527

代表的なアクセス
京王井の頭線「駒場東大前」駅
西口から徒歩7分

この美術館のウェブサイトはこちらから

〈染付秋草文面取壺《そめつけあきくさもんめんとりつぼ》〉(金沙里窯、朝鮮時代[朝鮮半島]、18世紀前半)

NHK さまざまな番組から

我孫子から朝鮮半島へ、京都へ

日本のみならず、世界中の民衆がつくり出した日用の器物に、巧まざる美を発見し、これに「民藝《みんげい》」という名称を与えたのは柳宗悦《やなぎむねよし》である。柳は、民藝の美が生まれてくる秘密の解明と、この美の創造を持続可能なものにするための探求に、生涯を費やした。

二〇〇九年（平成二一）に放送された「美の壺」が、柳が発見した民藝の魅力を探った。

「民藝」とは、民衆的工藝の略称である。柳はその意味を次のように述べている。――第一は実用品であること、第二は普通品であること。たくさんできる器、買いやすい値段のもの。民衆の生活に即したものが民藝品である。

身近な生活の道具に美を見出す。画期的な考え方だった。

「素朴な器にこそ驚くべき美が宿る。作は無慾《むよく》である。仕えるためであって名を成すためではない。丁度労働者が彼らの作る美しき道路に名を記さないのと同じである。作者はどこにも彼の名を書こうとは試みない。悉《ことごと》くが名なき人々の作である。慾なきこの心が如何に器の美を浄《きよ》めているであろう。ほとんど凡ての職工は学もなき人々であった。なぜ出来、何が美を産むか、これらのことについては知るところがない。伝わりし手法をそのままに承《う》け、惑うこともなく作りまた作る。何の理論があり得よう。まして何の感傷が入り得よう。雑器の美は無心の美である」（柳宗悦『民藝四十年』岩波文庫、一九八四年）

そして柳はものに宿る美を一瞬にして見出し、知識ではなく直観でものを選んだ。亡くなる二年前に録音された柳の肉声が残されている。

「じかにものに親しむことが肝心でありまして知るよりも見ることを常に基礎とすべきということを申し述べたいのであります。まず喜びをともにすることを願いたいと存じます」

（美の壺　二〇〇九年一月一六日放送）

柳宗悦は、一八八九年（明治二二）、津藩の藩士柳楢悦《ならよし》の三男として、東京・麻布に生まれた。父の楢悦は、維新後は津と江戸を往来し、海岸や湾内を測量するという特殊な技能によって、明治政府に多大な貢献をした人物である。その父を幼児のときに亡くした宗悦は、母・勝子の手で育てられた。

麻布幼稚園から学習院に進んだ宗悦は、学習院の先輩であった志賀直哉《しがなおや》や武者小路実篤《むしゃのこうじさねあつ》の活動から刺激を受け、雑誌『白樺』の創刊準備にも参加している。『白樺』創刊は一九一〇年（明治四三）四月、柳の東京帝国大学入学と同時であった。

柳は大学では、一八世紀から一九世紀にかけて活躍した英

〈自在掛《じざいかけ》 恵比須〉
（木造、北陸地方、江戸時代、19世紀）

〈地蔵菩薩像〉
（木喰明満、木造、江戸時代、1801年）

国の詩人・画家ウィリアム・ブレイクを研究テーマとし、宗教哲学に関心を寄せて、初期の『白樺』に関連の論考をしきりに発表した。また、『白樺』誌上で、当時の日本ではほとんど知られていなかったビアズリー、フォーゲラー、ウーデといった世紀末色の濃い異色の画家を紹介し、優れた美術批評家としての資質を示している。

　大学を卒業すると、柳は東京音楽学校（現・東京藝大）で声楽を学んでいた中島兼子と結婚し、千葉県我孫子《あびこ》に新居を構えた。我孫子は、母の兄・嘉納治五郎《かのうじごろう》（講道館の創設者）が別荘を営んだ縁である。

　我孫子は後に志賀直哉や武者小路実篤、バーナード・リーチなどが移り住んで、あたかも『白樺』村の観を呈したが、柳はここで、生涯の進路を左右する、ある重要なきっかけをつかむことになった。

　一九一四年（大正三）、我孫子に新婚家庭を築いたばかりの柳宗悦のもとを、当時の京城（現・ソウル）の小学校教師で、彫刻を志していた浅川伯教《あさかわのりたか》が訪れる。朝鮮文化を愛し、後に弟の巧《たくみ》とともに朝鮮美術研究の第一人者として知られることになる浅川兄弟の兄・伯教は、柳の手元にあったロダンの作品を見るためにやってきた。そのとき手土産として携えてきたのが、朝鮮時代の小壺だったのだ。

　異郷の名も無き工人の手によって温かみのある白磁の肌に優しげな秋草が染付で描かれたやきものに触れ、柳はそれま

〈大津絵 阿弥陀如来〉
(紙本著色、江戸時代、17世紀)

〈牛ノ戸焼掛け分け皿〉
(江戸時代、19世紀)

で顧みることもなかった雑器に宿る美に開眼する。二年後には浅川兄弟の案内で朝鮮半島を訪れ、陶磁器を買い集めた。これを皮切りに、生涯をかけた柳の蒐集が始まる。

二一年、柳宗悦は我孫子を引き払って東京に戻ったが、二年余り後には関東大震災に遭い、二四年に今度は京都に移る。柳は我孫子時代に交流を深めた英国人陶芸家バーナード・リーチと、リーチの友人であった濱田庄司《はまだしょうじ》に加え、濱田の紹介で河井寛次郎《かわいかんじろう》を知ることになる。河井とともに、柳がしばしば訪れるようになったのが、京都の朝市だった。

京都に転居した柳は、今日の日本民藝館に収蔵されるコレクションの多くを、「市」で手に入れている。今も京都の東寺で毎月二一日に立つ「弘法さん」、北野天満宮で二五日に立つ「天神さん」は、骨董好き、古道具好きに知られている。そうした市に店を出す人たちは、柳が求めるような器を当時「下手物」と呼んでいたという。

柳を最初に夢中にさせた民藝は、この京都の朝市にあふれていた「下手物」だった。そこには、陶磁器をはじめ、木竹工品、染織品、文房具から仏具にいたるまで、日用品のあらゆるものがあり、民衆の生活のためにつくられたが故の目立たない、無心の美をたたえていたのである。

この京都の朝市から始まった柳の国内での蒐集活動は、日本全国に及んだ。何かいいものがあるとなると、自分の目で確かめないではいられなかった。

京都時代に、柳は甲州に旅して木喰《もくじき》仏に魅せられ、それから二、三年はこの行脚僧木喰上人の手になる粗削りな木彫仏に没頭した。全国を飛び回って木喰仏を確認し、文献を漁ってたちまち木喰仏に新たな光を当てる研究をまとめ上げてしまったのである。柳は木喰仏に、「どこにこれほど親しげな佛があろう。誰もくつろぎ乍ら佛と語る事が出来る」（柳宗悦『木喰五行上人の研究』木喰五行研究会、一九二五年）ということばを寄せている。

この時期にはまた、大津絵の研究も行っている。濱田庄司や河井寛次郎などと連れ立ってしきりに旅をし、九州で日田の小鹿田焼《おんたやき》や、山陰で特色ある緑黒掛け分けの牛ノ戸焼《うしのとやき》などと出会ったのも、京都時代であった。三〇代の若い柳のなかで、こうした友人たちとの活動を通じ、「民藝」ということばが生まれ、そのための雑誌や、民藝館の構想もまた固まっていったのだろう

柳宗悦が生涯一貫して続けた民藝をめぐる活動の原点にあったのは、ウィリアム・ブレイクの研究だった。ブレイクを原点に美と宗教、美と直観に関心が向けられ、やがて仏教美学にたどりつく。二九年（昭和四）、柳はハーバード大学から招聘を受ける。柳はアメリカに渡る前にヨーロッパを旅行し、二九年八月から翌三〇年の七月までアメリカに滞在。帰国後の三一年には、念願の雑誌『工藝』を創刊したが、同じ年に、壽岳文章と共同編集で月刊誌『ブレイクとホヰットマン』も創刊している。

三三年、柳は東京に戻った。二年後の三五年、かねて柳たちの活動を支援していた大原財閥の総帥大原孫三郎《おおはらまごさぶろう》から民藝館建設資金寄贈の申し出があり、翌年、東京・駒場に日本民藝館が開館した。いうまでもなく、初代館長は柳宗悦である。柳はこの日本民藝館を拠点に、第二次世界大戦をはさんで六一年に脳出血で倒れるまで、休みなく働くことになった。

三九年、『民藝』を創刊。戦争の時期を、体制に迎合することなく乗り切った柳は、戦後も精力的に活動した。

柳宗悦の民藝観には早くから宗教哲学が生きており、すでに昭和の初めに、工人が無意識のうちに美しいものをつくりだすことを指して、「他力の美」という仏教的なことばを用いている。晩年、柳のそうした宗教哲学が前面に出てきたのは、民藝の美というものをこれからも生み出し続けるということの難しさを、言い遺していたのかもしれない。

美術館を旅する

いつも変わらぬ憩い

いつ訪れても変わらぬ雰囲気があって、安らぎが感じられる場所。多くの美術館はかつて、そういう場所であったような気がする。

日本民藝館の館内

柳宗悦の民藝運動に関連する民藝館は、全国各地にある。長野県の松本市、鳥取市、岡山県の倉敷市、愛媛県の西条市などの民藝館は、それぞれ設立者や設立経緯、コレクションの特色は異なるが、揺るぎない民藝運動の理念が共有されている。

東京・駒場の日本民藝館はその本拠地である。ここは建物がことに立派で、外観は二つの建物をつないだ中央に入口のある城門のような構えであり、館内の白壁と木組みも、日本の民家というよりは、たとえばスコットランドあたりの田舎にでもありそうな、どこか西洋風の造りである。

日本民藝館の収蔵品は、柳の審美眼によって集められたものが柱になっている。日本の各時代のものをはじめ、世界各地の新古工芸品約一万七〇〇〇点を数える。民藝運動は日本の各工芸界に何人もの作家を生み出しており、それらの作家の作品がコレクションの華ともいうべき部分をなしてきた。たとえば陶芸の濱田庄司、河井寛次郎、バーナード・リーチ、富本憲吉、木工芸の黒田辰秋、染色の芹沢銈介、版画の棟方志功。いずれも民藝の理念を代表する作家たちである。

これらの作家の作品に会うために、民藝に会うために訪れる。目新しさを求めるのではなく、原点に還るために。

日本民藝館の館内には、あちこちに低い木のベンチが置かれている。目まぐるしい日常を離れた時間を過ごすための、安らぎのベンチである。

むらむらと花が迫ってくる。

尾形光琳と
根津美術館

東京都港区南青山6-5-1
(〒107-0062)
03-3400-2536

代表的なアクセス
東京メトロ銀座線・半蔵門線・千代田線「表参道」駅
A5出口から徒歩8分

正門からのアプローチ

この美術館のウェブサイトはこちらから

〈燕子花図屏風〉(尾形光琳、18世紀、紙本金地著色、六曲一双、国宝) 【上】右隻 【下】左隻

NHK日曜美術館から

燕子花《かきつばた》の存在感

尾形光琳《おがたこうりん》（一六五八―一七一六）は京都の富裕な呉服商の家に生まれ、狩野派《かのうは》に学んだが、俵屋宗達《たわらやそうたつ》に私淑し、宗達に始まる琳派《りんぱ》の芸術を大成した。

根津美術館に所蔵される、尾形光琳の代表作〈燕子花図屏《かきつばたずびょう》風《ぶ》〉（一八世紀・江戸時代／国宝）は、金地に群生するカキツバタを描いた、六曲一双の屏風。右隻の六曲には、右から左へわずかに傾きながらカキツバタの群生が描かれ、左隻の六曲には、右から左へ高く、画面の下半分に茎や根元の部分を沈めて描かれている。

一九九六年（平成八）放送の「日曜美術館」は、この光琳の〈燕子花図屏風〉をめぐって、日本画家の加山又造《かやままたぞう》と歌人の俵万智《たわらまち》が語り合った。

俵万智　この絵は、これまで絵葉書や教科書で何度も見て、知っているつもりでいましたが、今日実物を初めて見て、全然印象が違いました。何かこう、むらむらと花が迫ってくるような感じで、すごいですね。

加山又造　おっしゃるとおりですね。琳派の代表的な作品なんですけど、装飾的というよりも、非常に存在感のしっかりした絵ですね。いろんな意味でとても自由でありながら、一つのリズム感というんでしょうか、音楽的なリズム感……画面右側の花の、一面、二面のかたまりが、そのまま四面から五面に繰り返されています。まるで交響楽の繰り返しみたいに。そして最後の場所に来て、押し縮めたような形になる。実際、花というのはこういうふうに感じるような気がしますね。右側は水平的な扱いで、左側の画面は三面ずつ対角線にしているところが、いろいろ理屈もつけられると思いますが、見ていると、存在感から来る、リアリティを感じる。花も、すごく大ぶりに描いています。その花に対して、葉というか、茎が、写実的にはつながっていないんですね。

俵　そうですね。いわれてみて初めて気がつきましたけど。

加山　そのために、かえって実在感というか、存在感があるすごさ。

俵　この絵は『伊勢物語』の「八橋《やつはし》」の場面によるといわれていますが、特に人物が出てくるわけではないし、そこがまた逆に、私自身が「八橋」の場面の登場人物になったような気がしてくるんです。燕子花の空間に業平《なりひら》が立っていたのかな、というような想像が生まれてきて。

加山　本当におっしゃるとおりですね。

俵　左側の画面で、花が右側に行くにしたがって沈んでいる、この描き方はどういうことなんでしょうか。

加山　絵画空間の横への広がりと、縦というか、奥行きがとらえられているんです。右側の画面で、花を仰ぎ見るような位置から描かれていますが、左側では、花は俯瞰したような位置から描かれています。一見、同じように見えますが、花をとらえる角度がまるで違うんですね。実物のスケッチからだけでは、こういう絵は生まれて来ない。光琳は描きながら、こういう世界をつくり上げる喜びを感じていたのではないでしょうか。そこに、見る人が、絵のなかに立てるような感覚も生まれているのだと思います」

（日曜美術館　一九九六年四月二一日放送）

美術館を旅する

屈指の古美術と日本庭園

根津美術館は、通りと建物の間に竹の植え込みがある。その植え込みと建物の間を歩き、玄関に至るこの美術館のアプローチは、深い庇の軒下に敷かれた床石の上を進んでいく。地上二階、地下一階の建物は、和風の大屋根を持つシンプルな外観。二〇〇九年（平成二一）に隈研吾《くまけんご》の設計によって、新築されたものだ。

エントランスからそのまま続くホールには、クシャーン朝時代の弥勒菩薩立像や天龍山石窟の仏頭、浮彫りの如来三尊など、三世紀から八世紀頃にかけての西域や中国の石仏が展示されている。

全部で六つの展示室の内、「展示室四」は古代中国の青銅器の部屋。紀元前一三世紀から紀元前八世紀までの、重要文化財を含む世界屈指の青銅器は、会場に重々しい静けさをもたらしているようだ。

根津美術館は、鉄道王と呼ばれた東武鉄道の創業者・根津《ねづ》嘉一郎《かいちろう》（一八六〇－一九四〇）の収集した美術品四六〇〇余件を展示するために開設された美術館である。二代目根津嘉一郎（一九一一－二〇〇二）が一九四〇年（昭和一五）に財団をつくり、翌年、根津美術館が開館した。その後も収集は続けられて、現在では館蔵品は七四〇〇件を超える。国宝七件、重要文化財八八件を含む、東京でも屈指の古美術コレクションだ。よく知られているものに、いずれも国宝の〈那智瀧図《なちのたきず》〉（一三－一四世紀・鎌倉時代）、尾形光琳〈燕子花図屏風〉（一八世紀・江戸時代）、伝李安忠《りあんちゅう》〈鶉図《うずらず》〉（一二－一三世紀・南宋時代）、牧谿《もっけい》〈漁村夕照図《ぎょそんせきしょうず》〉（一三世紀・南宋時代）などがある。

初代根津嘉一郎については、「新日曜美術館」でも取り上げられている（二〇〇九年一一月六日放送）。旧大名家が家宝を売りに出していた明治末期から大正初期の頃、名品を手に入れる

根津美術館の庭園の石仏

ため惜しみなく私財を投じた根津には、「貴重な我国の美術品は、海外へ搬出されるよりも、国内に留めて置いた方が、国家のために有益であると信じてゐる」（根津嘉一郎『世渡り体験談』）という信念があったことが紹介された。

重要文化財に指定されている〈花白河蒔絵硯箱《はなしらかわまきえすずりばこ》〉（一五世紀・鎌倉時代）は、室町将軍・足利義政《あしかがよしまさ》旧蔵と伝えられる名品だが、美術館の年表によれば、根津嘉一郎が大変な高額でこの硯箱を手に入れたのは一九〇六年（明治三九）のことだった。根津嘉一郎は、これにより、収集家として一躍注目を集めることになったといわれている。

根津美術館を訪ねたら、館の前に広がる庭園をぜひ歩いていただきたい。

さまざまな最先端が溢《あふ》れる東京の青山は、高台の街。根津美術館はその高台から低地へ傾斜するところに位置している。建物の前の斜面とその下の窪地を生かしてつくられた五〇〇〇坪の庭園は、木々が生い茂るなかに四棟の茶室が点在し、池をめぐって小径が縦横に通じている。

南青山のパワースポット詣で。

岡本太郎記念館

東京都港区南青山6-1-19
(〒107-0062)
03-3406-0801

代表的なアクセス
東京メトロ銀座線・半蔵門線・千代田線「表参道」駅
A5出口から徒歩8分

この美術館のウェブサイトはこちらから

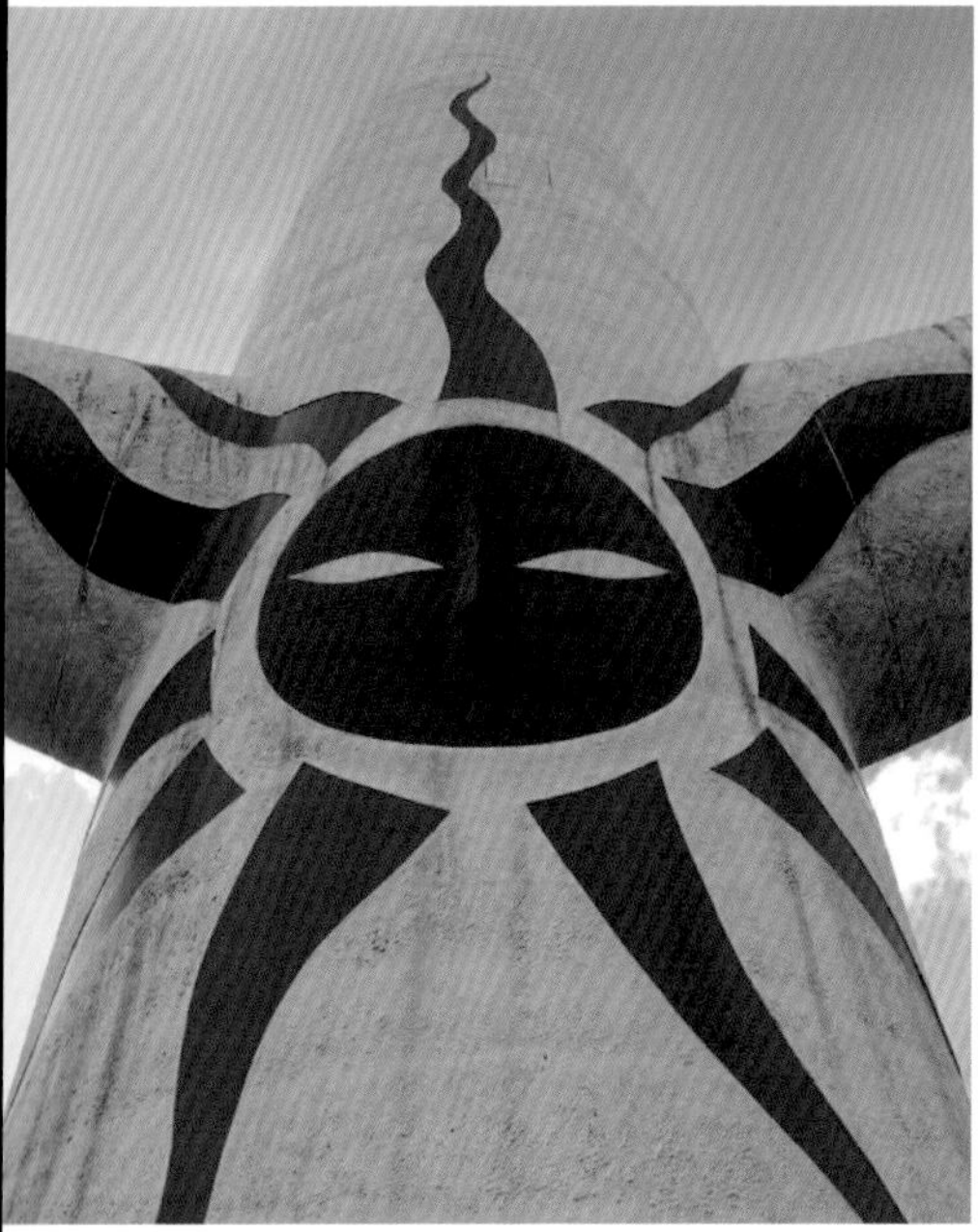

〈太陽の塔〉(岡本太郎、1970年、高さは約70メートル)。背面には「黒い太陽」。所在地は、大阪府吹田市千里万博公園1-1

NHK日曜美術館から

嫌われてこそ前衛

一九八一年（昭和五六）の「日曜美術館」で、詩人・作家の金井美恵子《かないみえこ》が岡本太郎《おかもとたろう》のアトリエを訪ねた。二人が語り合ったのは、〈太陽の塔〉（一九七〇年）についてである。

金井美恵子　万博では、造型作家の前衛的な試みがたくさんあったわけですけど、一番おもしろかったのは岡本さんの作品でした。多くの作品は、企業の目的と結びついてしまって、肯定的な進歩主義のようなものになり、批判の精神というものがない。〈太陽の塔〉は、逆説的な感じでおもしろかったですね。反万博的でした。

岡本太郎　私は「進歩と調和」という万博のテーマに反対だったんです。人類はちっとも進歩していませんよ。工業関係はどんどん発達して生産は驚くほど拡大し、それに見合って人口も激増した。だが、人間のほうは本当の生き方をしていない。大会社に勤めれば勤めるほど、一日中システムに組み込まれて、自分の生身で生きるなんてことはできないんです。だから私は、進歩とは反対の、何万年前の石器時代の人間がつくったんじゃないかと思えるようなものをつくるんです。調和にも反対。本当に自分のやりたいことを遠慮し、相手も少し頭を下げて、お互いにごまかし合う。それが調和ですよ。だから私は、嫌われるようなものをつくったんだ。反対運動が起こりましたよ。国の広場を使い、国の金を使って、なんで〈太陽の塔〉のような、岡本太郎的なものなんだ、とね。

金井　でも、〈太陽の塔〉は結局嫌われてなんかいませんよ。

岡本　嫌われるようにつくったんだけれども、好かれちゃった。好かれることを前提としないでつくって、好かれるんなら、それはそれで結構なんです。純粋に芸術的な信念で作品をつくったら、日本では通用しないんです。ですから、通じないことを前提にものをつくって、耐えて長く闘い続けてきたんですが、辛かったけれども、だんだん、そういうものに引きつけられてゆく大衆もいるし、インテリでも、つまらないことにこだわらない人がいて私に協力してくれるようになってきています。好かれようと思って何かやったら、おしまいですね。

（日曜美術館　一九八一年三月八日放送）

美術館を旅する

まるごと岡本太郎の痕跡

岡本太郎記念館に行くには、青山界隈に不案内な方は、根

岡本太郎記念館のサロン

津美術館を目指すとわかりやすい。根津美術館は、表参道の交差点から原宿駅へ向かうのと反対の方向へまっすぐ歩いて一〇分弱。この通りは古くから、高級ブランドショップが軒を連ねていて、ウィンドー・ショッピングも楽しめるし、途中にはヨック・モックやフィガロといった、歴史のあるカフェやレストランもある。

根津美術館前の交差点を右折してしばらく歩くと、南青山六丁目交差点の直前、通りに面して左側に老舗のジャズ・クラブ、ブルー・ノートの縦に細長い建物がある。このブルー・ノートの入口を背にして、向かい側の路地を覗《のぞ》く。もしかしてあれが、と思ったら、それがまさしく岡本太郎記念館だ。記念館の一風変わった外壁の一部が、もうそこから見えている。

岡本太郎記念館は、岡本太郎（一九一一―一九九六）が戦後五〇年近く住居兼アトリエとして住んだ家を記念館にしたものだ。もともと両親の岡本一平（漫画家）と岡本かの子（小説家）の時代からここに暮らしており、戦災で焼失したあと、太郎がル・コルビュジエの弟子の坂倉準三《さかくらじゅんぞう》に依頼して建てたのが、現在の建物である。個人の住宅だったから広くはない。展示スペースも限られており、岡本の作品を見に行く美術館というよりも、ありし日の岡本太郎のパワーを感じるために訪れる場所である。

信楽で焼かれた陶製の〈坐ることを拒否する椅子〉(1963年)

玄関を入ると、靴を脱がなければならない。向かって左手が受付とミュージアム・ショップ。正面に〈縄文人〉(一九八二年)という彫刻作品が展示してある。二階の二室が展示室になっていて、広い部屋のほうには若い作家の、岡本太郎へのオマージュを主題とした作品が展示されていた。もう一室では、生前の岡本のビデオの映像とインタビューの音声が流れている。

興味深いのは、一階の右側にあるサロンと呼ばれている部屋と、その奥のアトリエだ。サロンには岡本の等身大の人形のほか、とても座りにくそうな椅子や、使えるのかどうかわからない食器など、いかにも岡本のいたずらっぽい作品が飾られている。アトリエには、棚に描きかけかと思われる大小のキャンバスがぎっしりと詰め込まれており、大きな机の上には、すさまじい数の絵の具と絵筆が闘いの後のように古びていた。

庭に出ると、大木となった何本かの実芭蕉《みばしょう》の間に、太陽の顔や、何と呼んでいいのかわからない立体作品、釣り鐘などが置かれている。子供が釣り鐘をたたくと、良い音がした。

岡本太郎記念館は、内部はもちろん、建物や庭、展示品など全体のたたずまいが、岡本太郎その人そのもののような姿をしている。そしてその存在は、南青山という先端を行く街に、何かスピリットのようなものを与え続けているようだ。

奇跡の瞬間をつかまえる。

速水御舟と
山種美術館

東京都渋谷区広尾3-12-36
(〒150-0012)
050-5541-8600(ハローダイヤル)

代表的なアクセス
JR「恵比寿」駅西口
あるいは東京メトロ日比谷線「恵比寿」駅
2番出口から徒歩約10分

この美術館の
ウェブサイト
はこちらから

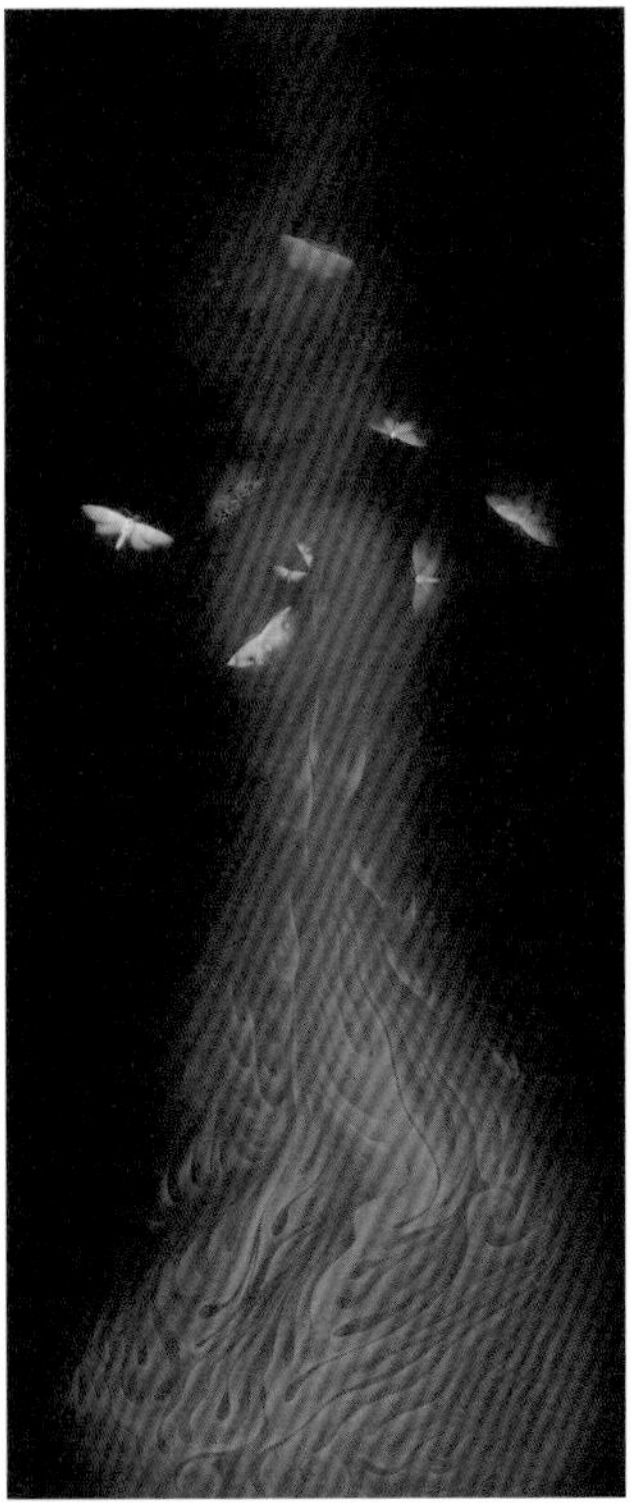

【右】〈京の舞妓〉(速水御舟、1920年、絹本著色、東京国立博物館蔵)
【左】〈炎舞〉(速水御舟、1925年、絹本著色、重要文化財)

NHK日曜美術館から

天才の名作

明治に生まれた近代日本画に、変革の波が訪れた大正中期。京都で村上華岳《むらかみかがく》や土田麦僊《つちだばくせん》の国画創作協会が起こったのに対し、東京では速水御舟《はやみぎょしゅう》（一八九四―一九三五）が、類いまれな才能によって注目され、新日本画への期待を一身に担っていた。ただ、その後、この時代をリードした日本画家たちは、華岳五一歳、麦僊四九歳、御舟四〇歳と、いずれも画業半ばで早逝しており、日本画の新たな展開が断ち切られてしまったことが、惜しまれる。

二〇〇四年（平成一六）の「新日曜美術館」で、世界を舞台に活躍する現代美術家・村上隆《むらかみたかし》が速水御舟の代表作について語った。

まず一九二〇年（大正九）、御舟が二〇代で描いた〈京の舞妓〉。一般的な意味で美しいとはいい難いこの舞妓像を、村上は次のように見る。

「この時代の画家であるということと、二〇代という年齢を考えれば、御舟には、モチーフの舞妓に対して真摯であればあるほど、自分の正直な気持ちを全部ぶち込みたいという、欲望があったと思います。ですから、この作品にはその頃の御舟の持てるパワーのすべてが入っているはずです。御舟の代表作の一つに挙げられるのも、舞妓さんへの思いであるとか、技術に対する苦心惨憺たる思いであるとかが、凝縮して、絵に焼きついているんですね。描かれた舞妓さんが不気味であろうが何だろうが、見る者を集中させる力がある。怨念のようなものが詰まった、ある種の名作だと思います」

二作目は、一九二五年、御舟三一歳の時に描いた〈炎舞《えんぶ》〉。やはり山種美術館が収蔵する〈名樹散椿《めいじゅちりつばき》〉（一九二九年）とともに重要文化財に指定されている名作だ。村上は、この絵が生まれた「奇跡」について話す。

「〈炎舞〉のための蛾のスケッチを見たことがあるんですが、質量ともに相当な蛾のスケッチをしているんですね。それと、この絵を描く前に、御舟は武蔵野の平林寺《へいりんじ》（埼玉県新座市）という寺で九か月もの間座禅を組んで、修行をしたようです。〈炎舞〉を見ると、そういう自分の画力に対する自信と、自分の心のなかを見つめたという自信が合体して、迷いがないんですね。〈京の舞妓〉は、ある意味で迷いだらけ。ただ、〈炎舞〉という作品は、自分の人生の哲学と絵を描くという行為が見事に合体した瞬間に描かれたもので、それは一生に何回か訪れる、奇跡的な瞬間だったのだと思います。

僕ら芸術家は、毎日毎日修行のように絵を描いたり、いろいろなことを考えたりしているのは、この奇跡の瞬間を待つ

〈名樹散椿〉(速水御舟、1929年、紙本金地著色、二曲一双、重要文化財)。
京都市北区の地蔵院(俗称「椿寺」)の椿。白・紅・桃色・紅白絞り……と色とりどり花を咲かせ、山茶花のように一ひらずつ散る五色八重散り椿で、御舟が写生した当時は樹齢400年程の老木だった。この椿は枯れてしまい、現在は2代目に変わっている

ているんです。御舟も、〈炎舞〉で奇跡をつかまえたと自覚していたと思いますが、次の奇跡が訪れるのを待っていたでしょうね」

(新日曜美術館　二〇〇四年一〇月三一日放送)

美術館を旅する

近・現代日本画の軌跡

一九六六年(昭和四一)に開館した山種美術館は、一九七〇年代から八〇年代にかけて、一美術館以上の存在であった。日本画に傾倒した実業家の山﨑種二《やまざきたねじ》(一八九三―一九八三)が、大家たちと交流し、若い日本画家らへの支援の過程で形成したコレクションが、この美術館の基礎である。そして、美術館の事業として隔年で行う山種美術館賞(第一回は一九七一年)を設けたことが、若手日本画家の登竜門として広く注目を集めた。近藤弘明《こんどうこうめい》、牧進《まきすすむ》、竹内浩一《たけうちこういち》、小泉淳作《こいずみじゅんさく》、中島千波《なかじまちなみ》、内田あぐりといったその後めざましい活躍をすることになる日本画家たちは、いずれも山種美術館賞の大賞か優秀賞の受賞者であった。

山種美術館賞の選考と、受賞作の展覧会「山種美術館賞展　今日の日本画」は、一九九七年の「第一四回」まで隔年で実施された。二〇一六年には、開館五〇周年を記念して、装いも新たに公募展「Seed 山種美術館 日本画アワード」がスタ

ート。二〇一九年の第二回（通算で一六回目）に際しては、一八九点の応募作があり、そのなかから大賞、優秀賞、特別賞、奨励賞が選ばれ、それらを含む入賞作四四点を公開する展覧会が開かれた。

山種美術館の功績はもう一つ。総合商社安宅産業の経営が破綻し、会長・安宅英一《あたかえいいち》が収集した美術品はどうなるのか、という話題が美術界をにぎわした七〇年代。安宅コレクションは、中核をなす東洋陶磁器（現在、大阪市立東洋陶磁美術館所蔵）のほか、内容が多岐にわたる膨大なもので、そのなかには速水御舟の作品一〇五点も含まれていた。これを一括して山種美術館が買い取ったのである。日本絵画の至宝ともいうべき速水御舟の主要な作品を、散逸から守り、海外流出などから防いだ、快挙であった。

御舟作品の行く末をはらはらしながら見守っていた美術ファンは、山種美術館に収まって安堵した。その頃、美術館は、地下鉄東西線の茅場町《かやばちょう》駅からすぐのところにあった。

一八九四年（明治二七）、東京・浅草で生まれた速水御舟は、美術学校ではなく画塾で学び、一〇代の頃から画友たちと日本画革新の運動を起こしてたちまち画壇のホープとなった。二五歳の時、浅草・駒形橋で電車に轢《ひ》かれ、左足をくるぶしから切断、義足となる。一九三〇年（昭和五）にヨーロッパを旅しているが、その時も絶えず義足ずれに悩まされていたという。四〇歳で早逝したが、長くない生涯に幾多の名作を残し、代表作〈名樹散椿〉は、昭和の絵画としては最も早く国の重要文化財に指定された。

山種美術館は一九九八年（平成一〇）の千代田区三番町への仮移転を経て、二〇〇九年に渋谷区広尾の現在地に移った。

JR恵比寿駅の西口を出て左手、山手線の高架と交差している駒沢通りを右へ曲がって歩くと、渋谷橋という交差点を四方に渡れる歩道橋がある。この歩道橋を渡って駒沢通りの坂道をまっすぐ上がって行くと、やがて右手前方に、山種美術館が入るビルが見えてくる。平たく白い石塔を、何枚も並べたような外観を持った建物だ。

美術館は、一階のフロアをエントランス兼カフェに使用し、地階フロア全部が展示室だ。一階は通りに面してガラス張りになっていて明るく、入り口では昔ながらの山種美術館のロゴ（安田靫彦《やすだゆきひこ》揮毫）の看板が迎えてくれる。加山又造《かやままたぞう》の陶板壁画〈千羽鶴〉（一九七七年）も飾られている。以前からの山種美術館の雰囲気を伝えようとする配慮が随所に見られるのは、嬉しいことだ。

原宿で、江戸のカルチャーに出会う。

浮世絵と
太田記念美術館

東京都渋谷区神宮前1-10-10
(〒150-0001)
050-5541-8600(ハローダイヤル)

代表的なアクセス
JR「原宿」駅、表参道口から徒歩5分。
あるいは東京メトロ千代田線・副都心線
「明治神宮前〈原宿〉」駅、5番出口から徒歩3分

この美術館の
ウェブサイト
はこちらから

【右】〈北國五色墨 てっぽう〉(喜多川歌麿、1794〜95年頃)
【左】〈おし絵形 汐汲〉(勝川春英、1795年頃)

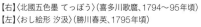

NHK日曜美術館から

名品でたどる浮世絵史

一九八〇年（昭和五五）放送の「日曜美術館」で、浮世絵研究の重鎮・鈴木重三《すずきじゅうぞう》が、太田記念美術館の所蔵品のなかの名品を紹介しながら、浮世絵のおおまかな歴史をたどった。

鈴木春信《すずきはるのぶ》の〈風流うたひ八景〉から、〈鉢木の暮雪〉と〈絃上《げんじょう》の夜雨〉。〈風流うたひ（謡）八景〉は、近江八景などのように、名所の情景を八つの場面に描く形式に合わせ、謡曲の八つの曲目を選び、それぞれに対応する景色を描いたものだ。「鉢木」「絃上」とも謡曲名で、ほかに「羽衣」「松風」「高砂」などが取り上げられている。

「それまでの浮世絵版画は、一色刷りで、墨一色で刷ったものに一枚ずつ色を筆で加えていく手彩色がありましたが、鈴木春信の時から、多色刷りが始まり、錦のようにきれいだという意味で、錦絵と呼ばれるようになります。細身で、独特の情趣を持つ春信の描く美人は、以後の浮世絵美人画に大きな影響を与えました」

次に、鳥居清長《とりいきよなが》の〈真崎の月見〉。

「天明時代（一七八一－八九）頃の浮世絵は、京都から写実主義が入ってきて、八頭身の健康美人を描くようになりましたが、その第一人者が鳥居清長でした。これは版画ではなく肉筆画です。清長の肉筆は少なく、貴重な作例です」

続いて、勝川春英《かつかわしゅんえい》の〈おし絵形 汐汲〉（一七九五年頃）。

「勝川は役者絵の得意な流派ですが、清長などの影響もあって、美人画風の絵も描くようになりました。おし絵形とは、羽子板の表面などに布でつくる絵のことですが、これは、その感覚を真似て描いた浮世絵版画です。シリーズとしてほかにも一一枚ほど知られていますが、いずれも歌舞伎の有名な所作事を題材にしています」

そして、喜多川歌麿《きたがわうたまろ》の〈北國五色墨 てっぽう〉（一七九四－九五年頃）。

「歌麿は美人の半身図をつくり出しました。これを大首絵《おおくびえ》といいます。北國とは、吉原のこと。吉原の店にはランクがありまして、最下級を『てっぽう店』といい、これは食べればあたるの意で、フグのことです。毒を持つ遊女を描いたものです」

さらに、東洲斎写楽《とうしゅうさいしゃらく》の〈七世片岡仁左衛門の紀名虎《きのなとら》〉と〈三世澤村宗十郎の孔雀三郎〉（ともに一七九四年頃）。

「写楽の後期の作で、珍品中の珍品といえる作品です。と

【上左】〈風流うたひ八景 鉢木の暮雪〉 【上右】〈同 絃上の夜雨〉（ともに鈴木春信、1768〜69年頃）
【下】〈真崎の月見〉（鳥居清長、1781〜89年頃）

【上左】〈三世澤村宗十郎の孔雀三郎〉【上右】〈七世片岡仁左衛門の紀名虎〉（ともに東洲斎写楽、1794年頃）
【下】〈江戸近郊八景 玉川秋月〉（歌川広重、1838年頃）

くに右側の仁左衛門は、世界でこれ一枚しか知られていない作品です」

最後に取り上げたのは、歌川広重《うたがわひろしげ》の〈江戸近郊八景 玉川秋月〉（一八三八年頃）。

「左の端に大盃堂《たいはいどう》という文字がありますが、狂歌師でもあった酒屋の主人が仲間に配ったもので、絵のなかに書き込まれているのが狂歌です。広重の版画のなかでも珍しい物で、このシリーズが八枚揃っているのは、おそらく太田記念美術館だけです」

（日曜美術館 一九八〇年一月一三日放送）

美術館を旅する

専門館の財産

原宿駅から表参道の欅《けやき》並木を下って行くと、明治通りとの交差点に出る。ここが街の中心で、ここから四方に滲《し》み出すようにショップやカフェのにぎわいがひろがり、今もひろがり続けているのが、原宿なのだ。

交差点には原宿を象徴する商業施設が時代ごとに登場するが、ある時期からかなり長い間その役割を担ってきたのが、「ラフォーレ原宿」であろう。このビルの真裏に、太田記念美術館がある。表通りから一本、道を入っただけなのだが、ひっそりとした一角だ。

一見、窓のない石倉風の、二棟が連結した形の建物。自然光など強い光に弱い植物染料を用いた浮世絵版画を保存展示するために、閉鎖的な建物になっている。館内では、細心の注意を払って作品の展示が行われている。

太田記念美術館は、一九八〇年（昭和五五）、浮世絵専門の美術館として、この地にオープンした。

開館の年の「日曜美術館」で、鈴木重三はこの美術館について、語っている。

「太田記念美術館に収められた浮世絵約一万二〇〇〇点は、実業家の五代目太田清蔵《おおたせいぞう》さん（一八九三―一九七七）が集めた個人コレクションですが、量的にも日本最大なら、逸品揃いという点でも愛好家の間ではよく知られているものです。このコレクションの公開によって、初めて人びとの目にふれる作品、あるいは専門家にとっても新発見といってよい作品が数多くございます」

（日曜美術館 一九八〇年一月一三日放送）

館蔵品はその後約二〇〇〇点を加え、現在では約一万四〇〇〇点といわれている。それに加えて、太田記念美術館は、月一回の特別展で、他館の収蔵品や館外の個人コレクション

太田記念美術館の館内

の作品も積極的に展示している。

江戸初期から明治まで、浮世絵は庶民生活のあらゆる面を描いた、いわばビジュアル文化であった。

ニュースも、ファッションも、演劇も、今日いうところの風俗、名所案内という旅情報、食、職人の世界、全国の名産品、動物のいろいろ、妖怪や幽霊まで、およそ浮世絵にならないものはなかった。

誰もが知っている、写楽、北斎、歌麿、広重といったビッグ・ネームも、注文仕事で意外なものを描いていたりする。

太田記念美術館の企画展は、どのようなテーマでも、江戸時代の人びとの暮らしぶりと心映えが横溢する。

若者たちでにぎわう最先端の街で、一歩踏み込めば江戸に出会える。この立地こそ、他の美術館にはない太田記念美術館の大きな魅力だ。

一九八〇年の開館以来、どれほどの人が、ここでどれほどの江戸と出会い、どれほどの影響を受けたのか、はかり知れない。

絹の道につながる、甲斐小泉。

平山郁夫
シルクロード美術館

山梨県北杜市長坂町小荒間2000-6
(〒408-0031)
0551-32-0225

代表的なアクセス
JR小海線「甲斐小泉」駅からすぐ。
あるいはJR中央本線「小淵沢」駅から
タクシーで約10分

この美術館の
ウェブサイト
はこちらから

平山郁夫の制作風景

NHK日曜美術館から

一本の線、重ねる色

平山郁夫《ひらやまいくお》は一九三〇年（昭和五）、広島県に生まれた。中学三年生の時に被爆。東京美術学校（現・東京藝大）日本画科卒業。前田青邨《まえだせいそん》に師事。五三年、院展に初入選。六一年、〈入涅槃幻想〉で院展の大観賞を受賞。翌年、ヨーロッパに留学する。六四年、院展同人。六六年に東京藝術大学学術調査団に加わってトルコに赴き、翌年には法隆寺金堂壁画の模写に参加する。七三年、東京藝術大学教授。中近東、中央アジア、中国などを毎年取材して、仏教伝来の道を追求し、シルクロードの画家と呼ばれるに至った。八九年（平成元）、東京藝術大学の学長に就任。院展でも理事長などを務めた。九八年、文化勲章受章。二〇〇九年（平成二一）没。

二〇〇七年の「新日曜美術館」で、女優の檀ふみが平山郁夫を鎌倉のアトリエに訪ねた。

檀ふみ　いろいろなラクダのキャラバンがありますね。

平山郁夫　それぞれの絵はみんな服装が違います。アフガンとか、インドとか、中国とか。

檀　同じラクダでもそれぞれ違う場所で……なるほど。

平山　砂漠にも、ほんとうにフラットな砂漠もあれば、波打ったような砂丘のある砂漠もある。いろいろですね。

果たしてシルクロードに何回足を運んだのか。

平山　一四〇～一五〇回は行っています。同じシルクロードでも、ステップ、オアシス、砂漠、海、多岐にわたっています。（テーブルの上にある画帖の山を指して）これはシルクロードに関するスケッチです。

檀　スケッチブックは、一回の旅に何冊くらい持って行かれるのですか。

平山　四、五冊やるときもありますね。

檀　平山さん、ご覧になりだしたら、止まらないですね。

平山　懐かしいですからね。（「バーミヤン石窟」のスケッチブックを広げながら）これは苦労してヒンドゥークシュ山脈を越えて、カブールから一日がかりで行って、このバーミヤンの谷に着いたわけですね。暮れなずむ時の感動を描いてみようというんで。暗くなりますからね、何枚も描く。三六〇度描いたこともあります。

スケッチが呼び覚ます、あの時。

平山　ええ、もう。やっぱり記憶にありますね。どんな箇

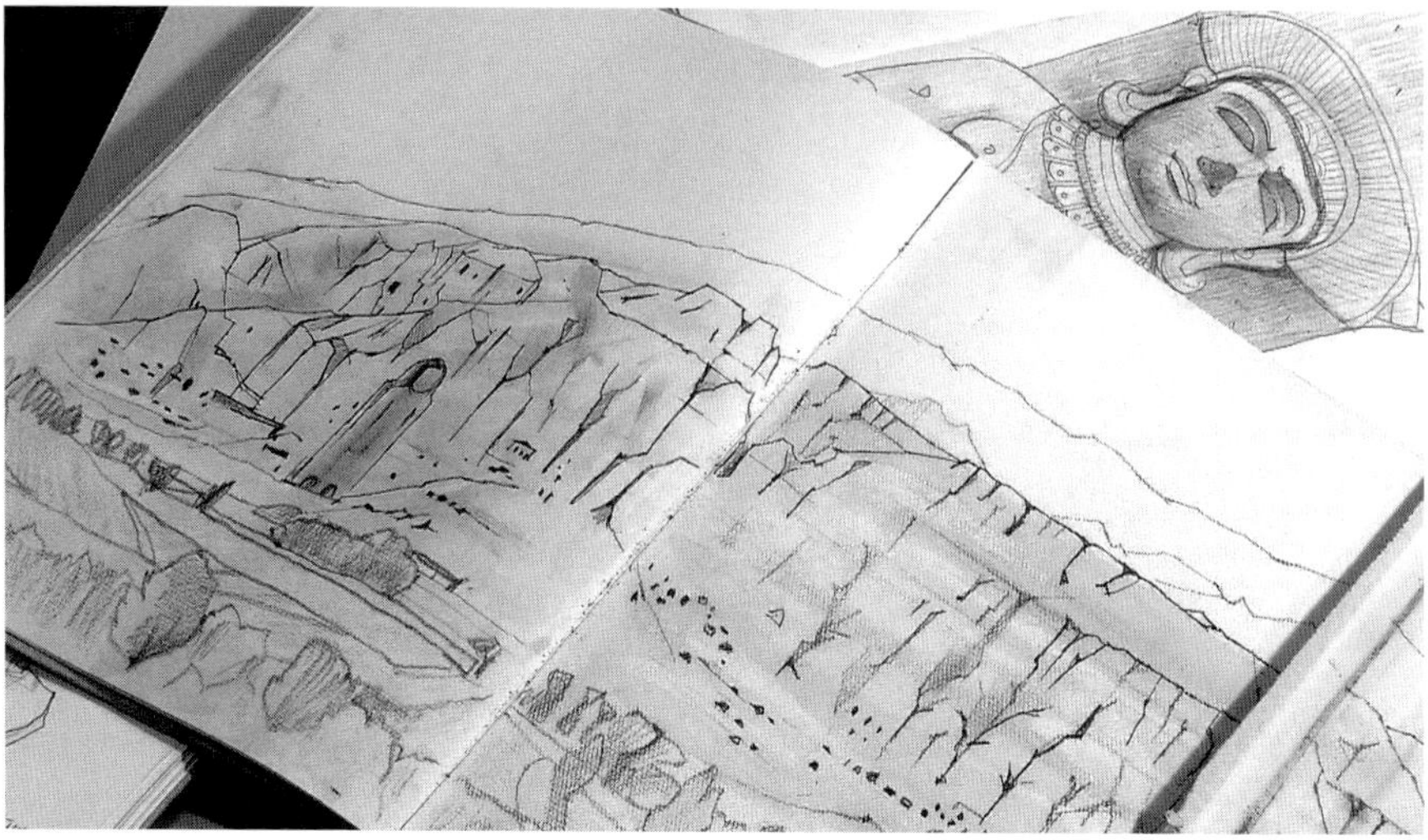
「バーミヤン石窟」のスケッチブック

単な線でも一本でも描くと、その実感が残るんですね。大きさだとか、質感だとか。臨場感がインプットされているんですね。

取材時に手がけていたのは、トルコのエフェソスにある古代ローマ遺跡だった。

日本画の絵の具は鉱物の粒子でできている。そのため、塗り重ねると、絵の具の粒子の隙間から下の絵の具の層が見え、重層的な色彩が生まれる。ごく薄い絵の具を一か所に百回以上も重ねる。石一つひとつまで丹念に描いた輪郭線の上に、絵の具を重ねて行く。

平山　色数にしては割合に少なくても、塗り重ねる回数によってニュアンスが違って深みが出ますから。それで味を出してくるっていうんですかね。塗りっぱなしだと、その味がないわけですよね。味というか、感情を出すっていうんでしょうかね。

塗り重ねた画面を見ると、柱や石垣に深い陰影が生まれているのがわかる。近寄ると、輪郭線が絵の具の下に沈み、光を放つような不思議なラインが生まれている。時を重ねた柱そのもののような絵肌。絵の具の粒子の密度まで計算して重ねることで質感を表す。一筆足りなくても、一筆多すぎても駄目だと平山は言う。大画面の隅々まで自らの望む、ある空気と密度で充たされるまで、絵筆を重ね続ける。

平山　こういうような天然岩石を砕いて塗り重ねるんですけど、やはり、気持ちを入れるというんですかね、感情移入というんですか……。

檀　重ねて重ねて、そこで表現したいものっていうのは、どういうものですか。

平山　歴史のある自然っていうんですかね、物語や、人の気配や営みがあった跡で、今は何もなくても、そういう場所に立つと、歴史の音、風があるっていうんでしょうか。大シルクロードじゃないですけれども、美術館の壁を埋めて西から東へ、いろいろな遺跡をはさみながら描きたいと思っていましてね。もう一回生まれ直さないとできないくらいの量の、まだ描きたいことがあります。

（新日曜美術館　二〇〇七年九月三〇日放送）

美術館を旅する

シルクロードの東端

JR小海線甲斐小泉《かいこいずみ》駅の改札を出ると、目の前に、平山郁夫シルクロード美術館がある。カーブした一枚の板を乗せたような屋根を持つ、ガラス張りの白い建物は、緑の高原に忽然と現れたような趣を見せている。

二〇〇四年（平成一六）、平山郁夫の生前に開館したこの美術館は、主として平山郁夫・美知子夫妻が一九六八年（昭和四三）以来四〇年間にわたって収集した、シルクロード関連の美術品コレクションを展示するために建設された。収蔵する美術品は、ローマを中心とする地中海世界から、西アジア、中央アジア、インド、中国、東南アジア、日本まで、約三七か国にわたるシルクロード全域の、古代から現代に至る絵画、彫刻、工芸品など約九〇〇〇点を数える。平山郁夫自身の作品も、シルクロードを描いた大作の屏風などを中心に、五〇点近くを所蔵する。

美術館を訪ね、展示される美術品を実際に観覧すると、シルクロード関係の平山コレクションが大規模で高レベルのものであることに驚かされる。

一階の展示室に入ると、アンフォラやオルペのギリシャ陶器、金細工に大きなラピスラズリをはめ込んだバクトリア時代（アフガニスタン）の冠、ササン朝ペルシア（イラン）のガラス器、ラスター彩やミナイ手のペルシア陶器（イラン）、ガンダーラの仏陀立像、仏陀坐像、弥勒菩薩《みろくぼさつ》交脚像、樹下観耕の太子像頭部、マトゥラー様式の仏陀坐像、唐三彩の一メートル近い駱駝、蓋つき壺の完品、唐時代の観音菩薩立像、タイ

〈楼蘭遺跡を行く・日〉（平山郁夫、2005年、紙本著色、四曲一双）

の先史時代の陶器（バンチェンタイ）といった古代の重宝名品が、整然と展示されている。

忘れてはならないのは、これらのコレクションは単なる美術品収集目的でなされたのではなく、文化財赤十字構想のもと、文化財を保護するために重ねた平山郁夫の活動の結晶であるということだ。

周知のとおり、平山郁夫は非常に人気の高い画家で、その人気に応え、おそらくはさまざまな方面から持ち込まれたのであろう各種の絵画展や版画展の企画を、営々とこなしていた。それは、旺盛な制作意欲なしにはなしえなかったことであろう。だがそれだけではなかったのではないか。この壮大なシルクロードコレクションをつくりあげる、文化財を保護するという夢が、彼の厳しい仕事の支えになっていたのではないだろうか。展示品の一点一点の重さを思うにつけ、多忙に耐えているような、ありし日の仕事ぶりを思い出して、そんな想像をしてみたくなる。

二階に上がり、シルクロードの大作を見る。

晩年の平山郁夫は、シルクロードの砂漠を往来するラクダのキャラバンを描いた「大シルクロード・シリーズ」を相次いで発表した。平山が描き続けてきたシルクロード絵画の集大成ともいうべき連作である。各作品は、群青《ぐんじょう》色とオレンジ色を基調としたものが対になり、夜と朝、月と太陽、東と西が対比されている。

〈シルクロード行くキャラバン―西・月―〉（平山郁夫、2005年、紙本著色、四曲一双）

〈楼蘭《ろうらん》遺跡を行く〉〈シルクロード行くキャラバン〉（ともに二〇〇五年）、〈パルミラ遺跡を行く〉（二〇〇六年）、〈アフガニスタンの砂漠を行く〉（二〇〇七年）などの四曲一双の大画面に描かれているのは、まさに時空を超えてつながる道。それぞれに迫力をもってそこにある対の作品群のなかで、特に、月光に照らされた世界を表現する深い群青に惹《ひ》かれる。

平山は、このシリーズを美術館開館の頃から描き始め、亡くなる二〇〇九年の院展まで描き続けた。総数一二作。二階の大展示室で、順次入れ替えながら常設展示されている。

その日はあいにくの雨で、美術館を出ると、眺望はゼロに近かった。平山がこのあたりから見える、かがやくばかりの富士山を描いた〈小泉富士〉（二〇〇五年）がこの美術館に所蔵されているが、この時はすぐ近くの山さえすっぽり霧に包まれてしまっていた。甲斐小泉駅の五、六人でいっぱいになってしまいそうな駅舎に、すし詰めになって電車を待った。

小海線に乗り、小淵沢へ。小海線は鉄道マニアに人気の線だと聞いているが、雨のなかを一駅乗っただけでは、その魅力を味わったことにはならないかもしれない。

ともあれ、平山郁夫シルクロード美術館という重量級の美術館があることで、甲斐小泉には、シルクロードの東の端という、大きなマークがつけられることになったのである。

早逝の天才を偲ぶ聖堂。

碌山美術館

長野県安曇野市穂高5095-1
（〒399-8303）
0263-82-2094

代表的なアクセス
JR大糸線「穂高」駅から
徒歩7分

この美術館の
ウェブサイト
はこちらから

〈女〉（荻原守衛、1910年、ブロンズ）

NHK日曜美術館から

ロダンとの出会い

荻原守衛《おぎはらもりえ》（号・碌山《ろくざん》）は一八七九年（明治一二）、長野県南安《あ》曇《ずみ》郡東穂高《ひがしほたか》村（現・安曇野市）に生まれた。号の碌山は、夏目漱石の小説『二百十日』の主人公の一人「碌《ろく》さん」にちなんだもの。二〇歳の時に上京し、小山正太郎《こやましょうたろう》の画塾不同舎で洋画を学ぶ。二年後に渡米。苦学して絵画研究を続け、高村光《たかむらこう》太郎《たろう》や戸張孤雁《とばりこがん》と親交を結ぶ。一九〇三年、パリに渡り、翌年サロンで〈考える人〉を見て衝撃を受け、再渡仏の際にロダンに面会した。〇八年、帰国。文展に〈文覚《もんがく》〉〈女の胴〉〈坑夫〉を出品し、〈文覚〉が入選。日本の近代彫刻の祖と仰がれる作家である。一九一〇年（明治四三）、三〇歳の若さで東京で病死した。

一九九七年（平成九）放送の「新日曜美術館」は、荻原守衛の芸術と深い関わりのある二人の人物と守衛の出会いを紹介した。一人は彫刻家ロダンであり、もう一人は新宿中村屋サロンの女主人として知られた相馬黒光《そうまこっこう》だ。

まず守衛は、一〇代の終わりに、故郷の安曇野で相馬黒光に出会っている。黒光の本名は良《りょう》。仙台の生まれで、明治女学校を卒業した後、安曇野の旧家相馬家に嫁いできたのであった。黒光は当時新しい女と呼ばれたインテリ女性で、養蚕指導者を目指していた相馬愛蔵《そうまあいぞう》と結婚し、安曇野の土着の生活に身を投じようとしたのである。

守衛は一八歳の時、黒光が嫁入りの際に持ってきた油絵〈亀戸風景〉（長尾杢太郎《ながおもくたろう》作、制作年不詳）を、相馬家で目にした。守衛は初めて見る油絵に、命の生き生きと輝くさまを見たという。守衛は、自分とわずか三歳しか違わない若い黒光と、この時出会ったのである。

画家になる決意をしてアメリカに渡り、次にフランスに移った守衛がパリで出会ったのが、ロダンの彫刻〈考える人〉だった。一九〇四年（明治三七）、守衛二五歳。そのときのことを守衛は次のように記している。

「ロダンの作に対するに及び、駭然として驚き、悚然として怖れ、稍々久しくして神往き魂飛び、又私自力の存在を感ずることが出来なかった（中略）私は作品に接して、始めて藝術の威厳に打たれ、美の神聖なるを覚知して玆に彫刻家とならうと決心した」

（荻原守衛『彫刻真髄』［復刻版］一九九一年）

〇七年にロダンのアトリエを訪ねた守衛は、自分が彫刻に転じたのは〈考える人〉に出会ったからであることを、ロダンに伝えている。

この年に制作されたのが〈坑夫〉（一九〇七年）であった。帰国した守衛は、すでに夫と東京で中村屋を開店していた黒光と再会した。守衛にはその後二年の人生しか残されてい

提供:アフロ

紅葉に包まれる碌山美術館。右端に見えるのは〈労働者〉（荻原守衛、1909年、ブロンズ）

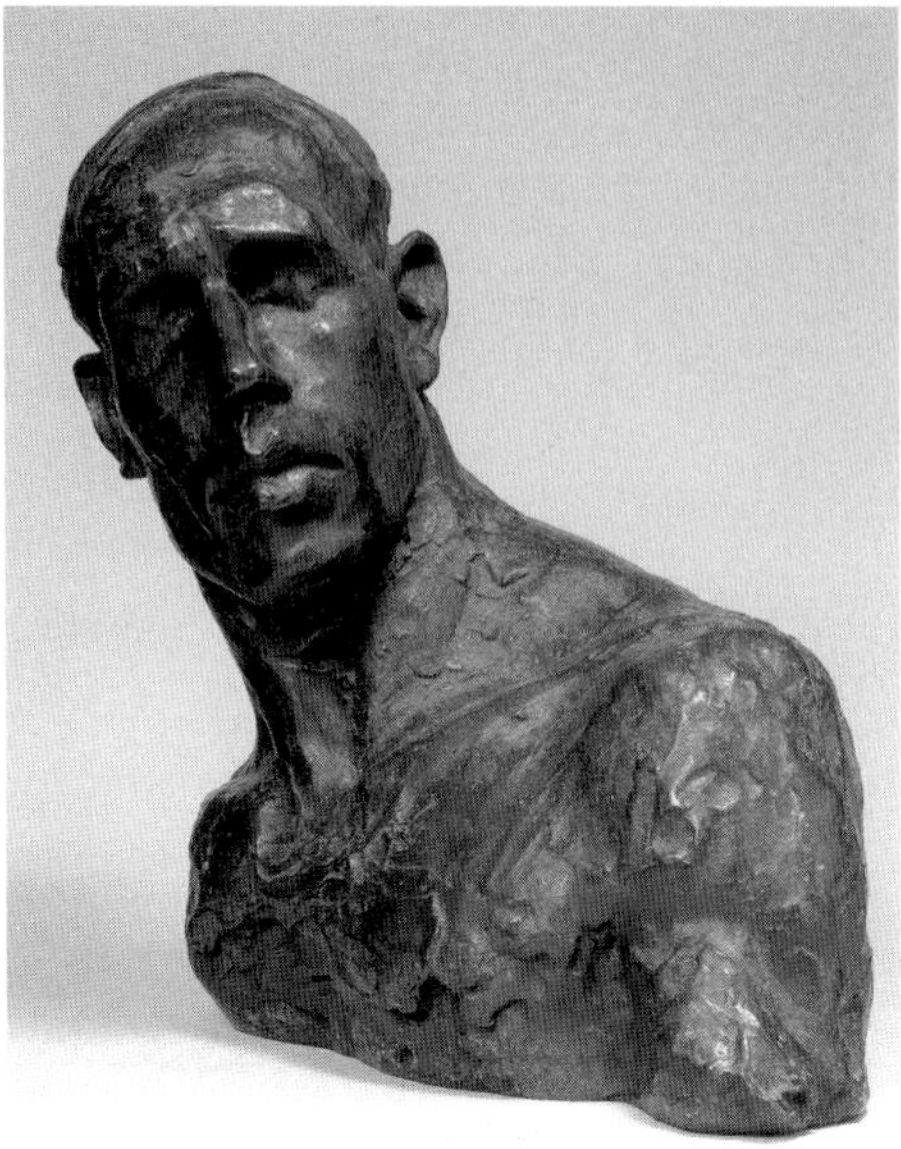

〈坑夫〉（荻原守衛、1907年、ブロンズ）

なかったが、激しい制作と、夫のある黒光との恋に苦悩する日々を送ることになる。

一九一〇年（明治四三）、死の一か月前に完成した守衛の作品〈女〉について、娘二人を連れてアトリエに見に行った黒光が記している。

「娘たちはアトリエに入り作品を目にするやいなや口々に叫びました。『母さんだ』。私も胸がいっぱいで立ってはいられませんでした」

守衛は、モデルを使わないと制作ができないタイプの作家だった。〈女〉のモデルは、苦しいポーズを要求され続けたという。

一説では、守衛のためにモデルを務めたのは黒光ではなかったかといわれているのである。

（新日曜美術館　一九九七年一〇月一九日放送）

美術館を旅する

魂の籠る彫刻がある

キリスト教の聖堂のような碌山館（碌山美術館の本館）は、長野県を中心とする三〇万人もの人びとの寄付によって建設され、一九五八年（昭和三三）に開館した。設計者は日本にガウディの建築を紹介し、聖堂建築も多く手がけた今井兼次《いまいけんじ》。

荻原守衛が、若くしてキリスト教の影響を受けたことと、明治の時代色を重んじて、赤レンガの教会様式の建築になったという。一九八二年に第一展示棟が建ち、第二展示棟と杜江《もりえ》館《かん》（杜江は守衛の号の一つ）は平成に入ってから建てられた。

門を入ってすぐのところにあるチケット売り場は、よく見られるような、小さな窓口が設けられた小屋ではなく、戸が開け放たれて屋内が見えている。そこを過ぎると、屋外に置かれているのが、守衛の作品〈労働者〉（一九〇九年）だ。

守衛の主要な作品は、すべて碌山館のなかに展示されている。〈女〉（一九一〇年）、〈デスペア〉（一九〇九年）、〈坑夫〉（一九〇七年）、〈文覚〉（一九〇八年）など、天才の名作がひしめく館内。ステンドグラスのある簡素で重厚な内装が、守衛の彫刻に実によくマッチしている。

〈女〉や〈デスペア〉を前にすると、作者の、明治という厳しい時代に病苦を抱えながら、愛欲の苦しみにとらえられていたすさまじい心に、引き込まれて行くようである。守衛の彫刻には、魂が籠もっている。守衛の彫刻を見るということは、それを味わうことであり、碌山美術館の雰囲気のなかで体験する守衛の世界は格別なのである。碌山館の入口には守衛の言葉「LOVE IS ART, STRUGGLE IS BEAUTY」が刻まれている。

第一展示棟に入ると、守衛ゆかりの人びとの作品が展示されている。高村光太郎の彫刻で〈薄命児男子頭部〉（一九〇五年）という子供の首の像は、光太郎の心が生々しく込められているような感じを受ける作品だ。中原悌二郎《なかはらていじろう》は〈若きカフカス人〉（一九一九年）はもちろん、〈憩える女〉（一九一九年）もすばらしい。そして石井鶴三《いしいつるぞう》らしい彫刻〈猫〉（一九三八年）。会場全体が、日本の近代彫刻の青春そのものだ。

第二展示棟は特別展が催される場所で、杜江館には、守衛の油絵作品やデッサンが飾られている。人物画の〈宮内氏像〉（一九〇九年）や〈病める児〉（一九一〇年）が印象に残る。鉛筆デッサンは、彫刻家のデッサンにありがちな強さや硬さがなく、やわらかくて画家らしいものだ。

碌山美術館には変わらない雰囲気がある。だが、周辺の風景は変わっていく。家が建て込み、樹木が増え、かつては安曇野のシンボルといわれた碌山美術館の尖塔も、いまは少し見つけにくくなっている。

絵本の心に出会う。

安曇野
ちひろ美術館

長野県北安曇郡松川村西原3358-24
(〒399-8501)
0261-62-0772

代表的なアクセス
JR大糸線「信濃松川」駅から徒歩約30分、
もしくはレンタサイクルで15分、
あるいはタクシーで5分

この美術館の
ウェブサイト
はこちらから

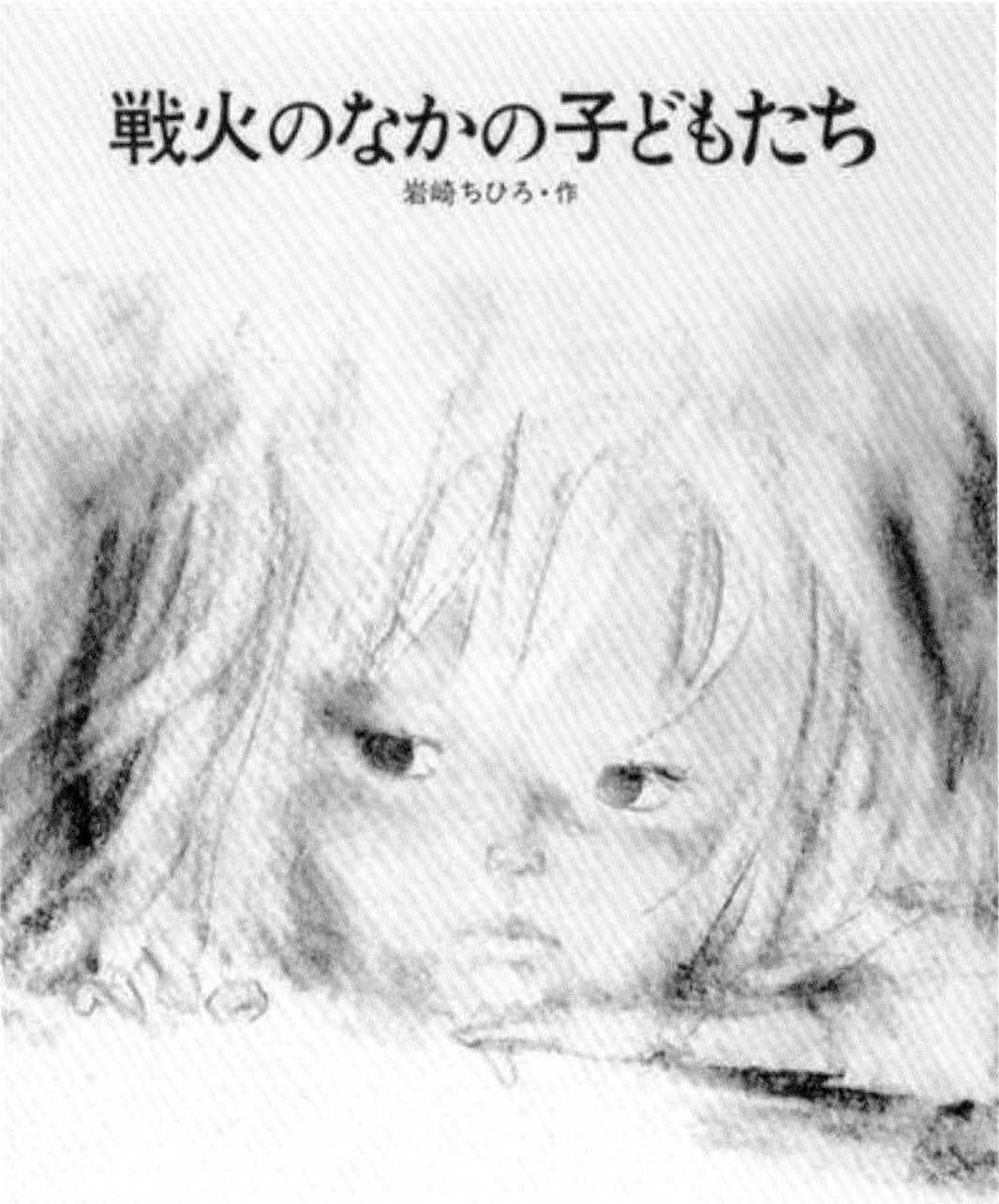

1973年に発刊された『戦火のなかの子どもたち』(岩崎書店)

NHK日曜美術館から

『戦火のなかの子どもたち』

いわさきちひろ（岩崎知弘）は、一九一八年（大正七）、福井県に生まれた。生まれた翌年に東京に移り、東京府立第六高等女学校（現・都立三田高校）卒。在学中から岡田三郎助《おかださぶろうすけ》に師事し、絵を学んだ。二〇歳で結婚し、中国・大連に渡るが、夫の死により帰国。戦後、中谷泰《なかたにたい》、丸木俊《まるきとし》に師事して再び絵を始める。三一歳の時、松本善明《まつもとぜんめい》と結婚。同年、紙芝居『お母さんの話』で文部大臣賞。この頃から、絵本、雑誌表紙、広告のイラストレーションなどで広く活躍。七三年（昭和四八）、絵本『ことりのくるひ』（至光社）でボローニャ国際児童図書展でグラフィック賞を受賞。代表作に絵本『おふろでちゃぷちゃぷ』（童心社）、絵本『あめのひのおるすばん』（至光社）、絵本『戦火のなかの子どもたち』（岩崎書店）などがある。一九七四年（昭和四九）没。

『戦火のなかの子どもたち』は、いわさきちひろが描いた一六の場面の絵に、ちひろ自身が短い言葉を添えて、ベトナム戦争（一九五五—一九七五）真っただ中の一九七三年に出版された。

添えられたのは、たとえば次のような言葉である。

あなたのおとうとがしんだのは
　きょねんの春。

あの子は
風のように
かけていったきり。

もうずっとむかしのことといえるかしら
東京のくうしゅうがあけたあさ
親をさがしていた
ちいさな姉弟のおもいで。

二〇〇四年（平成一六）放送の「新日曜美術館」のなかで、『戦火のなかの子どもたち』の元担当編集者・小西正保《こにしまさやす》と、漫画家で作家の石坂啓《いしざかけい》が対談を行った。

二人が語り合った場所は、東京の練馬区に残る、ちひろのアトリエ跡（ちひろ美術館・東京）である。

小西正保　編集者は、そこに座って待っていました。

石坂啓　真ん前じゃないですか。（机を指さして）ここで、仕事を？

小西　そうです。見張っているのではなく、まあ、催促しながら。

石坂　かなりのプレッシャーですよ。そこに座られているのは。

小西　そういう点は大丈夫だったみたい……。ちひろさんはやっぱり、自分の青春も含めて戦争の時代を生きたわけですよ。その辛い暮らしをベトナムの子供たちがまだやっている。放っておけばどうなるかわからないという思い。おそらくちひろさんの思いのなかにはあったんでしょうね。

石坂　作業としては本当に気が重いという……。ご自身も苦しい。子供のことを考えるとどんどん気持ちが重くなっている状態ではなかったかなあと思うんですけれども。

小西　おそらくこの、遺作に近いような作品のなかに、ちひろさんはそれまでの自分の思いを……幸いながらも出版社はうるさいことはいわないし……思いのたけを描こうというふうに思っていらしたかもしれませんね。

この絵本のあとがきで、いわわきちひろは次のように記している。

「ベトナムでは長いこと戦争がつづいておりました。いまだってほんとうは戦争はおわっていないのです。アメリカの爆弾が、おとなりのカンボジアの国までおとされているそうですから。わたしは日本の東京のせまい仕事場で、それらの戦争のことと、わたしの体験した第二次世界大戦のことを、こころのなかでいつもダブらせてかんがえていました。戦場にいかなくても戦火のなかでこどもたちがどうしているのか、どうなってしまうのかよくわかるのです。子どもは、そのあどけない瞳やくちびるやその心までが、世界じゅうみんなおなじだからなんです。そういうことは、わたしがこどものための絵本をつくっている絵描きだからよけいわかるのでしょうか」

（新日曜美術館　二〇〇四年三月七日放送）

美術館を旅する

絵本ワールド

安曇野《あずみの》ちひろ美術館へのアクセスは、松本からJR大糸《おおいと》線に乗って穂高《ほたか》駅で降り、そこからバス（期間限定の周遊バス）を利用する方法が一つ。もう一つは穂高駅からさらに五つ先の信濃松川《しなのまつかわ》まで大糸線に乗って、そこからタクシーを利用するか、あるいは片道でたっぷり三〇分の道のりを歩く。

安曇野に浸りたいなら、信濃松川駅からの徒歩のアプローチを選びたい。駅を出て、大糸線に並行して走っている国道一四七号線を松本の方向へ歩き、板取《いたどり》という信号を右に曲がる。国道沿いの家並を抜けると、北アルプスの山並みを遠くに見て、一面に緑の農地が広がる安曇野の風景のなかを進む。ところどころに家のある一本道を歩いていくと、やがて左手

〈少年〉(いわさきちひろ、『戦火のなかの子どもたち』[岩崎書店]より、1973年)

〈焼け跡の姉弟〉(いわさきちひろ、『戦火のなかの子どもたち』[岩崎書店]より、1973年)

〈緑の風のなかの少女〉（いわさきちひろ、1972年）

遠方に、形だけ見ると牛舎のような建物が連なる美術館が見えてくる。近くに電車の車両が二両展示されていて、そこが美術館前の広場になっている。

広場の名は「トットちゃん広場」。いわさきちひろによる挿絵でも知られた黒柳徹子の『窓ぎわのトットちゃん』の物語にちなんだ広場だ。広場のはずれには「ちひろの黒姫山荘」がある。一九六六年（昭和四一）に、ちひろが黒姫高原（上《かみ》水内《みのち》郡信濃町）に建てた切り妻屋根のアトリエ兼山荘を復元したものである。そして三角屋根が連なるちひろ美術館へ。設計は内藤廣。館長は黒柳徹子。一帯が大きな緑地の公園（松川村営「安曇野ちひろ公園」）になっていて、松や桜の木が点在している。訪ねた日は、美術館の周囲一面は、群青色のブルーサルビアの花盛りだった。

入館すると、展示室は五室。いわさきちひろと世界の絵本画家の作品、絵本に関する歴史資料の展示が行われている。

いわさきちひろは、子供を生涯のテーマとして描き続けた画家。モデルなしで一〇か月と一歳のあかちゃんを描き分け、その観察力とデッサン力を駆使して、子供のあらゆる姿を描き出した。そうしたちひろの作品は、母として子育てをしながら、子供のスケッチを積み重ねるなかで生まれた。日本の伝統的な水墨画の技法にも通じる、にじみやぼかしを生かした独特の水彩画には、若き日に習熟した藤原行成流の書の影響もみられるという。

子供の頃、ちひろの絵を見ながら過ごした人びとは、ここで、「あ、この絵だ」と、思い出の絵を探し、出会う。ここには写真資料などもふんだんに用意されている。

ちひろ美術館は、世界の絵本に出会える場所でもある。すぐれた子供の本のイラストレーションを貴重な文化財の一つとして位置づけ、世界の絵本画家の原画と資料の収集・保存・研究・公開に努めている。世界最大規模のオリジナル・イラストレーションのコレクションのなかには、ロシアのエフゲーニー・ラチョフ（代表作『てぶくろ』）、アメリカのエリック・カール（代表作『はらぺこあおむし』）、チェコのクヴィエタ・パツォウスカー（代表作『紙の町のおはなし』）、そして日本の茂田《もた》井武《いたけし》や赤羽《あかば》末吉《すえきち》など、国際アンデルセン賞画家賞受賞者一二名を含む各国の代表的な絵本画家の作品がそろっている。

「安曇野ちひろ美術館」は、一九九七年（平成九）の開館。一九七七年（昭和五二）にちひろの自宅の一角に建てられた「ちひろ美術館・東京」（東京都練馬区）の開館二〇周年を記念してつくられた姉妹館だ。信州はちひろの両親の出身地。ちひろが幼いころから親しんだ心のふるさとである。

帰りも安曇野を歩く。ひろびろとした田んぼや畑のなかの道を歩くのは、気持ちが良い。夏には田んぼの畔に向日葵などが咲く。彼方には北アルプスが連なっていて、その山々があるからこそと思わせる静けさが、あたりを包んでいる。

〈チューリップとあかちゃん〉
（いわさきちひろ、1971年）

それは、心の鏡に映る風景。

長野県信濃美術館
東山魁夷館

長野県長野市箱清水1-4-4［善光寺東隣］
（〒380-0801）
026-232-0052

代表的なアクセス
JR「長野」駅・善光寺口から
バスで15分「善光寺北」下車、徒歩3分

この美術館の
ウェブサイト
はこちらから

＊長野県信濃美術館の本館は建て替えのため休館中
（2021年春、リニューアルオープン予定）

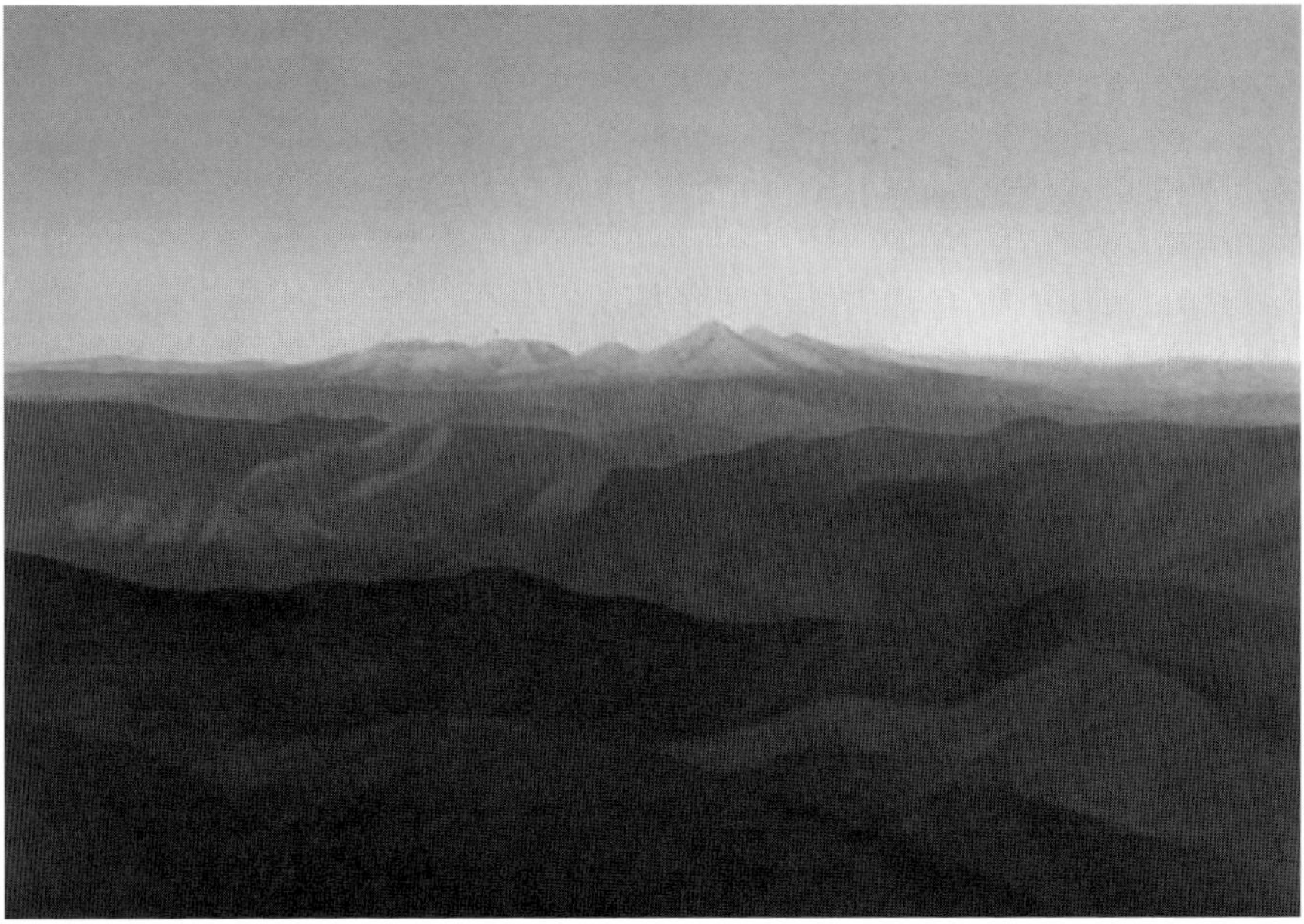

〈残照〉（東山魁夷、1947年、紙本彩色、東京国立近代美術館蔵）

NHKさまざまな番組から

一期一会ということ

東山魁夷《ひがしやまかいい》は一九〇八年（明治四一）、横浜市で生まれた。本名新吉《しんきち》。幼い頃、一家で神戸に移る。東京美術学校（現・東京藝大）日本画科卒業。結城素明《ゆうきそめい》に師事。三三（昭和八）～三五年にはドイツへ留学。ベルリン大学で美術史を学ぶ。帰国後は官展に作品を出品し、四七年、〈残照〉で日展特選となる。その後ヨーロッパや中国を取材、数々の受賞を重ね、六五年に日本芸術院会員。六八年に皇居新宮殿の壁画を描き、翌年、文化勲章受章。七一年から一〇年がかりで唐招提寺《とうしょうだいじ》御影堂《みえいどう》障壁画を描く。文章も多く残し、『東山魁夷画文集』一〇巻などの著書がある。一九九九年（平成一一）没。

東山魁夷が美について語ったNHK番組は数多い。「日曜美術館」では一九七七年に菱田春草《ひしだしゅんそう》を語り、一九八一年には高僧の肖像と書を語った。

自らの芸術について語ったのは、一九六九年の「一期一会」、一九八三年の「訪問インタビュー」、一九八四年の「夏に語る」である。

一九六九年（昭和四四）の「一期一会」で、東山魁夷は絵画への開眼について語った。

「私の先生は結城素明先生で、手をとって教えるというふうではなくて、むしろ何らかの意味で、私たち自身、自分のことを自覚しなければならない……そういう教え方だったんです。まず先生は、私が今度こんな絵を描こうと思うんです、とスケッチブックなんかを持っていくと、ああいいですね、やってごらんっていうんですよね。その場合、私のほうではだいたいいいんだなと思いましてね、これで描いてみようと思うわけですね。

自分がある程度進歩できた時に、ああこれでやってごらんというのは、このくらいで絵が描けると思うならやってごらん、うまくいくはずがないよ、という意味で言ってらしたらしいんですね。それを感じるようになりました。そしてある時、私が落選などしましてね、先生のところへ行きますと、一杯、お酒を注いでくれまして、とにかくスケッチブックを持って自然のなかへ行ってごらん、その時には心を鏡のようにして見てこないといけないよ、とおっしゃったんです。私、心を鏡にするってことがなかなかわからなくてですね、ずっと後になって、ある時、私自身の力じゃなくて他力によって目を開かせてもらったんです。

終戦の年、召集が来まして、熊本に行きましてね、爆弾を持って戦車にぶつかる訓練ばかりしていたんです。そういう

〈樹霊〉（東山魁夷、1983年、紙本彩色、北九州市立美術館蔵）

時は絵を描くどころか、生きるってことも不可能じゃないかと思っておりまして……そういうさなかにある時、熊本の城址から見た風景が非常に美しく見えて……輝いて見えたんです。私は、普段ならそういう風景を見ても平凡だと感じるだけだと思っていたんですが、その風景が生命感に満ちて見えたということに対して、驚いたんです。咄嗟《とっさ》にそこまで考えたのかどうか、今記憶にないんですが、とにかく自分は生きる望みがないというところで、初めて心が鏡のようになったんじゃなかったかと。純粋になったわけですね。純粋な気持ちで見て、初めて風景ってもののなかにある自然の生命というものが、自分に輝いて見えたわけですね。それで戦後、なるべくそういう気持ちで描こうということで、今日まで来たわけなんです。それが一期一会だったといえるでしょうね」

（一期一会　一九六九年一一月三日放送）

一九八三年（昭和五八）の「訪問インタビュー」では、〈樹霊〉を制作中の東山魁夷が、絵の具と色彩について語った。

——絵皿に絵の具を注しながら。

「きれいでしょ、これ。群青《ぐんじょう》っていいますがね。（もう一つ別の青系統の絵の具と比べながら）製造する時に、粒子が細かくなると色が薄くなるわけなんです。（別の皿に注しながら）こういうのは緑青《ろくしょう》っていいますがね。これも粒子の大小で色の濃

〈緑響く〉（東山魁夷、1982年、紙本彩色）

淡が変わります。もっとも原石の違いもありますけれどね。緑といえば、孔雀石《くじゃくいし》という鉱物、たいへん重いですけど、これを粉にするわけなんです。ところがこれは日本では出ないんです。砕いて、水簸《すいひ》といいまして、水に沈めて団塊《だんかい》を取るわけです。重いほど早く沈みますからね。この絵の具を使って私の後ろにある絵（〈樹霊〉）を描いています。既成の中間色がありますから、それを用いていますが、唐招提寺の絵を描いたときには自分で焼きました」

――焼く、とは。

「それはね、おかしな話ですが、きれいに洗ったフライパンの上に絵の具を入れて、ガスで焼くんです。そうするとだんだん黒くなってきまして、自分の思うところで止めればいいわけです。終《しま》いまで焼けば真っ黒になりますから。まるでお料理教室みたいな情景です」

――一点の絵に、何色くらいの絵の具を使うのですか。

「この色はね、微妙な変化がありますけれども、赤とか黄色とか違う色相の色をあまり使っていませんでしょ。私の絵はそういう場合が多いですね。一つの絵のなかに色相の違う色を使わない。その代わり、同色系でも少しずつ違う色がたくさん入っているともいえるんですよね。どういう色で、と考えますと、どういう気持ちを表したいかで色彩も決まってくるわけですね。構図もそうですし、表現法もそうですけどね。ですから色というのは感情の表れですね。あるいはもっといえば、精神の表れといえるところまでいけばありがたいんですけど。私はよく青い色を使うんです。ある時期から青い色が多くなって、ことに北欧に行ってから多くなりましたね。そして青い色というものには、色の持つ特質、心理的な特質があるのですが、それは自然に墨に近づいてゆく段階のような気がします」

（訪問インタビュー　一九八三年四月六日放送）

一九八四年（昭和五九）の「夏に語る」は、音楽家・團伊玖《だんいく》磨《ま》と東山魁夷の対話である。

團伊玖磨　（白い馬の出てくる作品〈緑響く〉を見ながら）この作品は音楽そのものという感じですね。

東山魁夷　そうでしょうか。

團　何かこう、オーケストラがにぎやかなところが静まりましてね、しじまの時にピアノの単純なパッセージが聞こえてくるような感じ。そういう喩《たと》えをしちゃいけないのかもしれませんが。

東山　いえいえ。それはありがたいですね。この白い馬シリーズのなかの〈緑響く〉（一九八二年）は、私の好きなモーツァルトのピアノコンチェルト、ケッヘル四八八番の第二楽章で、主題が控え目に流れて後ろにオーケストラの伴奏がまたそれを助けるようについていますね、ああいう静かな雰囲気を頭のなかに浮かべていたような気がします。

團　やっぱりそういう感じがしますね。シリーズ一八点のなかで白い馬がいつも出てくる。何か白い馬が先生の心のなかにいつの間にか住み着くわけでしょうか。

東山　白い馬はですね、私の心のなかにきっと住み着いているんだろうと思うんですけど。ちょうどこれを描いた年は唐招提寺の障壁画を始める直前なんです。私のなかにですね、あるいは宗教的な祈りのようなものが現れるようなきっかけがあったのかもしれないと思うんです。

團　（〈樹霊〉を見ながら）この大きな樹はどこでお描きになったのですか。

東山　これはね、デンマークのコペンハーゲンの北に大きな森がありましてね、そこでの写生を基にしたものです。

團　「森の深みの暗い沼に壊れた鐘が沈んでいる」。先生、そうお書きになっておられます。こういう短い詩は、絵の前にお書きになるんですか、絵をお描きになってから書かれるのですか。

東山　これはね、白い馬の見える風景の場合はですね、絵が先です。それに関連して自分の心に浮かんでくる言葉をちょっと添えたわけなんです。時には言葉が先に出てくることもあるんですけれども、多くの場合は絵が先ですね。

團　あの〈綿雲〉（一九七二年）はどこで。

〈綿雲〉［習作］（東山魁夷、1972年、紙本彩色）

東山　これは奥日光の早春の林が浮かんでましてね、それに綿雲がかかっている。そこへ馬が消え去って行く……そういうイメージなんです。

團　コペンハーゲンといい、奥日光といい、本当に旅から旅を重ねていらっしゃるわけですね。そうすると白い馬自体が旅をしていらっしゃる東山さんじゃないかという感じもちょっと受けますね。ああして旅から去って行かれるという感じもあります……。

（夏に語る　一九八四年八月二一日放送）

美術館を旅する

美しい山と森に満ちて

長野市を訪ねるたびに驚くのは、善光寺表参道の見事さである。JR長野駅から一・五キロ余りの参道（中央通り）には、白壁土蔵造りを交えた堂々たる商家がぎっしりと軒を連ねている。ホテル、旅館はもとより、信州特産のそばや味噌、和菓子などの店から、ブティック、輸入雑貨、貴金属、薬局、陶器、カメラまであらゆる店がある。参道であるのと同時に、ここはいわば長野市の銀座通りなのだ。

長野県信濃美術館は、善光寺境内の森と東側で接する公園の中に建っている。長野県の県立美術館で開館は一九六六年

〈白馬の森〉(東山魁夷、1972年、紙本彩色)

(昭和四二)。本館は、正面から見ると、ひとつの十字架から屋根のスロープが流れるように伸びた形の、建築家・林《はやし》昌二《しょうじ》が設計した当時の最先端のスタイルだった。そして東山魁夷から約九〇〇点の作品の寄贈を受け、一九九〇年(平成二)に信濃美術館に併設されたのが東山魁夷館である。設計者の谷口吉生は「展示作品の額縁になるような建築」を考えたという。

信濃美術館の本館は建て替えのために二〇一七年(平成二九)一〇月一日から休館している(二〇二一年春、開館予定)。二〇一七年五月三一日から改修のため休館していた東山魁夷館は、二〇一九年一〇月五日にリニューアルオープンした。

信濃美術館のコレクションは、日本画では菱田春草の〈羅浮仙〉(一九〇一年頃)がよく知られ、また丸山《まるやま》晩霞《ばんか》の水彩画〈初夏の志賀高原〉(一九〇九年頃)、小山敬三《こやまけいぞう》の油彩画〈暮れゆく浅間〉(一九六八年)など、信州を描いた風景画が多いこともコレクションの特徴だ。荻原守衛《もりえ》(碌山《ろくざん》)の彫刻、池田満寿夫《いけだますお》の版画、松井康成《まついこうせい》の陶芸作品も充実している。これらはみな長野県の出身者である。

東山魁夷からの寄贈作品約九〇〇点は、魁夷のコレクションとしては最大のものに違いない。美術館から魁夷の作品一六九点を収録した『東山魁夷館所蔵作品選』が刊行されているが、そのなかには、一五歳の時の〈自画像〉(一九二三年)や、ドイツ、オーストリア旅行に取材した〈窓〉(一九七一年)、白

〈夕星〉(東山魁夷、1999年、麻布彩色)

馬のシリーズのなかの優品〈白馬の森〉(一九七二年)、そして絶筆の〈夕星〉(一九九九年)など、貴重な作品が含まれる。加えて注目すべきは、代表作の〈雪原譜〉(一九六三年)、〈年暮る〉(一九六八年／山種美術館蔵)、皇居新宮殿の壁画(一九六八年)や唐招提寺御影堂障壁画(一九七五―一九八〇年)などの、本制作に極めて近い習作が揃っていることである。魁夷の世界を十分に堪能するコレクションだ。

東山魁夷はヨーロッパの町も、日本の祭りも、花も描いた。そして山を、森を、水を、樹木を描いた画家である。海外や日本の各地を写生のために旅した魁夷にとって、美しい山と森に満ちた信州は特別の土地であった。

魁夷は山との出会いを次のように書いている。

「美校一年生の夏休みに、私は友人と十日間の木曽路のテント旅行をして、御岳へ登りました。これが私を山国へ結びつける第一歩になったのです。瀬戸内海の風土の中で育ち、山といえば神戸市の裏山の摩耶山か六甲山ぐらいしか知らなかった私にとって、この木曽の奥深い山国の自然と人々の生活は、大きな衝撃でありました」

(『東山魁夷の道―写真・画文集』読売新聞社、一九八五年)

生まれ育った風土と響きあう。

佐藤哲三と 新潟県立 近代美術館

この美術館の
ウェブサイト
はこちらから

新潟県長岡市千秋3-278-14
(〒940-2083)
0258-28-4111

代表的なアクセス
JR「長岡」駅から
中央環状線バス(「くるりん」内回り)で約15分、
「県立近代美術館」下車すぐ

〈農婦〉(佐藤哲三、1940年、油彩・キャンバス)

NHK日曜美術館から

物静かで澄んだ人

佐藤哲三《さとうてつぞう》は一九一〇年（明治四三）、新潟県古志郡長岡町（現在の長岡市）で生まれた。生まれてすぐに新発田《しばた》市に移り、生涯を新発田で暮らした。幼いときに脊椎カリエスを患い、小学校入学も遅れる。一三歳の頃から油絵を描き始め、一七歳で大調和美術展に出品した折、梅原龍三郎《うめはらりゅうざぶろう》の指導を受けた。一九二八年（昭和三）、国展に初入選。三〇年に〈赤帽平山氏〉を、翌年〈郵便脚夫宮下君〉を描く。三三年、梅原龍三郎が武者小路実篤《むしゃのこうじさねあつ》らとともに「佐藤哲三作品頒布会」を結成した。その後も羽仁五郎《はにごろう》や久保貞次郎《くぼさだじろう》など、著名な文化人たちから支援を受けた。病院への入退院を繰り返しながら、身辺の人物や風景を題材に制作を続けるが、一九五四年（昭和二九）、白血病のため四四歳で死去。

一九八七年の「日曜美術館」で、夫人の佐藤豊子が生前の佐藤哲三を回想した。佐藤哲三と豊子が結婚したのは、一九三九年。二人は新発田市の郊外、加治村《かじむら》に居を定めた。〈農婦〉（一九四〇年）、〈みのり〉〈田園の柿〉（一九四三年）などは、いずれも加治村で描かれたものだ。

「そうですね。物静かで澄んだ感じの人でございましたね。常に自分の周りにいる人たちに思いやりがあるといいますか、そういう温かい感じの人でした。直感の鋭い感じの人でしたから、厳しい一面もありましたけど、けっして神経質ではなくって、日常の些細なことに関しては非常に寛大でございましたから……まあ、一緒にいて楽しい人でございました」

「やはり、自分の生まれ育った風土というものを、彼、よく知っていましたから、晩秋から冬にかけてが、一番土地の特色といいますか、そういうものを典型的に表していた、というふうに感じ取っていたのだと思います。あの人も困難なところを切り拓いてきたといいますか、そういう人でしたから、響き合うものがあったんじゃございませんでしょうか。どこでもそうだったんでしょうけれども、なかなかお米があっても売ってくれませんし、交換するのにもなかなか苦労いたしましたですね。農民の人たちの好きな物資を持って交換に行くわけですけれども、それこそ自転車で海の方へ山の方へと、いろいろな食べ物を求めて動いて回らねばなりませんでした。絵を描いて売るということは、実際問題としてはとても縁遠い時代でした。また自分はそう思っていましたから、いい絵を描いてくれればそれでいいと思っていました」

佐藤哲三の〈郵便脚夫宮下君〉は、国展で国画奨学賞を受賞した代表作の一つだが、長らく所在が不明であった。それが新潟県美術博物館（新潟県立近代美術館の前身）に収められた

〈帰路〉（佐藤哲三、1954年、油彩・キャンバス）

いきさつを、学芸員の小《お》見《み》秀男《ひでお》が振り返る。

「再発見のきっかけは、最初、じつは関西の画商さんから写真が送られてきたんです。私はそれまで、この作品はもうこの世にないと思っていたんです。というのは、新発田出身で京都に移られた方が持っておられたんですが、その方がある事情があってこの作品は燃やしてしまったといわれている、ということをその方の奥さんを通じて聞いておりました。ですから、画集でしか見られない作品と思っていたのですが、写真が送られてきてびっくりしました。えーっ、まさか！と思いましたが、いろいろ確かめてみると、間違いなくこの作品なんですね。で、幸運にもウチの美術館に入ったんですが……かれこれ二五、六年所在不明だった作品で、本当に嬉しかったですね」

「佐藤哲三は当時、ゴッホやスーチンあたりにたいへん共感を持っていたらしいですね。ですから、この絵は、ゴッホの影響があると皆さんおっしゃるんですけれども、私もそう思います。黒と赤というのは、彼の生涯の絵画作品を決めて行く色彩だと思うんですが、この当時から、赤と黒に対する志向というか、そういうものが出ている作品じゃないかと思うんです」

（日曜美術館　一九八七年三月一五日放送）

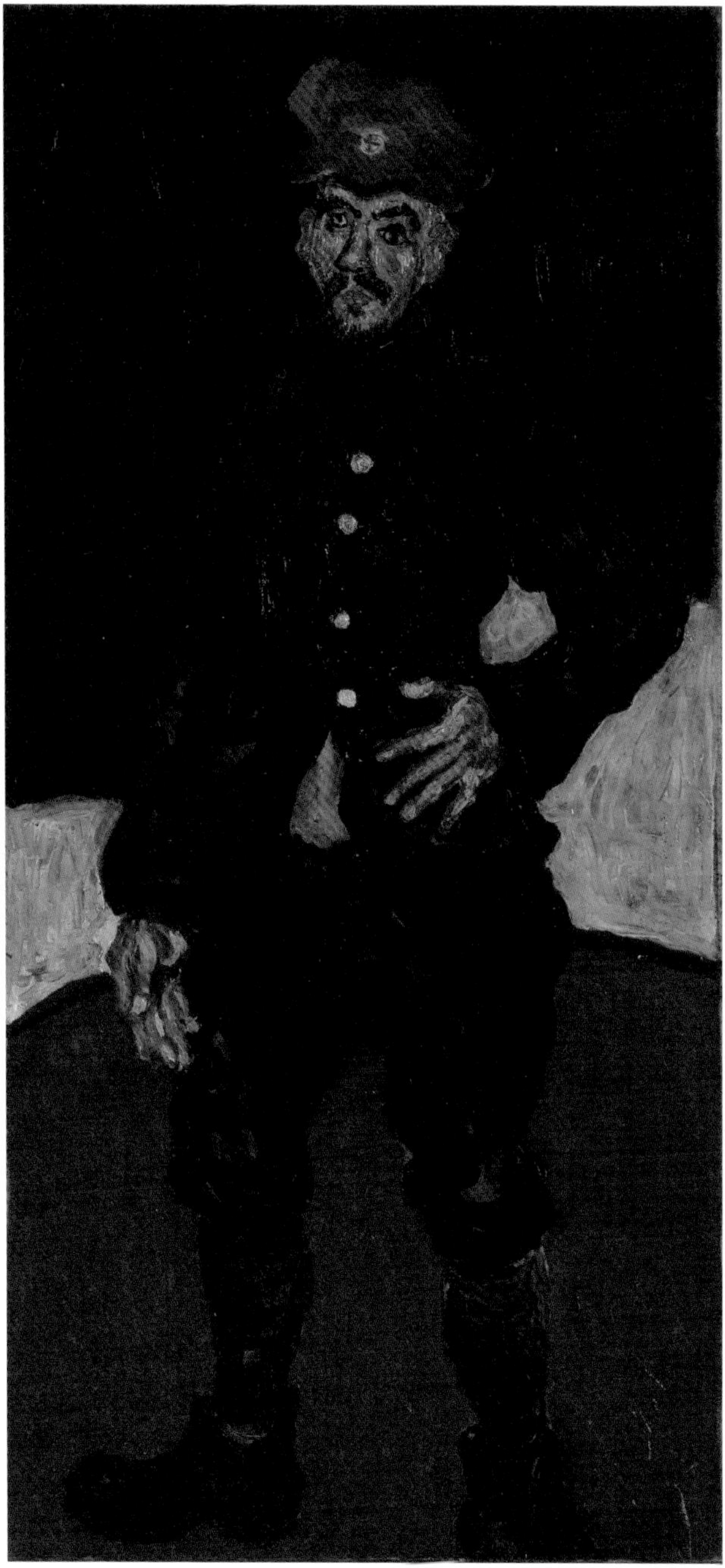

〈郵便脚大宮ト君〉(佐藤哲三、1931年、油彩・キャンバス)

美術館を旅する

近代美術と現代美術の長岡

県立の近代美術館が県庁所在地ではなく、県下第二の都市に建てられるのは珍しい。新潟県立近代美術館は新潟市ではなく、長岡市にある。その理由は、長岡市で戦後いち早く、現代美術をリードする活動が行われたからだ。

かつて長岡には長岡現代美術館という、おそらく日本で初めて現代美術館を名乗った美術館があった。一九六四年（昭和三九）開館。長岡在住の銀行家・駒形十吉《こまがたじゅうきち》（当時大光相互銀行社長）が、新潟市出身の画廊社長・山本孝の協力を得て築いたコレクションを、私立美術館の形で公開したのである。コレクションの内容は、日本の油彩画の画家をほぼ網羅したうえに、一部の日本画家の作品も含むものだったが、何といっても、内外の現代画家の作品が揃っている点が注目された。ピカソやカンディンスキーの時代から、ヴォルス、フンデルトヴァッサー、マグリット、エルンスト、リキテンシュタイン、ウォーホル、フランシス・ベーコン、ワイエス、岡本太《おかもとた》郎《ろう》、斎藤義重《さいとうよししげ》、前田常作《まえだじょうさく》、白髪一雄《しらがかずお》、元永定正《もとながさだまさ》といった、美術館開館当時コンテンポラリーであった画家たちの作品が常設されたのである。

長岡現代美術館は、開館と同時に長岡現代美術館賞を設け、針生一郎《はりういちろう》、中原佑介《なかはらゆうすけ》と海外の著名な美術家を審査員に招いて毎年選考を行っていた。代表的な受賞者は、メディアアートの山口勝弘《やまぐちかつひろ》やイタリアの造形作家エンリコ・カステラーニなどである。

一九七〇年代、長岡現代美術館には、とにかく当時話題になっていた現代美術の作品がごっそりあった。美術館は繁華街のなかにあって、大きなビルの一階の、通りに面した部屋がすぐに展示室。展示室というより展示場で、がらんとした空間に、絵が無造作に掛けられていた。美術館には何か風が吹き抜けているような印象があった。一九七九年、長岡現代美術館は母体の銀行の経営の影響で閉館する。

新潟県美術博物館を前身とする新潟県立近代美術館が開館したのは、一九九三年（平成五）。長岡現代美術館が閉館時に売りに出したコレクションの半数はこの新美術館に収蔵されたといわれている。開館記念展は、「大光《たいこう》コレクション展　先見の眼差し……再構成」。つまり長岡現代美術館のコレクションによる展覧会であった。

長岡駅のある繁華街とは信濃川をはさんで反対側の、河川敷に続く「千秋が原ふるさとの森」に、新潟県立近代美術館は建っている。開館二五周年を迎えた二〇一八年の七月から改修工事が行われ、翌二〇一九年（令和元）の九月にリニューアルオープンした。

〈残雪〉(佐藤哲三、1952年、油彩・キャンバス)

美術館は二階建て、赤レンガ風の外壁で、正面には数本の赤レンガ風の角柱が並び、その間がガラス張りになっている。建物の裏側は、全面ガラス張りだ。二階まで吹き抜けのエントランスホールは、天井が幾何学模様の組み合わせになっており、その中心部が錐の先のように下へ向かって突き出している。ロダンの初期の作品で、三人の神話の人物が並ぶ彫刻〈カリアティードとアトランタ〉が、訪れる人を迎える。

この美術館が収蔵する新潟県出身の画家として、梅原龍三郎から「鬼才」と呼ばれた佐藤哲三がいる。〈郵便配達夫宮下君〉(一九三一年)をはじめとする人物画群が佐藤の最も優れた作品であることは疑いないが、〈残雪〉(一九五二年)などを含む晩年の風景画も注目すべきものだ。

佐藤哲三の再評価に力を尽くした洲之内徹は、佐藤の晩年の風景画〈みぞれ〉(一九五三年)について、「彼ひとりの心象風景というようなところを超えて、彼の生まれた北方の自然と、そこに生きる人びとの心に深く係りあうものになっている」と評しているが、これは〈残雪〉にもいえることであろう。リニューアルオープン後の最初のコレクション展では、この〈残雪〉も展示された。

墨の「色」が心に沁みる。

加山又造・下保昭と
富山県水墨美術館

富山県富山市五福777
(〒930-0887)
076-431-3719

代表的なアクセス
JR「富山」駅から市内電車(大学前行)で
「富山トヨペット本社前(五福末広町)」下車、
徒歩約10分

この美術館の
ウェブサイト
はこちらから

〈凍れる月光〉(加山又造、1981年、紙本墨画)

NHK日曜美術館から

墨に五彩あり

加山又造《かやまたぞう》は、一九二七年（昭和二）、京都に生まれた。父は西陣織の意匠図案家。京都市立美術工芸学校（現・京都市立芸大）卒業後、東京美術学校（現・東京藝大）日本画科入学。同校卒業後、山本丘人《やまもときゅうじん》に師事。五〇年、創造美術展（五一年新制作協会に合流）で初入選。五六年、新制作協会会員。六〇年代からは、新制作協会を拠点に活動する。五六年、新制作協会会員。六〇年代からは、ニューヨークで個展を開くなど、幅広く活動し、話題を呼んだ。七四年、創画会の結成に参加する。八八年、東京藝大教授。九七年（平成九）、京都・天龍寺法堂の天井画を制作する。二〇〇三年、文化勲章受章。二〇〇四年（平成一六）没。

一九八四年放送の「日曜美術館」で、詩人の大岡信《おおおかまこと》が、神奈川県藤沢市の加山又造のアトリエを訪ねた。

大岡信　水墨画って、言葉だけで聞くと、普通の人だったら……昔の絵？　という感じを抱く人が多いと思うんですよね。現在は非常に新しい時代ですけれども、そういう時代に水墨はどういうふうに人びとに受け入れられるかということも、一つの問題だと思うんです。私は加山さんの絵というのは、今だから出てきたっていう感じがするんですよ。そういう意味では私が見ると非常に新しいものだと思うんです。加山さんご自身は、世間というか、そういう人たちがどういうふうに見るかっていうことはお考えになってますか。

加山又造　それは絵描きですしね、偏《かたよ》ってますけど、やっぱり自己顕示欲が強いほうですからね。意識のどこかでは考えていますけど、こういうふうに見てほしいというのもあるでしょうけど……夢中になって描いていると、そういう気持ちは消し飛んじゃって、あんまり考えないですね。いわゆる日本の表現法で風に色をつけるというのがありますね。白い風とか。「石山の石より白し秋の風」（松尾芭蕉）……なんていうのか、何ともいえない……前後場所の関係でそれは意味がきちんとあるんでしょうけど、絵描き的な感覚でいうと、つまり墨で出せる世界というのがずーっとあるわけですね。

大岡　つまり透明なんですよね。

加山　墨に五彩あり、という言葉がありますね、五つの色。それはどうも、その解釈は具体的に緑、赤……って、そういうものとは違う気がするんですよ。もっと違う、何ていうのかな、黒真珠の色……海底に眠っている。色を超えた色の世界……色のついた夢を見ると、後で印象に残りますね。実際見ているのは、じゃモノクロで見ているのか……日常見ているもののなかに色っていうものの介在のしかたが違うんですね。もっと心に、網膜に、色を感じる視細胞を通って、というプロセスではなくて、直接突っ込んでくる色、意味の色。

大岡　僕は今のお話で、突然自分の空間の考え方とぴたっと一致しました。日本の古典の詩の世界で非常にはっきりしている動きがあって、それは「色の世界から色離れの世界へ行く」って僕はいうんですけど。色離れの世界へ行っちゃう。でもそれはすべての色を含んでいて、しかしそれを全部通過して色離れしてしまう。「石山の石より白し秋の風」、ああいうふうなところへ行くんです。結局、色の世界が現象の世界とすれば、そういう現象の世界から、色自身を脱ぎ捨てて心に沁み込むような形なんですね。沁みる感覚が色になっているんでしょうね。

（日曜美術館　一九八四年一月一五日放送）

NHK日曜美術館から

そんなものは暗さじゃない

下保昭《かほあきら》は、一九二七年（昭和二）、富山県に生まれた。砺波《となみ》中学卒。二二歳の時に西山翠嶂《にしやますいしょう》に師事。翌年の五〇年に〈港が見える〉で日展に初入選する。その後連続入選し、白寿賞、菊華賞などを受賞して、六三年、日展会員となった。文部大臣賞なども受賞、日展評議員にも推されるが、八八年、日展を脱退して無所属となる。九〇年（平成二）、MOA岡田茂吉大賞受賞。二〇一八年（平成三〇）没。

一九八六年（昭和六一）放送の「日曜美術館」で、作家の水《みず》上《かみ》勉《つとむ》が下保昭のアトリエを訪問した。水上は下保の岳父にあたる小野竹喬《おのちっきょう》と親交があり、下保とも旧知の間柄である。

水上勉　私は若狭ですけどね。下保さんは越中ですね。湿気の多い山っていいますのは、まあ誇張すれば一分間も同じ色はないですな。雨とか晴れ上がった時とか、それから午前午後はまた違いますし……何とも言えん、動いとるんですね。そういうものを子供の時分から見慣れていますんでね、下保さんの〈近江八景〉を見ました時に、在所の背中の山の、ある時間が、ふーっと動いてくるんですよ。私のなかにあったそういうものを、絵心とはいいませんが、望郷心ですな、そういうものをゆり動かされたといいますかな。

下保昭　やっぱり子供の時代に、非常に強烈に培われたものがいまだに僕は残っていると思います。

水上　砺波はあんな山だったんですか。

下保　ええ、年取ってから受け入れるのと、若い時に受け入れたものというのはやっぱり、若い時のほうが非常にこう、記憶の層に残っているというのか、腹のなかに残っているというのか、そういうものが自然に出てきていると思います。僕は意識してやっているのでも何でもないんです。

水上　描くということは、苔石《こけいし》の底に……忘れているというのか沈んでいるというのか、そういうものを筆で白い紙に描いているうちに、その苔が起きてくるの？

下保　何となく、そっちに近づいて行くというのか、それが蘇ってくるというのか、何かあるような気がするんですよね。

水上　非常に不思議なリズムがあるなぁ。それはやっぱりあなたの心の線だな。

下保　心の線と、あと色もあるし。

水上　色だね。暗い作家だといわれてもしょうがないわね。

下保　そら、しょうがないわ。しょっちゅういわれてきた。

水上　いいじゃないですか。自分の色だもの。

下保　しようがない。

水上　暗いつもりで描いてへんよね。

下保　全然。

水上　鳥も鳴いたりとか、あなた、耳に聞こえてくるようなこと、いっぱい描いているわけでしょ？

下保　僕は暗さなんか意識したこともないし。

水上　僕は暗い作家っていわれて……。

下保　それは僕はね、一つの心やと思うんですよ。暗いちゅうのは視覚の問題ですよ。常識的に考えたら一つの暗さであっても。僕はそんなものは暗さじゃない。明るいですよ、完全に。

水上　なあ！（笑）

下保　僕はやっぱり、おのれに対して謀反を起こさなくちゃならないと思うわけですよ。人間なんてすぐ妙なところへ流れていってしまう。それを僕はしょっちゅう壊していって、何かまた新しいのを……まあ、甘い考えかもしれんけど、でもどこかそこに一つの流れちゅうものがあって、それをやってみたいちゅうかね。

（日曜美術館　一九八六年三月一六日放送）

美術館を旅する

神通川に臨む水墨の館

富山の市街には路面電車が走っている。それだけで、どこか昭和好みの町という気がしてくる。乗り場がＪＲ富山駅の駅舎のなかにあって便利だ。六系統ある路線のうち、富山大学前まで行く電車に乗れば、富山県水墨美術館に行ける。新富町、県庁前、安住橋などという停留所を通った電車は、富

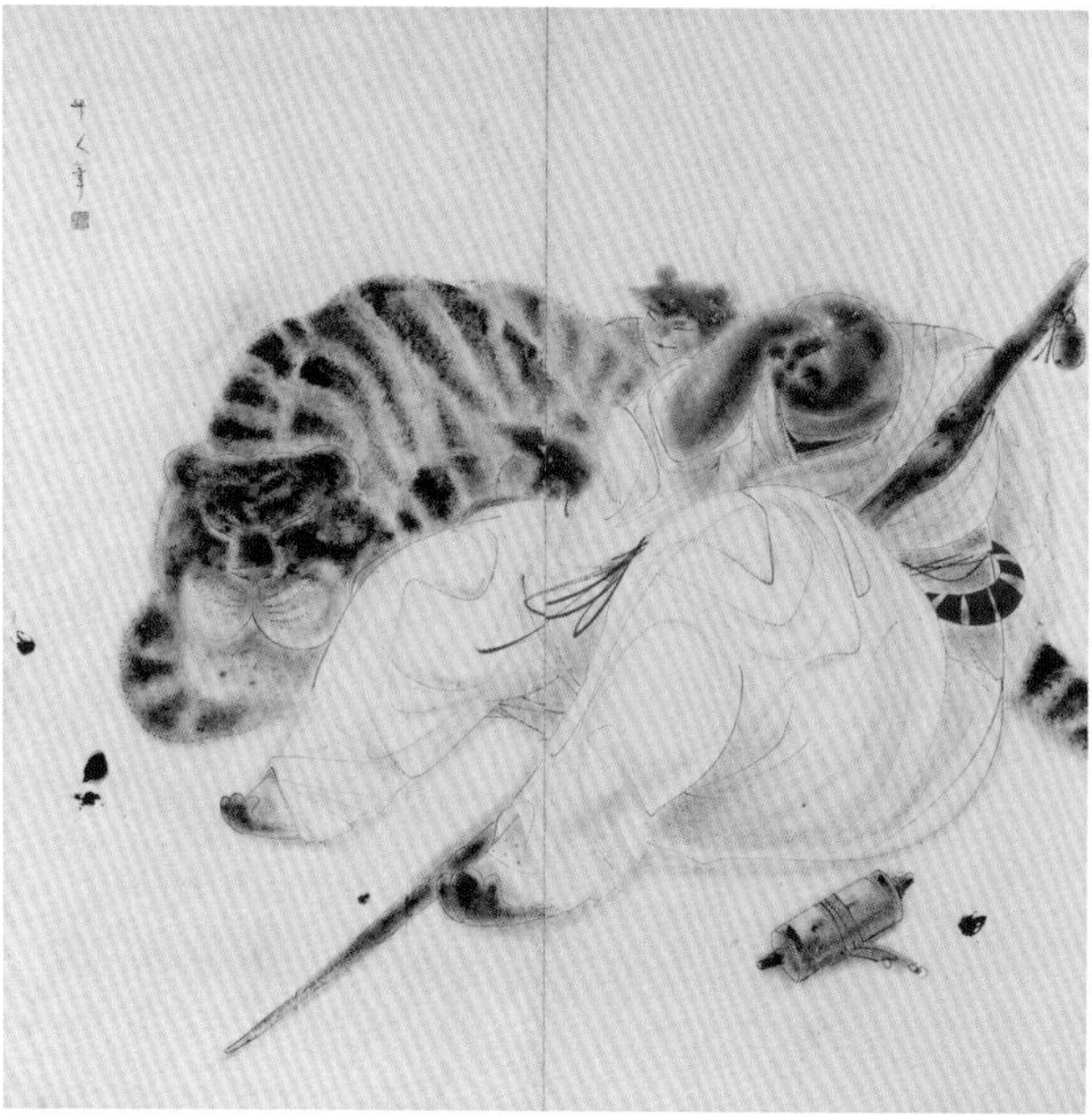
〈四睡の図〉（篁牛人、1968年、紙本墨画）

山城跡前の丸の内で右に曲り、神通川《じんづうがわ》に架かる富山大橋を渡る。渡ってすぐの停留所、富山トヨペット本社前（五福末広町）で降り、右へ、神通川と並行して五〜六〇〇メートルばかり歩いて行くと、やがて見えてくるゆるやかな勾配の屋根の大きな平屋が、水墨美術館だ。

正面入口の前には、広い芝生の緑がひろがっている。館内は、エントランスホールも広々としていて、左手に展示室が一つ、右手正面に長い通路があり、通路の右手が展示室、左手はガラス戸で中庭が見えていた。全体が逆L字形ともいうべき建物で、玄関から奥へと細長い部分には、展示室が縦に三つ並んでいる。芝生の中庭に、枝垂桜の木が一本だけぽつんと立っている。その向こう側には、神通川の桜並木の堤防をのぞむことができる。

常設展は、「近代水墨画の系譜」と「下保昭作品室」。「近代水墨画の系譜」では、富岡鉄斎《とみおかてっさい》、竹内栖鳳《たけうちせいほう》、横山大《よこやまたい》観《かん》、菱田春草《ひしだしゅんそう》、小林古径《こばやしこけい》、入江波光《いりえはこう》、堂本印象《どうもといんしょう》、横山操《よこやまみさお》、そして加山又造など、約三〇人の作家の収蔵品のなかから、常時一五〜二五点が展示されている。

その作家群の一人・篁牛人《たかむらぎゅうじん》はあまり知られていないだろう。一九〇一年（明治三四）富山県生まれ。兵役で南方に出た以外は、おおむね富山市で暮らした人で、極貧のなかで絵を描き、富山市の医師・森田和夫の支援を受け、かろうじて画業を続けた。一九八四年（昭和五九）没。死後、富山市が森田和夫か

〈萬丈深淵〉（下保昭、1991年、紙本墨画）

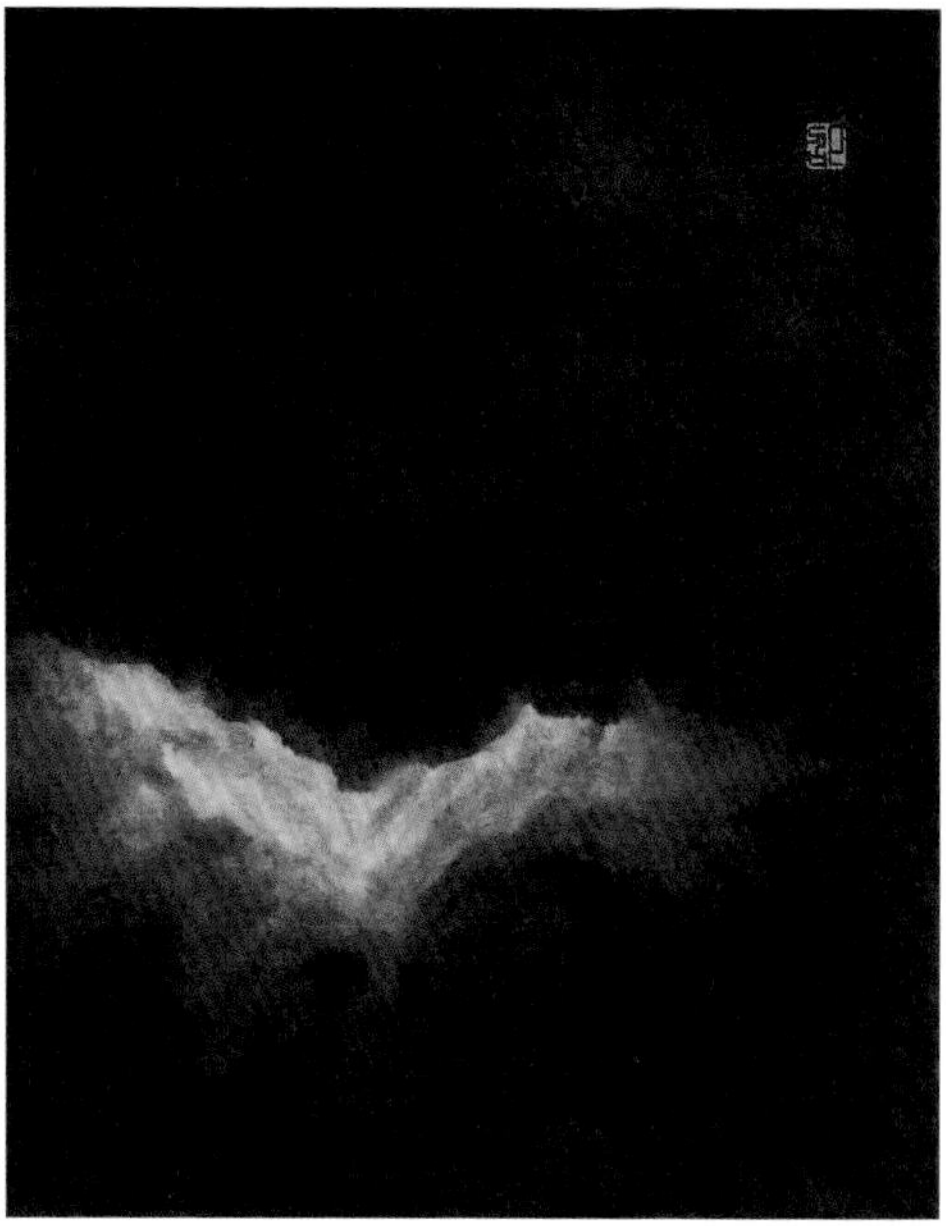

〈寒風雪岳〉（下保昭、1991年、紙本墨画）

ら二五二点の牛人作品の寄贈を受け、富山市民俗民芸村のなかに篁牛人記念美術館が誕生した。富山県水墨美術館にも牛人の作品がいくつも収蔵されている。たとえば〈四睡《しすい》の図〉（一九六八年）。禅の画題で、豊干《ぶかん》・寒山《かんざん》・拾得《じっとく》が虎と眠っている図だが、虎と人間がモコモコと一体になっていて、実に楽しい気分にさせられる。

日本の画家のなかには、中国や日本の説話、禅問答などを主題に、画中に思うさま自分の想像の世界を繰り広げる人々がいる。曽我蕭白《そがしょうはく》、長沢芦雪《ながさわろせつ》、富岡鉄斎、小川芋銭《おがわうせん》。篁牛人もその一人だ。彼らはいずれも水墨画の名手である。

通路の一番奥の「下保昭作品室」には、〈山紫風白《さんしふうはく》〉〈奇峯《きほう》幽遠《ゆうえん》〉（ともに一九八四年）〈寒風雪岳《かんぷうせつがく》〉〈萬丈深淵《ばんじょうしんえん》〉（ともに一九九一年）など、コレクションのなかから常時一五点ほどが展示されている。あくまで自然を描いて、そこから自分の内面を引き出そうとする下保の水墨は、想像をほしいままに描く態度とはまた違う。

水墨美術館は、ありそうでなかった美術館である。

日本の水墨画の伝統は長く、それは近代日本画にも受け継がれ、現代の日本画家にも水墨画を描く画家は多い。古今の絵画を水墨という視点から見る美術館の登場は、現代絵画の水墨への挑戦にも刺激を与えることになろう。

雨の日の富山の町から眺める立山連峰は、靄《もや》って、何やら水墨画めいて迫ってくる。

暗闇のなかの苦闘を想像する。

鴨居玲と
石川県立美術館

石川県金沢市出羽町2-1
(〒920-0963)
076-231-7580

代表的なアクセス
JR「金沢」駅から
兼六園シャトルバスで約15分、
「県立美術館・成巽閣」下車、徒歩約2分

この美術館の
ウェブサイト
はこちらから

〈夜(自画像)〉(鴨居玲、1947年、油彩・キャンバス、笠間日動美術館蔵)

NHK日曜美術館から

自分のために描く

鴨《かも》居《い》玲《れい》は一九二八年（昭和三）、金沢市で生まれた。金沢市立金沢美術工芸専門学校（現・金沢美術工芸大学）卒。兵庫県芦屋で服飾デザイン学校のデッサン講師をした後、南米を旅し、ヨーロッパにも渡った。六六年、ル・サロン（パリ、グラン・パレ）に出品、褒賞受賞。六九年、昭和会展最優秀賞、安井賞受賞。七一年、スペイン、ラ・マンチャ地方に滞在した。七三年、二紀会で文部大臣賞受賞。一九八五年（昭和六〇）、神戸の自宅で急逝。

二〇〇二年（平成一四）の「新日曜美術館」が、鴨居玲の絵画世界を解き明かそうとした。

戦後間もなく金沢市立美術工芸専門学校に入学した鴨居は、そこに講師として来ていた洋画家・宮本三郎の指導を受ける。鴨居は宮本から言われた「何故描くのか、何を描くのか、常に己に問いかけよ」という言葉を胸に刻んだという。

三七歳で南米へ旅立った鴨居は、ブラジルのサンパウロに滞在し、ボリビア、ペルーなどもめぐり、その足でヨーロッパへ渡った。パリやローマで、鴨居は初めて西洋美術の源にふれることになった。鴨居自身が、その時の体験を一九七九年（昭和五四）に語っている。

「パリはね、偶然行ったんです。ブラジルに行ったのは、若い時に自分を見失うことあるでしょ……姿を隠そうと思ってブラジルへ。だから、あんまり建設的な気持ちで出かけたんじゃない。お酒、飲みまくっていました。もうね、することがないもんですから。それで初めて自分のために描き始めたんじゃないですかね。それまではね、展覧会の賞のためとか、人のために描いていた。その時、本当に自分のために描き出したような気がしますよ。それから絵が少し描けるようになりました。人間とは何かということを描きたい。憎み合ったり恋をしたり、また別れたり、そういう人間と人間の関係に興味があるからじゃないですか」

一九六八年頃、鴨居は絵画の研究会を行っている。その研究会のメンバーで、家族ぐるみの交際をしていた李景朝・李順子夫妻が思い出を語った。

李が目にした鴨居の制作過程は、ほとんど完成した絵をゆるく溶いた絵の具で塗り潰し、次に絵の具を布や筆で拭き取り、そこに再び色を重ねて微妙な深みを出すというものだった。李はそういう鴨居の徹底した質感の研究を見て、驚いた。

「ある日の夜、絵ができているからと、それを見に行ったら、制作中なんです。そして見てくれってね。こういうやり方（前記の技法）で……ショックでしたね。今まで私が二〇年絵を

〈1982年 私〉（鴨居玲、1982年、油彩・キャンバス）

描いてきて、こういう描き方をする人を知らなかったものですから……それから私自身も変わっていったんですよね」

李夫妻には、鴨居との忘れられない思い出がある。それは、ある年の忘年会で妻の順子が韓国の民謡アリランを歌ったときの、鴨居の反応だ。順子がその時のことを語る。

「歌を歌った時に、先生が……前の方に座ってらっしゃったんですけど……私たちの席に駆けつけてくださったんですよ。で、もう、先生、本当に泣き虫でね。びっくりしたんですよ、私たちが遠くから憧れていた先生がね、あんなにも泣きながら私の手をつかんで、本当にいい歌を聞かせてもらったって。先生、とっても格好いい方じゃないですか、スマートですしね。でも絵は、もっとどろどろしている部分……人間の弱さとか醜さとか、そんなものが心の底にあるからこそ、アリランなんかにも惹《ひ》かれたんじゃないかなと思ったんです」

（新日曜美術館　二〇〇二年二月三日放送）

鴨居玲は一九八二年（昭和五七）に、群像を背景にキャンバスの前に自身を座らせた二〇〇号の自画像〈１９８２年私〉を描いた。クールベのよく知られた作品〈画家のアトリエ〉（一八五五年）を思わせるような構図である。

一九九〇年（平成二）の「日曜美術館」が、この鴨居の大作に向き合った彫刻家・舟越保武《ふなこしやすたけ》の言葉を紹介した。

「彼の半生の物語がこの絵のなかにあると思います。ずいぶんいろんな人と付き合って、そういう人たちも出ているでしょうし。そういう環境のなかで最後のあがきをやって、それがものにならない。また打ちのめされて戻ってくるという姿がここにあると思うんですよね。何か一つ、真っ当なことからちょっとずらしている。みんな斜めで正面の顔がない、後ろ向きではないけれど……彼はやっぱり目のなかが真っ暗で暗闇になってしまっている。そこのなかに自分の求めつつもとらえることのできない光のネガがあると思います。絵のなかの暗がり……瞳孔が開いた真っ暗な目というのは、ちらっと光が入っているはずなのに、光をちっとも描いていないということは、鴨居さんの場合は人間のなかに真っ暗闇が見える。その真っ暗闇に入って、そのなかに何か光を探し出そうとするけど、とうとう何もつかむことができない。そういう諦めみたいなものを、彼の仕事のなかには感じます」

続けて、一九七九年の番組「美をさぐる」で鴨居玲自身が語った言葉がいくつか紹介される。

――人間を描く興味について。

「私は、自分のなかに、人間の汚いところとか弱さを人一倍持っているもんですからね。それを描いているようなもんですね」

――絵を描く仕事について。

「苦痛そのものです。あのね、大それた仕事ですからね。やはり苦痛そのものです」

――大それた仕事、の意味。

「私はね、自分のことでいうのは恥ずかしいけれども、文学でも絵でもね、芸術ってものは、それと出会った時に自分の生き方を変えるようなね、強烈なショックを与えるものだと思って、そういうふうな仕事をしたいと念じている人間なんです。だからなかなか大変です。できそうにありません」

一九八五年、死の四か月前に『鴨居玲画集　夢候《ゆめそうろう》：作品1947–1984』（日動出版）が刊行された。「夢候」は、司馬遼太郎が小説に用いた室町時代の古謡から採られたものだ。鴨居と司馬は親交があった。

その画集のなかに鴨居の言葉が記されている。

憂きもひととき　うれしきも
思い醒ませば　夢候よ
何しようぞ　くすんで
一期は夢よ　ただ狂え

鴨居の作品に〈夢候よ〉というタイトルのものがある。それは首を吊った男を描いたものだった。

（日曜美術館　一九九〇年六月三日放送）

美術館を旅する

文化をつなぐ城下町

金沢駅から乗ったバスを、美術館最寄りの停留所から一つ手前の香林坊《こうりんぼう》で降り、石川県立美術館へ向かって、のんびりと歩く。広い平坦な大通りが広坂《ひろさか》という交差点まで四〇〇メートルほど続いている。途中左側には、石川四校記念文化交流館がある。四校の旧校舎らしい赤レンガの洋館だ。右側には、一見仮設の円形スタジアムのように見える、金沢21世紀美術館があった。このあたりは、歴史が残り、歴史がそのまま現代に生かされている場所だ。豊かな文化都市金沢の雰囲気が溢れている。

広坂の交差点を直進する道は、左側が兼六園に接していて、きれいな石畳ののぼり坂になっている。さまざまな樹木が混合して植えられた並木の通りは、歩いていて、じつに気持ちが良い。通りの名前を示す標識を見ると、「百万石通り」とあった。石川県立美術館はのぼり坂の右手、道をはさんで兼六園の向かい側にある。

この美術館の前身・石川県美術館の開館は、一九五九年（昭和三四）。県立美術館としては最も早期に建設されたものの一つだ。石川県美術館が幕を閉じ、隣接する場所に石川県立美術館が誕生したのは一九八三年（昭和五八）。館蔵品はすべて新しい館に移管された。一方、石川県美術館の建物は石川県立伝統産業工芸館となり、美を伝える場所として現役を続け、二〇二〇年（令和二）四月から「いしかわ生活工芸ミュージアム」の通称を使用している。

石川県立美術館の第一展示室には、石川県美術館から引き継いだ自慢の名品が展示されている。野々村仁清《ののむらにんせい》の〈色絵雉《いろえきじ》香炉《こうろ》〉（一七世紀／国宝）と一九九一年（平成三）に収蔵された〈色絵雌雉香炉〉（一七世紀／重文）が、いつでも見られる。

収蔵品のなかには、金沢ゆかりの作品が多い。たとえば江戸時代の天才画家・久隅守景《くすみもりかげ》の〈笹に兎図 蓮に川せみ図〉（一七世紀）。江戸の狩野派から破門された久隅は、加賀藩に身を寄せ、金沢で九谷焼の絵付けなどの指導をしながら、旺盛な作画活動を行った。九谷焼の初代徳田八十吉《とくだやそきち》、蒔絵《まきえ》の松田権《まつだごん》六《ろく》、輪島塗沈金《ちんきん》の前大峰《まえたいほう》ら、工芸の加賀・金沢を支えた人間国宝たちの作品も見事だ。

洋画コレクションで、金沢ゆかりの画家として異彩をはなっているのは、鴨居玲である。〈群がる〉（一九六六年）、〈静止した刻〉（一九六八年）、〈おばあさん（B）〉（一九七三年）、〈望郷を歌う（故高英洋に）〉（一九八一年）など、収蔵されている作品は、この画家の代表作だ。

鴨居の死後に『踊り候え』（風来社、一九九〇年）という随想集が出版された。生前の鴨居が雑誌や新聞に発表した文章や対談を集めたものだ。そのなかに、姉の鴨居羊子（下着デザ

〈望郷を歌う（故高英洋に）〉（1981年）

〈おばあさん（B）〉（1973年、ともに油彩・キャンパス）

イナー）と金沢の風土について語りあっているところがある。

玲　私ブラジルへねえ、南米に住んでいてねえ、一年中太陽が輝いていて、一年中窓の外の景色がいっしょなんです。そうするとねえ、絵など描いて……絵もいらないのよねえ。食べ物はそこらに手を伸ばせばあるし、鶏はすうと来るからそれを食べればいいし、バナナはあるでしょう。ああいうところでは、深刻な人生問題考えないね。やはり、だからこういう、北国の厳しいところに育った影響が大きいと思いますね。

羊子　文化はやはり北国から生まれるんでしょうね。この世を賛歌するんじゃなくて、望むものが心の中にある。

（中略）

玲　日本海は冬の方がいい。なんかね、日本海見てるとね、向こうから何かが、何かが来るような感じがする。向こうから誰かが来るような。太平洋の方へ立つとね、海の向こうへ何か新しいものがあるから向こうへ行ってみたいという気がする。日本海は、向こうから何か来るというそういう感じですね。冬の海が見たかった。

金沢は、加賀藩であった時代から、独特の色あいの文化が、深く浸透してきた町である。ふとしたきっかけでそれが現代に息を吹き返す。きっかけは、美術館にもある。

日本海沿いの、美の魂。

横山操・小野忠弘と
福井県立美術館

福井県福井市文京3-16-1
(〒910-0017)
0776-25-0452

代表的なアクセス
JR「福井」駅西口から
京福バスで約10分、
「藤島高校前」下車すぐ

この美術館の
ウェブサイト
はこちらから

【上】〈溶鉱炉〉[部分](横山操、1956年、布彩色、福岡市美術館蔵)
【下】〈網〉(横山操、1956年、布彩色)

NHK日曜美術館から

戦後日本画の風雲児

横山操《よこやまみさお》は一九二〇年（大正九）、新潟県に生まれた。父親は医師。尋常小学校高等科を卒業してすぐに画家を志して上京、油絵を学んだ後、日本画に転じて川端画学校に通う。四〇年（昭和一五）、〈渡船場〉が青龍社展に入選。しかし、同年召集され、中国を転戦した後、ソ連軍に捕らえられてシベリア抑留生活を送る。合わせて一〇年にわたる兵役だった。五〇年、帰国復員してすぐ、青龍社展に〈カラガンダの印象〉を出品。その後も精力的に次々と作品を発表し、戦後日本画界のスターとなった。六二年には渡米、青龍社を脱退する。二年後再びアメリカからヨーロッパをまわり、一九六五年には多摩美大の教授となった。その間も個展や企画展で旺盛な制作活動を続けるが、七一年、脳卒中で倒れ、一九七三年（昭和四八）に五三歳で没した。

一九九九年（平成一一）の「新日曜美術館」で、横山操の作品〈熔鉱炉〉（一九五六年）と〈網〉（一九五六年）について、友人の日本画家・加山又造《かやままたぞう》が語った。

「これだけの大画面に、きちんとした感じで安定感を伝えるためには、基準になる線が大事なんですね。垂直だとか水平だとか。それを横山さんは非常に微妙なバランスでつくり上げているんですね。この、〈熔鉱炉〉なんかはいい例だと思うんです。画面の下にいくに従って少し小さめに描いたりしている。だから何ともいえない重量感をずぅーっと支えている感じがしますね。ワイヤーなんかもいいカーブでぐぅーっと曲がっていって……それで真っ直ぐな、本当に真っ直ぐな線なんですよ。へたな絵描きが描くと、真っ直ぐにやっていてもふにゃふにゃに見えるんですよね。横山さんの線は、ある程度曲がっていても、スパーンと線を伸ばすと、えらくきちんとしているんです。〈網〉のようにきれいに波打っているものでも、曲線に対して直線をギッと入れて、リズムで描いているんですよね。〈網〉の場合は、曲線を切る直線がないと、網の柔らかさが出ないです。三六歳、初期の一番良い時ですね。絵描きの一番良い時っていうのは、こういう絵が描ける。逆に、三六歳でこれだけの絵が描けないと、その絵描きはだいたい決まっちゃってるな……」

（新日曜美術館　一九九九年六月二〇日放送）

NHK日曜美術館から

アッサンブラージュの鬼才

小野忠弘《おのただひろ》は一九一三年（大正二）、青森県で生まれた。東京

[右]〈ホネイロの砂漠〉（小野忠弘、1979年）
[左]1986年の日曜美術館が紹介した〈アッサンブラージュ〉（小野忠弘、1983年）

美術学校（現・東京藝大）彫刻科卒。在学中に鳥海青児《ちょうかいせいじ》の知遇を得て、油絵の制作を始め、春陽会に出品する。四二年（昭和一七）、福井県三国町《みくにちょう》で中学の教師となり、その後の生涯のほとんどをここで過ごした。戦後は自由美術家協会会員となり、同展及び日本国際美術展などに、彫刻、絵画、さらにジャンク・アート（廃品芸術）を精力的に制作して出品する。五九年、サンパウロ・ビエンナーレに出品。同年のアメリカの雑誌『LIFE』が選んだ「ジャンク・アートの世界の7人」にマルセル・デュシャンとともに選ばれている。翌年にはベネチア・ビエンナーレなどにも出品し、国際的にも評価された。二〇〇一年（平成一三）没。

一九八六年（昭和六一）の「日曜美術館」が、三国町の小野忠弘のアトリエを訪ねた。ストーブ一つない冷えきったアトリエで、小麦粉をまぶした白い絵の具をキャンバスに投げつける小野忠弘。画家の気魄がアトリエに漲《みなぎ》る。

「ふつうの人が見たら、『へんちくりんな絵だな』って思うだろうね。かまわんじゃねえか。そんなに絵の好きな奴はいねぇよ。映画だってそうだろ。（ミケランジェロ・）アントニオーニの映画なんて、（客席に）五、六人しか入ってなかった」

「人間はパンのみにて生きるにあらずってキリストの言葉だけど、パンだけで生きている奴は嫌いだね。面《つら》までパンみ

小野忠弘の住居兼アトリエは、没後に改修されてギャラリーになっている。
福井県坂井市三国町の「ONO MEMORIAL」

たいな面しやがって。潰せばあんこが出てくる、ジャムが出てくるとかさ」

「何でおもしろいか?」

「俺ァ、毎日幸福だよ。野良猫の面見ても……なんぼ見ても嫌われているけどね……なんぼ見たっておもしろいよ。こんなおもしろいものがこの世にあろうかって。猫だけじゃないよ。草花でもこれからね……今は雪に覆われちゃっているけどね……雪の結晶だって、中谷《なかや》宇吉郎《うきちろう》さんじゃないけど、美しいだろうけどね。雪景色好きだね。今日の朝なんかとっても良かったね。三〇センチくらい（積もって）……ぼっこぼっこ……下の仕事場へでっかい絵を取りに行って、今日、朝から描いてたんだけど……雪景色は好きだね」

小野は毎朝、近くの越前海岸に出かけ、岩肌にくっつくフジツボをはじめ、岸に上がった流木や浮きなど、気に入ったガラクタを拾い集めてくる。それらが、彼の作品の重要な素材となる。海岸を漁《あさ》った後、毎日のように近くの廃品回収業の店に顔を出す。この店の主人とはもう二〇年来の友達だ。

そうした小野の生活から、廃材を利用したアッサンブラージュの作品群が生み出される。「アッサンブラージュ」とは、二次元・三次元を問わず、既製品を寄せ集めることをいう。

「ロープのアタマだとか、缶のフタだとかね、何かへんな

〈網〉(横山操、1956年)[部分]

ものに興味がね……ああいうものがね、何かこうたいへんキラキラと僕のハートを揺すぶるね。人間によって使い古されて捨てられたもの……これは廃墟感覚とつながるだろうけどね。僕らが住んでいる下にも何らかの歴史があると思うんだよね。縄文あるいは石器時代とか。それからミゼラブルなもの、好きだね。貧乏くさいものが好きだね。陰惨な生活をしているみたいなね。そういうもののなかにちょっと紛れ込んで生活してみたい気持ちはあるね。貧しき者よ幸なりっていう言葉は、僕は、非常に適当な言葉だと思うな」

(日曜美術館　一九八六年三月九日放送)

美術館を旅する

西の文化圏と日本海

夕暮れの福井駅を出ると、駅前広場に恐竜がいた。何やら目を光らせ、ぎごちなく首を振っている。恐竜の化石が多数発掘され、二〇〇〇年(平成一二)には県立の恐竜博物館が勝山市に誕生した恐竜王国・福井県ならではの光景だ。

福井県立美術館は一九七七年(昭和五二)の開館。市の中心部からやや外れたところにあり、距離にすれば駅から四キロと離れていないが、バスで行くとなかなか乗りでがある。県立藤島高校のグラウンドと向かい合って、美術館は建っている。建物の形は一九七〇年代のモダン・スタイルで、外壁には一面に薄い緑青色《ろくしょういろ》のタイルが貼られている。館内に入ると、エントランスはコンクリートの打ち放しであった。受付の人によれば、美術館の建物は当初、タイルは貼られていなくて、外壁もコンクリートの打ち放しだったという。七〇年代はコンクリートむき出しが流行した時代であった。

　展示室は二階にあり、春には「春」を、秋には「秋」をテーマにしたコレクション展が行われる。

　たとえば春。菅楯彦《すがたてひこ》の〈柳桃春景〉（一九二九年）。越前和紙の紙漉《かみすき》職人で日本画用紙を開発したことで知られる岩野平三《いわのへいざぶ》郎《ろう》の麻紙に、菅が試し描きしたもので、椿の花が美しく、傘をさしたかわいらしい童子がいる。月岡雪鼎《つきおかせってい》の〈美人図〉（一八世紀／寄託作品）は、ぼってりとして上品な作品。雪鼎は江戸時代に、菅楯彦は大正・昭和の時代に、いずれも大阪で活躍した画家で、関西ではよく知られている。福井県立美術館は、西の文化圏を視界に入れている。

　また秋には、たとえば岡不崩《おかふほう》の〈菊花図〉（制作年不詳）。岡は、永井荷風に絵を教えたことで知られる、福井出身の日本画家である。

　そして福井県立美術館は、横山操と小野忠弘の作品を所蔵している。新潟生まれの横山の絵が福井にあり、津軽生まれの小野が福井県の三国町に住みついたのも、京・大坂から蝦《え》夷《ぞ》までの、北前船による日本海の往来の歴史を思えば、ある意味では自然なことといえるのかもしれない。

　横山操が、日本海について次のように記している。

「海も太平洋と日本海では相貌が異なる。太平洋は明るく、日本海は暗いと一般に云われるが、風景的に見てもそれは肯ける。その日本海でも、越中を境にして北の海には寂寥感があり、南へゆくにつれて寂寥のうちに甘い哀感が漂うかと思われる。私は越後に生まれたからか、裏日本の海が好きだ。それは自然と人間生活の結びつきに、裏日本らしいよさがあって、そんなことに惹かれるのかもしれない」

（『人生の風景・横山操画文集』新潮社、一九八六年）

　美術館の帰りに、国の名勝に指定されている養浩館《ようこうかん》庭園に立ち寄る。福井藩主松平家の別邸で、東側に池に面して横に長い数寄屋造りの建物があり、遊歩道が池をめぐっている、いわゆる池泉回遊式《ちせんかいゆうしき》庭園だ。建築と庭園が一体的に設計されており、両者が極めてよく調和しているさまは、「庭屋一《ていおくいち》如《にょ》」と呼ばれる。

　養浩館を出て福井城跡へ。立派な石垣のなかの福井城本丸跡は、いまは福井県庁や県会議事堂などが建ち、公園として整備されている。

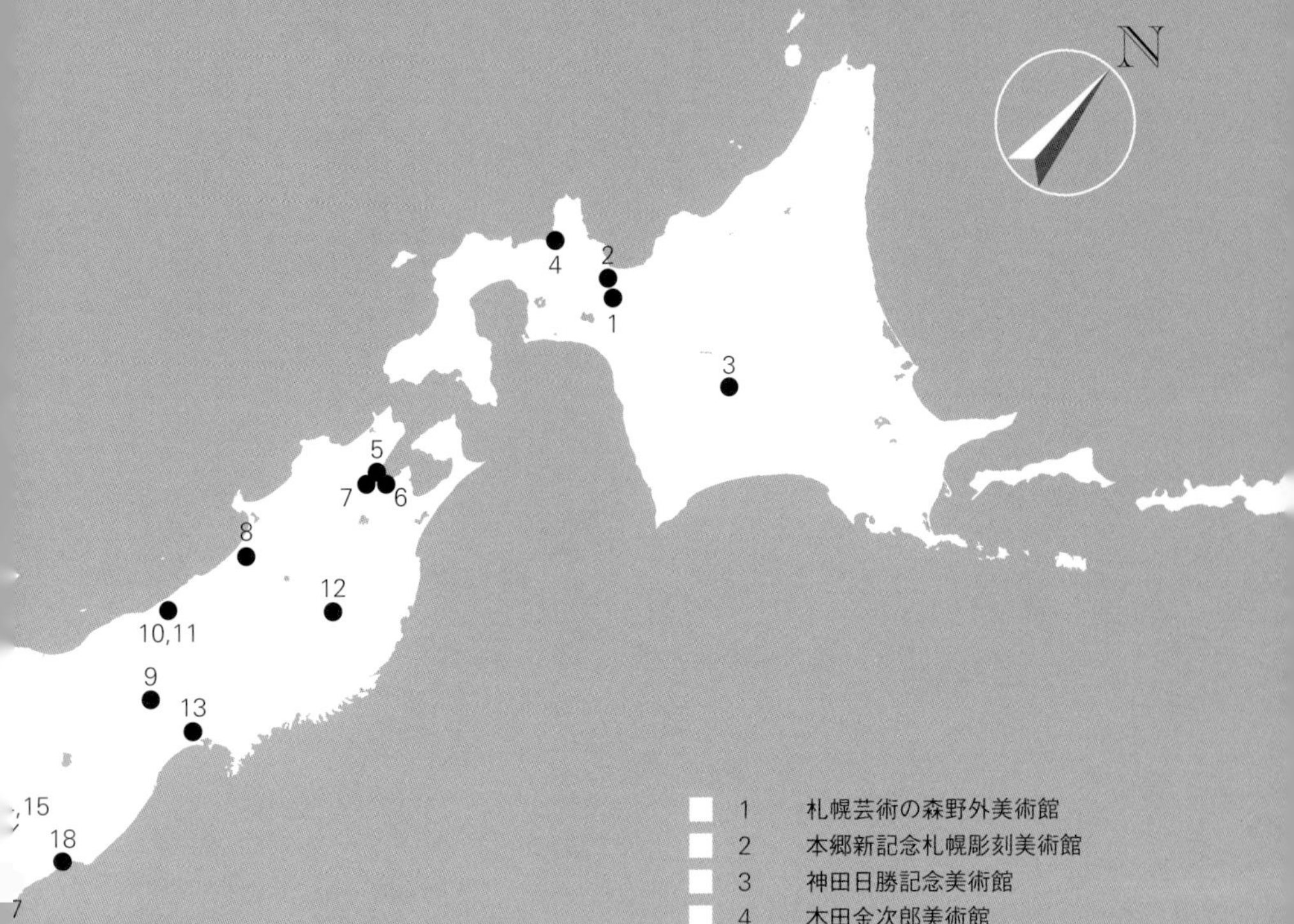

1 札幌芸術の森野外美術館
2 本郷新記念札幌彫刻美術館
3 神田日勝記念美術館
4 木田金次郎美術館
5 青森県立美術館
6 棟方志功記念館
7 常田健 土蔵のアトリエ美術館
8 秋田県立美術館
9 山形美術館
10 土門拳記念館
11 酒田市美術館
12 岩手県立美術館
13 宮城県美術館
14 益子陶芸美術館
15 濱田庄司記念益子参考館
16 群馬県立近代美術館
17 茨城県近代美術館
18 茨城県天心記念五浦美術館
19 河鍋暁斎記念美術館
20 原爆の図 丸木美術館
21 千葉市美術館
22 横浜美術館
23 横須賀美術館 谷内六郎館
24 鎌倉市鏑木清方記念美術館
25 真鶴町立中川一政美術館
26 アーティゾン美術館
27 ミュゼ浜口陽三･ヤマサコレクション
28 三井記念美術館
29 日本民藝館
30 根津美術館
31 岡本太郎記念館
32 山種美術館
33 太田記念美術館
34 平山郁夫シルクロード美術館
35 碌山美術館
36 安曇野ちひろ美術館
37 長野県信濃美術館 東山魁夷館
38 新潟県立近代美術館
39 富山県水墨美術館
40 石川県立美術館
41 福井県立美術館

日本の名画・名品を訪ねて

旅する日曜美術館 MAP

［北海道・東北・関東・甲信越・北陸］……1 ～ 41

［東海・近畿・中国・四国・九州］…………42 ～ 77

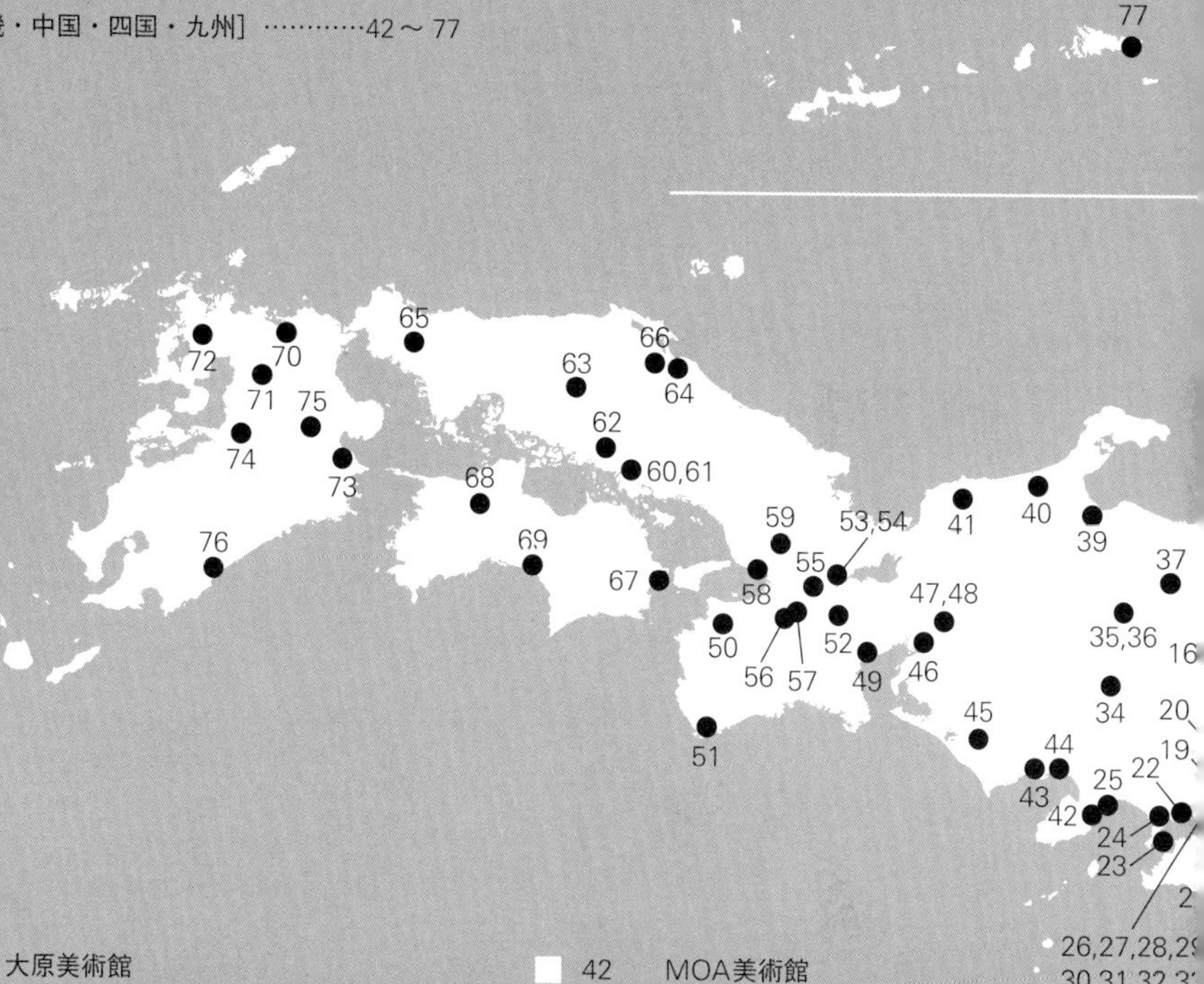

- 60　大原美術館
- 61　倉敷市立美術館
- 62　井原市立田中美術館
- 63　奥田元宋·小由女美術館
- 64　植田正治写真美術館
- 65　山口県立美術館
- 66　足立美術館
- 67　徳島県立近代美術館
- 68　町立久万美術館
- 69　高知県立美術館
- 70　福岡県立美術館
- 71　久留米市美術館
- 72　佐賀県立九州陶磁文化館
- 73　大分県立美術館
- 74　熊本市現代美術館
- 75　坂本善三美術館
- 76　宮崎県立美術館
- 77　田中一村記念美術館

- 42　MOA美術館
- 43　静岡市立芹沢銈介美術館
- 44　静岡市東海道広重美術館
- 45　浜松市秋野不矩美術館
- 46　愛知県美術館
- 47　稲沢市荻須記念美術館
- 48　一宮市三岸節子記念美術館
- 49　三重県立美術館
- 50　和歌山県立近代美術館
- 51　串本応挙芦雪館
- 52　MIHO MUSEUM
- 53　白沙村荘 橋本関雪記念館
- 54　何必館·京都現代美術館
- 55　アサヒビール大山崎山荘美術館
- 56　大和文華館
- 57　松伯美術館
- 58　神戸市立小磯記念美術館
- 59　清荒神清澄寺 鉄斎美術館

索引

本書に登場する美術作家と、作家や作品に向き合ってコメントを残した人たちの索引です。

美術作家名に続けて記した作品名は、本書に画像を掲載しているものを示しています。

[　　　]はその作品の所蔵先です。

あ

い

う

お

か

は

ひ

ふ

む

も

や

よ

り

わ

参考文献

「アサヒギャラリ」通巻26号、サンポウジャーナル、1976年
岩崎ちひろ『戦火のなかの子どもたち』岩崎書店、1973年
NHKトップランナー制作班編『別冊トップランナー 奈良美智』KTC中央出版、2001年
小川芋銭画、島田勇吉編『河童百図』俳画堂、1938年
鏑木清方『こしかたの記』中公文庫、1977年
鴨居玲『踊り候え』風来社、1990年
鴨居玲『鴨居玲画集 夢候―作品1947–1984』日動出版、1985年
神田日勝「生命の痕跡」北海道タイムス、1969年6月18日
京都国立近代美術館＋読売新聞大阪本社編『生誕100年記念 小松均展』図録、2001年
札幌芸術の森美術館編『砂澤ビッキ 風を彫った彫刻家―作品と素描』マール社、2019年
鈴木進＋座右宝刊行会『俳人の書画美術 第12巻 明治の画人』集英社、1980年
常田健『常田健』角川春樹事務所、1999年
土門拳写真、池田真魚＋藤森武監修『鬼の眼 土門拳の仕事』光村推古書院、2016年
東山魁夷『東山魁夷の道―写真・画文集』読売新聞社、1985年
藤田嗣治著、近藤史人編『腕一本・巴里の横顔』講談社文芸文庫、2005年
古河街角美術館＋河鍋暁斎記念美術館ほか編『没後110年記念 河鍋暁斎展―美しき女々―』図録、1999年
本郷新『本郷新』現代彫刻センター、1975年
浜口陽三著、三木哲夫編『パリと私―浜口陽三著述集』玲風書房、2002年
水尾比呂志編著『近代日本の巨匠 濱田庄司』講談社カルチャーブックス、1992年
三田英彬『異端・放浪・夭逝の画家たち』蒼洋社、1988年
向田邦子『向田邦子全集 新版 別巻1 向田邦子全対談』文藝春秋、2010年
棟方志功『板極道』中公文庫、1976年
山村悟『関西アートランダム―180の美術家群像』創元社、1989年
横山操『人生の風景―横山操画文集』新潮社、1986年

協力

アーティゾン美術館
青森県立美術館
秋田県立美術館
安曇野ちひろ美術館
石川県立美術館
茨城県近代美術館
茨城県天心記念五浦美術館
岩手県立美術館
太田記念美術館
岡本太郎記念館
鎌倉市鏑木清方記念美術館
河鍋暁斎記念美術館
神田日勝記念美術館
木田金次郎美術館
群馬県立近代美術館
原爆の図 丸木美術館
酒田市美術館
札幌芸術の森 野外美術館
千葉市美術館
常田健 土蔵のアトリエ美術館
土門拳記念館
富山県水墨美術館
長野県信濃美術館 東山魁夷館
新潟県立近代美術館
日本民藝館
根津美術館
濱田庄司記念益子参考館
平山郁夫シルクロード美術館
福井県立美術館
本郷新記念 札幌彫刻美術館
益子陶芸美術館
真鶴町立中川一政美術館
三井記念美術館
宮城県美術館
ミュゼ浜口陽三・ヤマサコレクション
棟方志功記念館
山形美術館
山種美術館
横須賀美術館 谷内六郎館
横浜美術館
篠山美術館

資料提供

植田正治写真美術館
大原美術館
笠間日動美術館
北九州市立美術館
国立国会図書館
東京藝術大学大学美術館
東京国立近代美術館
東京国立博物館
東京都現代美術館
北海道立近代美術館

デザイン ——————— 岡本洋平(岡本デザイン室)
取材・構成 ——————— 磯辺 勝
組版 ——————— 田中 楽＋田中佑加子(ドルフィン)
滝川裕子
イラスト ——————— 岩神カオル
コピーライティング・編集協力 —— 髙橋 洋(ブリッジ・コミュニケーションズ)
校正・編集協力 ——————— 手塚貴子
協力 ——————— 倉森京子　加藤満喜　桝本孝浩　石田健祐
NHKエデュケーショナル
編集 ——————— 新井 学　神林尚秀

*

帯の写真(オモテ)
【長野】「安曇野ちひろ美術館」が建つ安曇野ちひろ公園(2018年4月撮影／ PIXTA)
帯の写真(ウラ)
【東京】ライトアップされた「三井記念美術館」(2010年5月撮影／ PIXTA)

NHK「日曜美術館」

「日曜美術館」は1976年（昭和51）4月11日にNHK教育テレビ（現・Eテレ）で放送が始まった。第1回のテーマは「私と碌山 荻原守衛」。1997年（平成9）4月から番組タイトルが「新日曜美術館」に変わったが、2009年4月に「日曜美術館」に復した。2015年には番組開始40年を記念して「日美40キャンペーン」を行い、全国各地の美術館と連携した企画や番組を展開。2020年4月に45年目を迎えた。連綿と続く番組の放送回数は2200回を超える。
番組ホームページ　https://www.nhk.jp/p/nichibi/

日本の名画・名品を訪ねて
旅する日曜美術館　北海道・東北・関東・甲信越・北陸

2020年10月25日　第1刷発行

編者　NHK「日曜美術館」制作班　
発行者　森永公紀
発行所　NHK出版
東京都渋谷区宇田川町41-1　郵便番号150-8081
電話　0570-009-321（問い合わせ）
0570-000-321（注文）
ホームページ　https://www.nhk-book.co.jp
振替　00110-1-49701
印刷・製本　図書印刷

Printed in Japan
ISBN978-4-14-081736-0 C0070